JN095488

歴史の蹊、史料の杜

史資料体験が開く日本史・世界史の扉

成蹊大学人文叢書20

成蹊大学文学部学会 編
責任編集 佐々木 紳

風間書房

はしがき――史資料体験へのいざない

歴史研究において、文字史料のみならず非文字資料も含めた「史資料」の探索や分析が不可欠であることはいうまでもない。歴史教育においても、二〇二二年度施行の新学習指導要領下で始まった「歴史総合」「日本史探究」「世界史探究」では、「主体的・対話的で深い学び」を実践するツールの一つとして史資料の活用が重視されている。

そこで、本書では歴史学、地理学、社会学を専門とする一四人の執筆者が、それぞれ思い出や思い入れのある史資料を取り上げ、当該史資料との出会いやつき合い（そして別れ？）を通して得られた新知見、新地平、自分自身の変化（成長）、つまり「史資料体験」の過程や成果を披露することで、歴史の面白さと奥深さを伝えたい。学術論文ではほとんど明かされることのないメイキング・シーンとしての史資料体験談を交えながら、各自の研究のハイライトやダイジェスト、あるいはスピンオフを公開しようという趣向である。

＊

私たちは何らかの記録や記憶の痕跡、すなわち史資料なくして過去を明確に想起することはできない。では、過去は史資料からいかにして再構成されるのだろうか。二〇世紀の評論家、小林

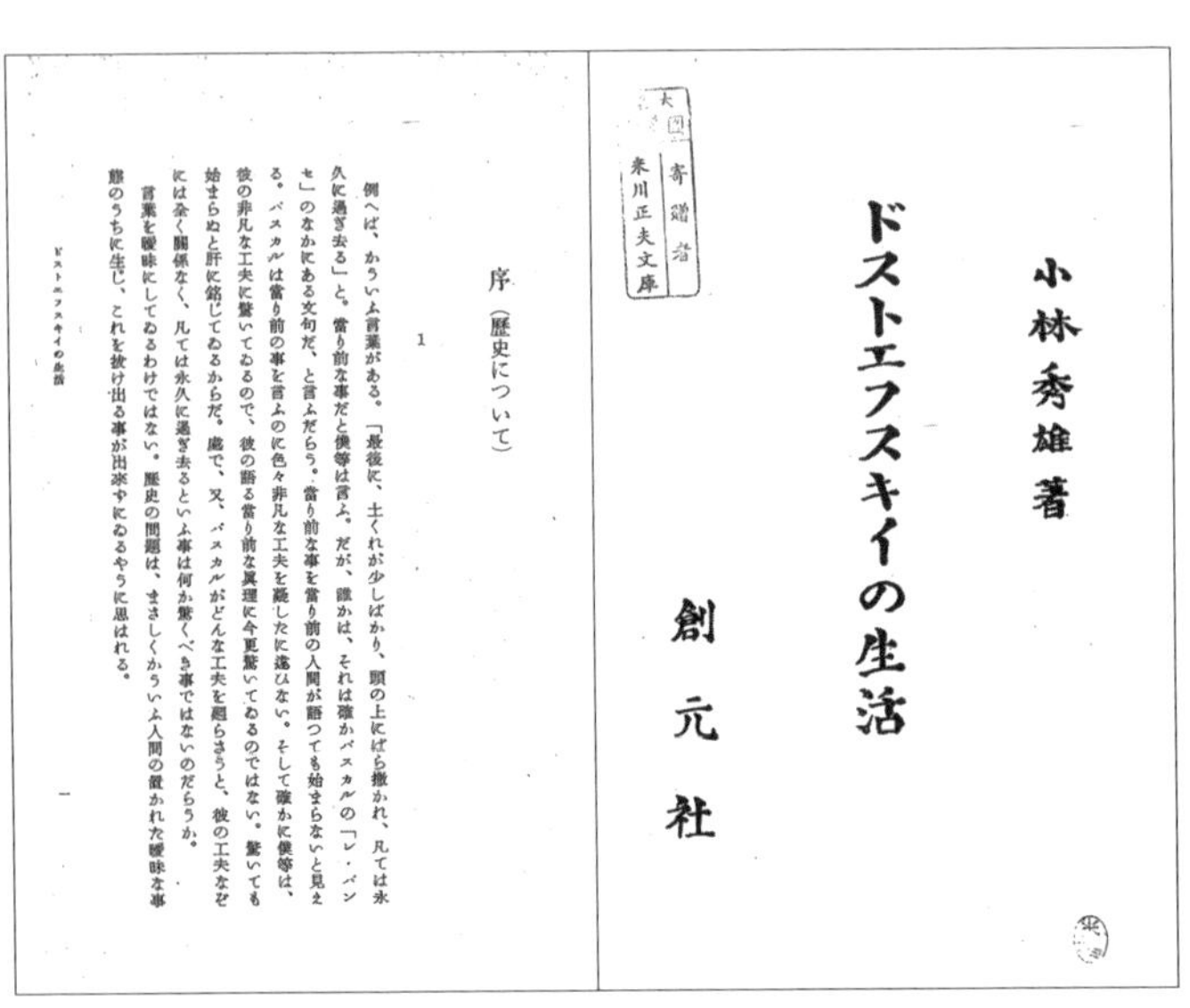
小林秀雄著

ドストエフスキイの生活

創元社

序（歴史について）

1

例へば、かういふ言葉がある。「最後に、土くれが少しばかり、頭の上にばら撒かれ、凡ては永久に過ぎ去る」と。當り前な事だと僕等は言ふ。だが、誰かは、それは確かパスカルの「レ・パンセ」のなかにある文句だ、と言ふだらう。當り前な事を當り前の人間が語つても始まらないと見える。パスカルは當り前の事を言ふのに色々非凡な工夫を凝したに違ひない。そして確かに僕等は、彼の非凡な工夫に驚いてゐるので、彼の語る當り前な眞理に今更驚いてゐるのではない。驚いても始まらぬと肝に銘じてゐるからだ。處で、又、パスカルがどんな工夫を凝らさうと、彼の工夫なぞには全く關係なく、凡ては永久に過ぎ去るといふ事は何か驚くべき事ではないのだらうか。

言葉を曖昧にしてゐるわけではない。歴史の問題は、まさしくかういふ人間の置かれた曖昧な事態のうちに生じ、これを抜け出る事が出來ずにゐるやうに思はれる。

ドストエフスキイの生活

【0－1】小林秀雄『ドストエフスキイの生活』の初版本（創元社、1939年）の扉と第1ページ。東京大学駒場図書館所蔵。

秀雄（一九〇二―八三年）は、文芸雑誌『文学界』に発表した長編評論「ドストエフスキイの生活」（一九三五―三七年初出、三九年単行本化）の序文のなかで、史資料から過去を想起する行為を、子を喪った母親の比喩を用いて巧みに解き明かす【0―1】。

子供が死んだという歴史上の一事件の掛替えの無さを、母親に保証するものは、彼女の悲しみの他はあるまい。どの様な場合でも、人間の理智は、物事の掛替えの無さというものに就いては、為す処を知らないからである。悲しみが深まれば深まるほど、子供の顔は明らかに見えて来る、恐らく生きていた時よりも明らかに。愛児のささやかな遺品を前にして、母親の心に、この時何事が起るかを仔細に考えれば、そういう日常の経験の裡に、歴史に関する僕等の根本の智慧を読み取るだろう。それは歴史事実に関する根本の認識というよりも寧ろ根本の技術だ。其処で、僕等は与えられた歴史事実を見ているのではなく、与えられた史料をきっかけとして、歴史事実を創っているのだから。この様な智慧にとって、歴史事実とは客観的なものでもなければ、主観的なものでもない。この様な智慧は、認識論的には曖昧だが、行為として、僕等が生きているのと同様に確実である（小林 一九六四：一五、傍訓は引用者による）。

「愛児のささやかな遺品」を前にして「子供の顔」を想起することは、「与えられた史料をきっかけとして、歴史事実を創っている」ことにも比すべき「智慧」であり、「技術」であり、そして「行為」であるという。ここで注意すべきは、そうした行為が、たんに頭のなかで、あるいは胸のうちで思惟や感傷に耽るのではなく、必ず想起の具体的根拠つまり史資料を要するということである。「僕等は史料のない処に歴史を認め得ない」（小林 一九六四：一〇）。

この点が非常に重要なのは、小林と同時代を生きた政治学者、丸山眞男（一九一四－九六年）が「思想史はやはり史料的考証によって厳密に裏づけされなければなりません」（丸山 一九九八：四五三）として、小林と同様の見方を示していることからも明らかである。丸山は講演体の論文「思想史の考え方について――類型・範囲・対象」（一九六〇年の講演をもとに六一年初出）において、思想史家と史資料との関係を「演奏家」と「楽譜」との関係になぞらえ、「演奏が芸術的であるためには、必然に自分の責任による創造という契機を含みます」（丸山 一九九八：四五五）とした上で、次のように続ける。

> これと同じように思想史家の仕事というのは思想の純粋なクリエーションではありません。いわば二重創造であります。たとえば東西古今の思想家をダシに使って自分の思想を展開するのが思想史ではありません。しかし思想をたんに歴史的な所与のなかに碇（いかり）づけるというのでは、やはり思想史とはいえません。〔中略〕出来事としての歴史ではない、叙述された歴史には、多かれ少なかれ必ず史料の主体的なコンストラクションというものが入っているわけです。しかし思想史においてこの契機は、決定的に大きな意味をもちます（丸山 一九九八：四五五—四五六、傍点と傍訓は引用文献のママ）。

丸山は小林の「実感信仰」に偏する思考様式を批判したといわれるが（中野 二〇二一：一八五）、こと史資料から歴史を引き出す手際に関するかぎり、両者は驚くほど似かよったイメージをもっている。丸山が「史料の主体的なコンストラクション」と呼ぶ歴史創造の行為を、小林は「思い出す事」と呼んだ。これは、戦中にやはり『文学界』に発表した短編評論「無常という事」（一九四二年初出、四六年単行本化）に登場する鍵概念でもある。この評論のなかで、小林は比叡山の

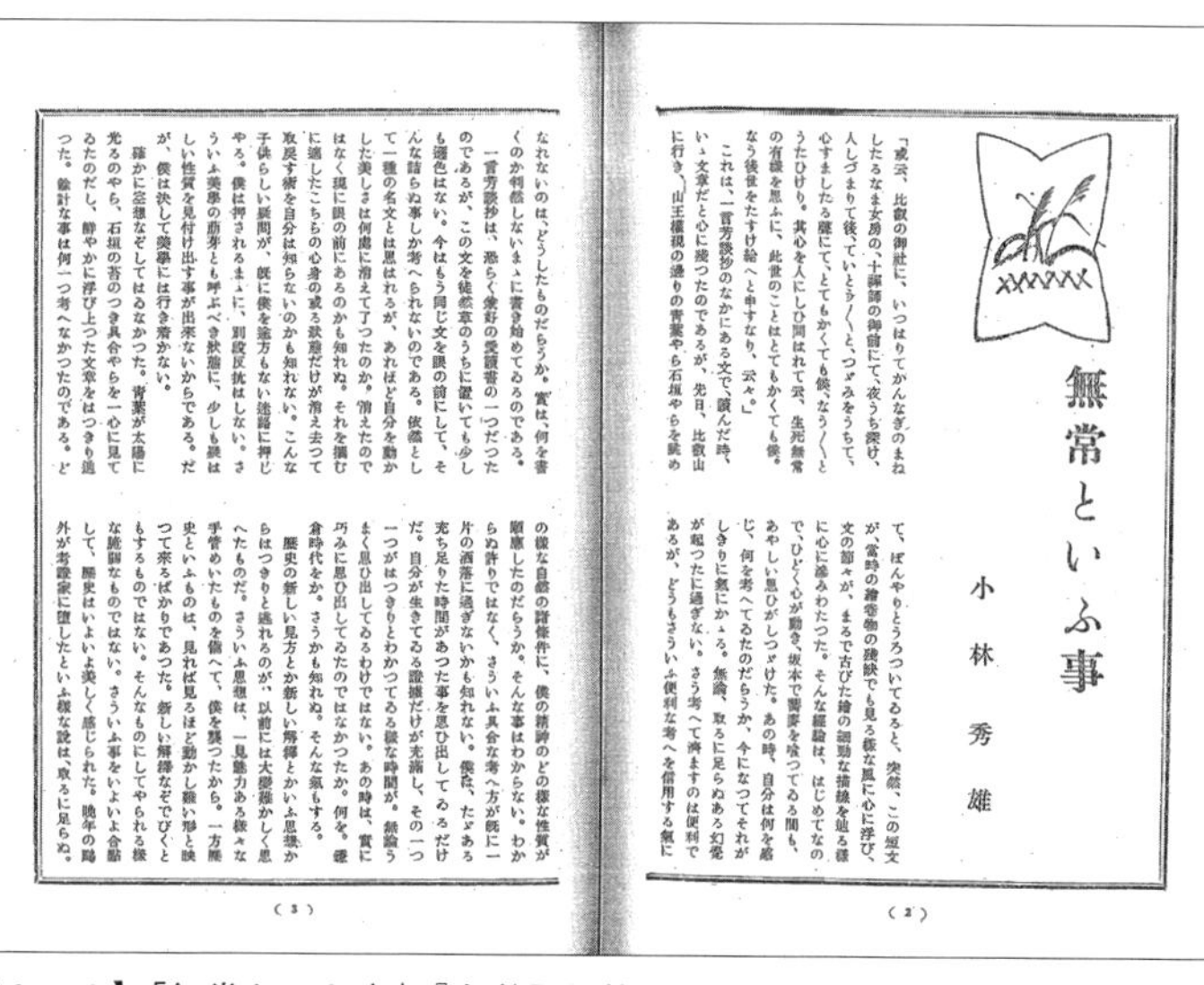

無常といふ事

小林秀雄

「或云、比叡の御社に、いつはりてかんなぎのまねしたるなま女房の、十禪師の御前にて、夜うち深け、人しづまりて後、ていとう〳〵と、つゞみをうちて、心すましたる聲にて、とてもかくても候、なう〳〵とうたひけり。其心を人にしひ問はれて云、生死無常の有樣を思ふに、此世のことはとてもかくても候。なう後世をたすけ給へと申すなり、云々。」

これは、一言芳談抄のなかにある文で、讀んだ時、いゝ文章だと心に殘つたのであるが、先日、比叡山に行き、山王權現の邊りの靑葉やら石垣やらを眺めて、ぼんやりとうろついてゐると、突然、この短文が、當時の繪卷物の殘缺でも見る樣な風に心に浮び、文の節々が、まるで古びた繪の細勁な描線を辿る樣に心に滲みわたつた。そんな經驗は、はじめてなので、ひどく心が動き、坂本で蕎麥を喰つてゐる間も、あやしい思ひがしつゞけた。あの時、自分は何を感じ、何を考へてゐたのだらうか、今になつてそれがしきりに氣にかゝる。無論、取るに足らぬある幻覺が起つたに過ぎない。さう考へて濟ますのは便利であるが、どうもさういふ便利な考へを信用する氣になれないのは、どうしたものだらうか。實は、何を書くのか判然しないまゝに書き始めてゐるのである。

一言芳談抄は、恐らく兼好の愛讀書の一つだつたのであるが、この文を徒然草のうちに置いても少しも遜色はない。今はもう同じ文を眼の前にして、そんな詰らぬ事しか考へられないのである。依然として一種の名文とは思はれるが、あれほど自分を動かした美しさは何處に消えて了つたのか。消えたのではなく現に眼の前にあるのかも知れぬ。それを摑むに適したこちらの心身の或る狀態だけが消え去つて取戾す術を自分は知らないのかも知れない。こんな子供らしい疑問が、旣に僕を途方もない迷路に押しやる。僕は押されるまゝに、別段反抗はしない。さういふ美學の萌芽とも呼ぶべき狀態に、少しも疑はしい性質を見付け出す事が出來ないからである。だが、僕は決して美學には行き着かない。

確かに空想なぞしてはゐなかつた。靑葉が太陽に光るのやら、石垣の苔のつき具合やらを一心に見てゐたのだし、鮮やかに浮び上つた文章をはつきり辿つた。余計な事は何一つ考へなかつたのである。どの樣な自然の諸條件に、僕の精神のどの樣な性質が順應したのだらうか。そんな事はわからない。わからぬ許りではなく、さういふ具合な考へ方が旣に一片の洒落に過ぎないかも知れない。僕は、たゞある充ち足りた時間があつた事を思ひ出してゐるだけだ。自分が生きてゐる證據だけが充滿し、その一つ一つがはつきりとわかつてゐる樣な時間が。無論、うまく思ひ出してゐるわけではないのだが、あの時は、實に巧みに思ひ出してゐたのではなかつたか。何を。鎌倉時代をか。さうかも知れぬ。そんな氣もする。

歷史の新しい見方とか新しい解釋とかいふ思想からはつきりと逃れるのが、以前には大變難かしく思へたものだ。さういふ思想は、一見魅力ある樣々な手管めいたものを備へて、僕を襲つたから。一方歷史といふものは、見れば見るほど動かし難い形と映つて來るばかりであつた。新しい解釋なぞでびくともするものではない。そんなものにしてやられる樣な脆弱なものではない。さういふ事をいよいよ合點して、歷史はいよいよ美しく感じられた。晩年の鷗外が考證家に墮したといふ樣な說は、取るに足らぬ。

（2）（3）

【0−2】「無常という事」『文学界』第9巻第6号（1942年）〔復刻版：不二出版、2010年より〕。高校生の私にこの評論の魅力を講じてくれた、今は亡き国語の恩師のことを思い出す。

山中で心に浮かんだ法語集『一言芳談抄』の一節をよすがに、鎌倉時代の無常観を「上手に思い出す」独特の体験を綴っている（小林 一九六一：八三—八七）。本書の問題関心に引きつけていえば、「無常という事」は『一言芳談抄』の一節をめぐる一種の史資料体験談として読みなおすことができるかもしれない【0−2】。

史資料から歴史を引き出す技術ないし行為について、さらにいくつかのイメージを重ねてみたい。たとえば、冷戦史の専門家にして歴史理論にも明るい米国の歴史家ジョン・ルイス・ギャディスは、「歴史における想像力とは、科学の場合と同じく、情報源に縛られ律せられる」（ギャ

ディス 二〇〇四：五九）と述べている。いささか物々しい書きぶりではあるが、「想像力」を「悲しみ」に、また「情報源」を「遺品」に置き換えてみれば、ギャディスの警句が小林の例話からさほど離れているわけではないことがわかる。同じことを丸山にいわせれば、思想史は「歴史的な考証によって制約される」（丸山 一九九八：四五四）のである。

ここに、日本近世史研究者の山室恭子が恩師石井進（一九三一―二〇〇一年）から得た座右の銘、「史料に明確に反していなければ何を言ってもよいのですよ」（山室 二〇一三：四一〇）という言葉を並べてみよう。歴史学は、史資料の有無ないし多寡に決定的に左右される。史資料が十分に伝存する場合でも、たとえば自説に都合の悪いものを無視して議論を進めることはできない。その意味では、たしかに史資料が足かせになることもある。だが、石井が山室に諭したように、史資料に拠って立つという姿勢を最低限のルールと捉えなおせば、私たちは歴史について自由に思考し、表現できるようになる。「何を言ってもよい」という自由を享受できるのである。

だからこそ、「悲しみ」だけでも「遺品」だけでもいけないという、過去を想起する際の平衡感覚が重要になってくる。この感覚を、丸山は「歴史によって自分が拘束されることと、歴史的対象を自分が再構成することとの、いわば弁証法的な緊張」（丸山 一九九八：四五七）と表現した。歴史叙述における主観と客観の問題を正面から論じたフランスの歴史家イヴァン・ジャブロンカは、同じ感覚を「文学」という言葉を用いて表そうとする。「文学が多くなりすぎると、歴史は死ぬ。文学が少なすぎると、もはや何も残らない」（ジャブロンカ 二〇一八：二二三―二二四）と。イギリスの作家ヴァージニア・ウルフ（一八八二―一九四一年）は、「自分が書きたいことを書く、それがすべてです」（ウルフ 二〇一五：一八三）と確言したが、歴史学において自分が書きたいことを書く、つまり自由をまっとうしたいと望むなら、私たちは史資料に向き合わねばならない。

そこで、およそ歴史研究に携わる人びとは、何よりもまず厖大な史資料の杜に分け入り、過去を想起するよすがを探ることになる。その探索の結果として拓かれたひとすじの蹊こそ、私たちの知りうる歴史にほかならない。もちろん「史料の杜」は広大無辺だから、「歴史の蹊」も多種多様である。近道もあれば回り道もある。難所や絶景も無数にある。本書では、こうした杜と蹊のイメージを踏まえながら、めくるめく史資料体験の世界に読者をいざなうことにしよう。

＊

本書の執筆者は、成蹊大学の専任教員をはじめ、これまで一度でも本学の教壇に立ったことのある人たちで構成されている。専門分野は歴史学から地理学や社会学まで、時代は古代から近現代まで、地域は日本を含むアジアからヨーロッパやアメリカまで広範囲に及ぶ。取り上げられる史資料も、歴史書、公文書、裁判資料、議事録といった公的性格の強いもの、自伝、書簡、日記、回想録といった個人的性格の強いもの、新聞・雑誌などの定期刊行物史料、雑誌の表紙絵や風刺画などの図像資料、さらには気象観測記録、冒険小説、宗教文献、オーラル・ヒストリー（口述記録）と多彩である。

これらの史資料をめぐる一四本の文章は、大きく二つのパートに分かれている。第一部「日本史の扉」は六本の文章をおよそ時代順に、第二部「世界史の扉」は八本の文章をおよそ地域ごとに、アジア史、ヨーロッパ史、アメリカ史の順で並べた。もちろん、日本史と世界史にまたがる横断的なトピックを扱う章もある。各章の内容については「史資料体験談を交えた、やや硬質な歴史エッセイ」というコンセプト以外、とくに注文を付けなかったので、おのおの独立した読み物として、どの章から読みはじめても楽しめるようにできている。

なお、この「はしがき」でも採用しているように、本書では各章末に参照文献の書誌を著者名の五十音順またはアルファベット順に並べ、本文中には著者名と発表年、必要であれば参照ページ数を示す方式をとっている。たとえば「ウルフ 二〇一五：一八三」とある場合、この「はしがき」の末尾に付した参照文献欄の最初に挙がっている文献の一八三頁のことを指す。また、図版に付した番号は、章ごとに登場する順番を示している。たとえば【9-2】とある場合、第九章の二点目の図版のことを指す（「はしがき」は第〇章と数えた）。

本書は、成蹊大学人文叢書の第二〇巻にあたる（第一巻の刊行は二〇〇三年三月）。この記念すべき巻を歴史関連のテーマで刊行することを認めていただいた成蹊大学文学部学会の会員各位、前文学部長（現学長）の森雄一先生、現文学部長の見城武秀先生、ならびに刊行までの事務作業を担っていただいた文学部共同研究室の井上崇さん、市川智子さん、鹿野谷有希さん、藤森葉子さん、水谷奈於さんに謝意を表する。風間書房の風間敬子さんにも、企画段階から刊行まで、たいへんお世話になった。同じく記して感謝したい。末筆ながら、貴重な史資料体験を惜しげもなく披露していただいた執筆者のみなさんに、拙い差配を詫びつつ、この場を借りてあらためて御礼申し上げる。

二〇二三年二月

責任編集者　佐々木　紳

参照文献

ウルフ、ヴァージニア（二〇一五）『自分ひとりの部屋』（片山亜紀訳、平凡社ライブラリー）平凡社。

ギャディス、ジョン・ルイス（二〇〇四）『歴史の風景――歴史家はどのように過去を描くのか』（浜林正夫・柴田知薫子訳）大月書店。

小林秀雄（一九六一）『モオツァルト・無常という事』（新潮文庫）新潮社。

――（一九六四）『ドストエフスキイの生活』（新潮文庫）新潮社。

ジャブロンカ、イヴァン（二〇一八）『歴史は現代文学である――社会科学のためのマニフェスト』（真野倫平訳）名古屋大学出版会。

中野剛志（二〇二一）『小林秀雄の政治学』（文春新書）文藝春秋。

丸山眞男（一九九八）『忠誠と反逆――転形期日本の精神史的位相』（ちくま学芸文庫）筑摩書房。

山室恭子（二〇一三）『中世のなかに生まれた近世』（講談社学術文庫）講談社。

歴史の蹊、史料の杜——史資料体験が開く日本史・世界史の扉　目次

第二部　世界史の扉

第一部　日本史の扉

啓行門（写真：成蹊学園所蔵）

第一章　疫病と日本古代史
――仏教との関わりから

有富純也

二〇二〇年初めに発生した新型コロナウイルス感染症は、ほどなく日本にも上陸し、我々の生活様式を一変させてしまった。緊急事態宣言が発せられ、飲食店などもほとんど休業を余儀なくされ、大学でも卒業式が中止となり、新入生歓迎ガイダンスも開催することができず、当然だと思っていた対面授業もオンライン授業に切り替わってしまう。新しい言葉も続々と誕生し、「ソーシャルディスタンス」や「ステイホーム」という言葉を記憶している読者も多いだろう。この文章をしたためている二〇二二年八月現在、ワクチンの開発などのおかげで、少しずつであるものの、コロナ以前の生活に戻りつつあるように思える。成蹊大学も、二〇二二年度前期の多くの授業は対面で行われた。

現代の日本人の多くにとってこのような体験ははじめてだと思われるが、歴史をひもといてみると、疫病は様々なかたちで人類を苦しめてきた。また、疫病がきっかけで日本の歴史が大きく動くことも、しばしばあった。そこで本章では、六世紀半ばと八世紀半ばの疫病の事例を検討してみたい。具体的には、疫病がいかに流入してきたか、さらには疫病の影響で社会や文化がいかに大きく変化したかを論じることで、歴史資料の扱い方を紹介することとしたい。

1　仏教伝来と疫病

現在の日本列島に、仏教寺院が存在し、仏教を修めた僧侶が存在することはよく知られていよう。そしてその仏教がインド発祥であり、それが中国大陸・朝鮮半島を経由して、六世紀に日本に伝来したことを、中学校や高等学校で学んだ人も多いだろう。

少し話が脱線するが、実はこの仏教公伝の年は、五三八年説と五五二年説の二つある。説が二つあるというのは不思議なことと思われるかもしれないが、史料によって説が分かれている。前者は『元興寺伽藍縁起 并 流記資財帳』『上宮聖徳法王帝説』に、後者は『日本書紀』などに仏教公伝が記されている。この二つの説のどちらが正しいのかについては、後述したい。

さて以下では、『日本書紀』欽明天皇十三年十月条をみてみよう。『日本書紀』が成立したのは七二〇年（養老四）であるが、このころはひらがな・カタカナは存在しておらず、日本で使用されている文字は漢字のみである。漢字のみで記された漢文を読み解くことも、日本古代史を研究するうえでは重要なことなのだが、ここでは、新編日本古典文学全集『日本書紀』を用いて、少し長いが現代語訳を読み、どのような史料なのか確認してみたい（一部表記を改め、省略した箇所もある）。

冬十月に、百済の聖明王は西部姫氏達率怒唎斯致契（さいほうきしだちそちぬりしちけい）らを派遣して、釈迦仏の金銅像一躯（く）・幡蓋若干・経論若干巻を献上した。別に上表して、仏法の流布と礼拝の功徳を称えて、「この法は、諸法のうちで、最もすぐれたものです。理解するのも、入門するのも、たいそう難しく、周公・孔子でさえ、理解することができないのです。この法は、無限の幸福をもたらし、無上の菩提に導きます。たとえば、人が如意宝珠を用いると、すべて物事が思いのままになるように、この妙法の宝も思いのままなのです。祈念は思うように達せられ、充足しないことなどありません。それに、遠く天竺から、ここ三韓に伝わるあいだ、みな教えに従い信仰して、尊敬しない国などありません。そこで、百済王である私が、謹んで陪臣怒唎斯致契を派遣して、日本にお伝えして、畿内に流布していただけるよう、申しあげる次第です。仏が、『我が法は東に伝わるだろう』と記していらっしゃるのを果したいのです」と申しあげた。この日、天皇は聞き終えると、躍り上がって喜ばれ、使者に詔して、「私は今までに、これほどすばらしい法は聞いたことがない。しかしながら、私ひとりで決めるわけにはゆかない」と仰せられた。そうして群臣それぞれに尋ねて、「西蕃が献上した仏像の容貌は荘厳で美しく、今までまったくみたことがないものだ。礼拝するべきかどうか」と仰せられた。蘇我稲目は奏上して、「西蕃諸国はみなこぞって礼拝しております。豊秋日本だけが背くわけにはゆきません」と申しあげた。物部尾輿・中臣鎌子は同じく奏上して、「我が国家の王は、常に天地の百八十神を春夏秋冬にお祭りしてこられました。今、それを改めて蕃神を礼拝なされば、おそらくは国神の怒りを受けるでしょう」と申しあげた。天皇は、「願っている稲目にこの仏像を授け、試みに礼拝させてみよう」と仰せられた。稲目は跪（ひざまず）いてそれを受け、とても喜び、小墾田（おはりだ）の家に安置した。ひたすら仏道の修行をし、そのために向原の家を清めて寺とした。その後、国に疫病が流行し、人民が若くして死んでいった。疫病はやまず、死者はますます増え、治療の手だてがなかった。物部尾輿・中臣鎌子は共に奏上して、「かつて、私どもの計を用いられなかったために、このような病死を招いたのです。今、すみやかに元に戻したら、きっと良いことがあるでしょう。一刻も早く仏像を投げ棄て、ひたすら、来るべき幸福を願うべきです」と申しあげた。天皇は、「奏上のとおりにせよ」と仰せられた。役人は仏像を難波の堀江に流し棄て、また寺に火をつけた。寺は全焼して何も残らなかった。そのとき、天に風雲もないのに、突然大殿（天皇の居所）に火災が起った。

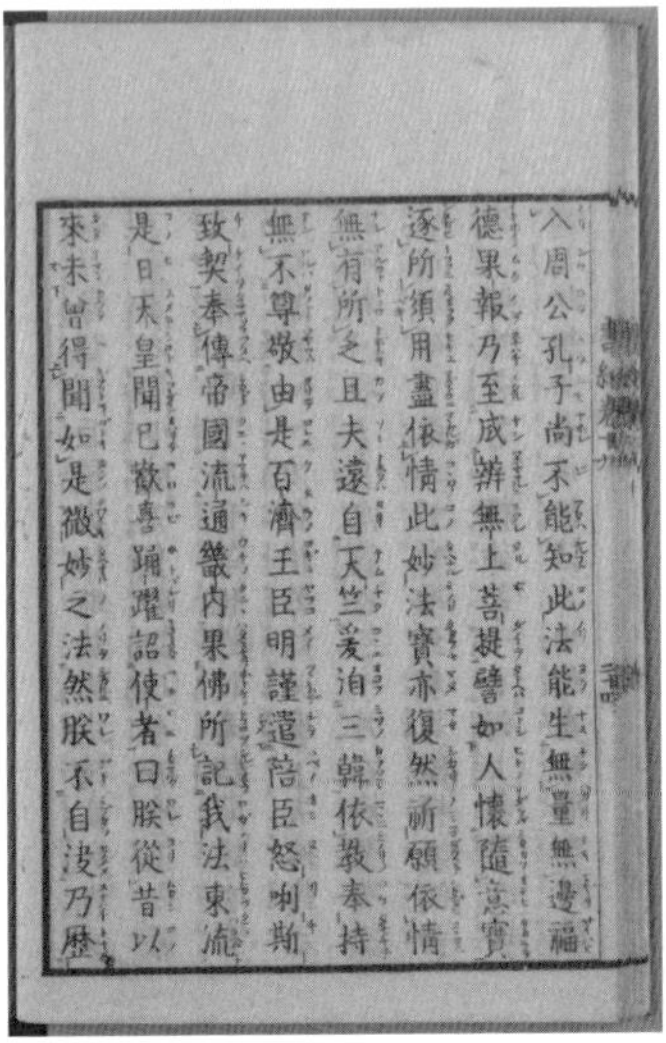
入周公孔子尚不能知此法能生無量無邊福
德果報乃至成辨無上菩提譬如人懷隨意寶
逐所須用盡依情此妙法寶亦復然祈願依情
無有所乏且夫遠自天竺爰洎三韓依教奉持
無不尊敬由是百濟王臣明謹遣陪臣怒唎斯
致契奉傳帝國流通畿內果佛所記我法東流
是日天皇聞已歡喜踊躍詔使者曰朕從昔以
來未曾得聞如是微妙之法然朕不自決乃歷

【1－1】『日本書紀』（国立国会図書館デジタルコレクションより）

以上をとても簡単にまとめれば、

①　百済から仏教が伝わった。
②　欽明天皇は広めることに前向きであったが、群臣の意見も聞いた。
③　蘇我氏は賛成したが、物部氏たちは反対した。
④　そこでお試しに蘇我氏は仏教を崇拝することとなった。
⑤　疫病が流行してしまい、反対派が仏教のせいだとして、天皇の許しを得て仏像を海に捨て、寺に火をつけた。

となろう。

歴史書にこのように記載されていれば、それが事実だと考えるのが一般的だろう。しかし、『日本書紀』は一筋縄ではいかない。実はこの記事のなかに、別の文章のほぼ同文が記されている部分がある。それは、傍線部を付した部分だが、その部分を、『日本書紀』の原文【１－１】で記すと以下のようになる。

是法、於諸法中最為殊勝。難解難入、周公・孔子尚不能知。此法、能生無量無辺福徳果報、乃至成弁無上菩提。譬如人懐随意宝逐所須用、尽依情、此妙法宝亦復然。祈願依情無所乏。

この部分は、百済王が仏教の良さを日本側に説明する「上表」の部分である。ここで、次の

『金光明最勝王経』如来寿量品と、『金光明最勝王経』四天王護国品を記し、『日本書紀』と比較してみよう。

是金光明最勝王経。於諸経中最為殊勝、難解難入、声聞独覚所不能知。此経、能生無量無辺福徳果報、乃至成弁無上菩提。（如来寿量品）

如人室有妙宝篋／随所受用悉従心／最勝経王亦復然／福徳随心無所乏（四天王護国品）

一字一句すべてが同じというわけではないが、たとえば『金光明最勝王経』如来寿量品の「最為殊勝、難解難入」や「能生無量無辺福徳果報、乃至成弁無上菩提」は、どちらかがどちらかを真似しないと成立しないと考えて良かろう。この『金光明最勝王経』は、中国僧の義浄が七〇三年（長安三）に翻訳し、それを道慈という僧侶が唐から持ち帰ったものと推定されている。道慈は、七一八年（養老二）に帰国しているため、『日本書紀』の編者が『金光明最勝王経』をみて、その文章を借用したと考えるのが妥当である。先述のように『日本書紀』が撰進されたのは七二〇年（養老四）であるから、充分間に合う。

さらに、この記事の肝である、仏教に対して天皇が豪族に諮問し、賛成派と反対派に分かれたという部分についても、同様の話が、中国南朝の梁の慧皎（えこう）が撰述した『高僧伝』仏図澄伝という書物にみられる。ごく簡単に要約すると以下のようになろう。

①後趙王の石虎が、近年みだりに仏教徒が増えているが、良いことなのだろうかと臣下である王度に問いかけると、

②王度は、「王は天地や百神を祭るべきである一方、仏は西域から出た外国の神で、功徳は民にまで伝わらない。また、これまでの王朝も漢人に出家を認めなかった。故に後趙でも同様に、仏教を禁止すべきだ」と答えた。

③それに対して王の石虎は、「私はもともと辺地出身にもかかわらず中国を治めているので、仏教が外国の神であれば、それこそ信奉すべきものである。故に仏教信仰を許可する」と述べる。

ここで出てくる後趙という国家は、五胡十六国時代の王朝の一つで、三一九年から三五一年まで中国大陸を統治していた国家であり、羯(けつ)族出身の石氏が建国した国である。石虎は天王という位についたものの、遊猟と酒色にふけり、国家を傾かせてしまったようで、三四九年に死去している（小野 二〇二〇：八四―九〇）。

『高僧伝』仏図澄伝に戻ろう。仏教に反対する勢力がいる一方で、仏教に賛成する立場の人間がいるという構図は、確かに『日本書紀』の記事と近似している。また、仏図澄伝に「百神を祭る」「仏は西域より出る外国の神」「仏はこれ戎神にして正(まさ)に奉るべきところなり」という部分は、『日本書紀』の記事にそのままの言葉ではないにしろ、影響を与えていると考えられよう。

実は、『金光明最勝王経』と『日本書紀』の関係、および『高僧伝』仏図澄伝と『日本書紀』の関係は、古くから指摘されていた。近年はさらに、他の中国由来の仏教関係書を博捜した吉田

一彦氏が、それらと『日本書紀』の類似する字句などがあまりにも多いことを指摘し、そのうえで、仏教公伝の記事を『日本書紀』編者（具体的には道慈）が創作した物語だと論じている。つまり吉田氏は、先に掲げた『日本書紀』の部分を事実ではない、と断定している（吉田 二〇一二）。

確かに、先に紹介した記事のなかでも、例えば「天皇」と記されている。しかし六世紀半ば、「天皇」という呼称は存在しておらず、「大王」という称号であったと推測される。つまり『日本書紀』編者が、自分たちが生きる八世紀前半に存在した称号を使ったことは確実と言われている。読者の皆さんも、友人と会話をしていて、興味深いエピソードを話すとき、本当に起こった事実だけではなく、付け加えて少し大げさに話してしまうことはないだろうか。このような、今の言葉で言えば「話を盛る」行為を専門用語で「潤色」と言うが、『日本書紀』は潤色をしているため、歴史書として用いるときには点検が必要である。このような点検行為を「史料批判」と呼ぶ。吉田氏はこの史料批判を徹底し、この史料が潤色どころか、完全な作り話であると結論づけた。

では翻って、本章の主題である疫病に目を向けよう。この部分が潤色されているか否かについて考えてみたい。中国でも廃仏をした皇帝が疫病にかかり亡くなったという史料はあり（北條 二〇〇五：二二〇—二二二）、また日本古代でもこの後、仏教導入に賛成しなかった敏達天皇が疫病で亡くなっている。しかし仏教が興隆すると疫病が民間で流行するという中国史料は私の知る限りでは存在せず、また吉田氏も指摘していない。とすれば、この疫病は『日本書紀』編者の潤色ではなく、実際にあった出来事と推測したい。とはいえ、やはり決め手にかけるため、未詳と言わざるを得ない。

このように考えてみると、先に紹介した『高僧伝』仏図澄伝と『日本書紀』も、話がやや異なることに気づく。前者は、

①為政者が臣下に諮問し、
②臣下が仏教を反対するも、
③為政者自身が賛成する。

という構図であるが、後者は、

①為政者が臣下に諮問し、
②臣下Ａが仏教を賛成するも、
③臣下Ｂが反対する。

となろう。前者が臣下一人にもかかわらず、後者が臣下二グループであるという点から、両者のプロットが異なっていると言えるだろう。つまり後者は、前者を参考にしたものの、加えて別の「何か」も参考にして複合的に創られた記事だと推測できる。

この「何か」は現在のところ発見されていないことから推測すれば、臣下ＡとＢが登場するプロットは、史実だったのではないだろうか。もちろん、今後未発見の史料がみつかれば、また別の解釈をする必要がある。

つまり、この記事はすべてが作り話というわけではなく、また、すべてが史実だったというわ

けでもなく、それらを複合したものだったと推定したい。記事をすべて信じて、仏教伝来が疫病の原因と考えるのは科学的にナンセンスであるが、仏教を伝えた渡来人が疫病をもたらした可能性も、否定できないだろう。この点は、次節で奈良時代の史料をみることで改めて考察を加えたい。

さて、この六世紀半ばに実際に仏教が公伝したことについては、別の視点を用いることで事実ではないかと考えられている。その別の視点とは、国際情勢である。

記事を再読すれば理解できるように、仏教をヤマト政権に伝えようとしたのは百済の聖明王であった。このときの百済および朝鮮半島の政治情勢は、混迷を極めていたことが明らかにされている。少し時代をさかのぼり、橋本繁氏の見解によりつつ、略述したい（橋本 二〇一七：七二―七八）。

五世紀後半、高句麗の南下政策にともない、百済は四七五年に首都漢城（現在のソウル）を捨て、熊津（現在の公州）に遷都し、高句麗の圧力に押し出されるかたちで南下していくこととなる。四九八年には、東城王が耽羅（現在の済州島）に親征して武珍州（現在の光州）に赴いている。こうした南方への拡大政策は次の武寧王の時代にも続き、加耶諸国にまで進出した模様で、このあたりから新羅との関係も若干悪化していく。このように勢力を伸ばした百済は、五二一年に中国南朝の梁に使者を派遣し、再び強国となったことを東アジア世界にアピールすることとなる。

五二三年、武寧王のあとを引き継ぎ、聖明王が即位する。その後五三八年、彼は泗沘（現在の扶余）に遷都する。この時期に、百済のさまざまな制度が確立したとされている。すなわち行政区画が整備されて全国が「五方」に分けられ、その「方」のなかには十程度の「郡」が、その「郡」のなかには「城」が設置される。中央官庁も二二部司が整備され、また、官位制も定められ、佐平・達率など一六からなる体系的な官位が整備される。百済は、隣国である高句麗や新羅との関係悪化を理由に、国内制度を整備しようとしたと考えられよう。

その内政の充実もあってか、百済は五五一年に漢山城地域（現在のソウル近辺）を高句麗から奪回することに成功する。しかしその翌年、新羅にその地をすぐに奪われてしまう。さらにその二年後の五五四年に至ると、聖明王は管山城における新羅との戦いで敗死する。

「遠交近攻」という言葉もあるように、百済は隣国である高句麗や新羅と関係を悪化させるのであれば、やや離れた中国や日本とは良好な関係を結んでおくというのが外交の基本と言えよう。とすれば、百済の聖明王がちょうど高句麗・新羅と激戦を繰り広げていた五五〇年以降に、日本に対して文化的な供与、具体的には仏教を伝えたと考えた方が、整合的だと思われる。

2　奈良時代の疫病

前節では、『日本書紀』の記事をもとに、仏教伝来とともに疫病が流行したか否かについて検討した。結論として、『日本書紀』の記事はすべて正しいわけではないが、仏教が西暦五五二年に伝来した可能性は高いこと、疫病が流行したか否かは不明であること、以上二点を述べた。

後者に関しては、新しい史料が発見されない限り、新たに確実なことを言うことは不可能だと思われる。しかし、他の時代の疫病が流行した事例を調べてみれば、あるいは参考になることがあるかも知れない。そこで本節では、奈良時代の疫病を検討してみたい。近年、この分野の研究が多く公表されており、筆者もかつて論じたこともあるが（有富 二〇二一）、ここではまず、基本的な史料の確認からはじめよう。『日本書紀』の次の正史である、『続日本紀』天平七年（七三五）是歳（このとし）条を現代語訳で示す。

この歳は、実りが極端に少なかった。夏から冬にかけて、全国で豌豆瘡（えんどうそう）、俗に裳瘡（もがさ）という疫病が流行し、死者が多数出た。

翌天平八年（七三六）は史料上、それほど疫病が猛威を振るった様子はないが、さらに次の年の天平九年（七三七）に再び疫病が蔓延する。続いて、『続日本紀』天平九年是年条を現代語訳してみよう。

この年の春、疫瘡が大流行した。筑紫からはじまった。夏から秋にかけて、公卿以下全国の民衆たちが相次いで死亡し、数えることが出来ないくらいだった。近年では未曽有のことである。

史料にみられるように、このときの疫病は多くの人を死に至らしめた。高校の教科書にも「七三七（天平九）年に流行した天然痘によって四兄弟はあいついで病死し」たと記されている。この四兄弟は、藤原武智麻呂・房前・宇合・麻呂の四人で、当時、政治的な権力を持つ人物であると考えられている。これ以外にも、多くの公卿が亡くなったと『続日本紀』には記されており、さらにウェイン・ファリス氏によれば、日本列島にいる二五―三五％の人びとが死に至ったと推定されている（Farris 1985）。

では具体的にはどのような症状だったのか、史料に即して明らかにしたい。『類聚符宣抄』所収、天平九年六月二十六日太政官符には、以下のように記されている。

この疫病は「赤班瘡」と名付けられている。発症に際して、すでに重病と似た症状があり、できものが出る以前に寝込んでしまう。数日後、できものが出来ると、また数日間、高熱を発する。ここに至り、冷水を飲みたくなる（しかし飲んではいけない）。できものが癒えると、高熱がようやくおさまる。また下痢も発症し、すみやかに治療しないと、下血を起こす（下痢はいつ起こるかわからない）。また合わせて起こる症状が、咳、嘔吐、吐血、鼻血。

文章を読むだけでも、症状の重さや苦しさが伝わってくるが、これに対し、当時の為政者はどのような対策をとっていたのだろうか。もちろん、この時期にワクチンや効果の高い薬は存在しない。同じ史料によれば、以下のような具体的かつ物理的な対策を民衆に推奨していることが知られる。

・体を温かくし、冷やさないようにする。
・床の上に敷物を敷いて寝る。
・おかゆを食べる。鮮魚や肉、生野菜を食べてはいけない。生水を飲んだり、氷を食べたりしてはいけない。
・無理にでも食事をする。あぶった海松(みる)や塩を口に含ませるのは良い。
・回復してきたならば、火を通した魚や肉を食べても良いが、サバやアジは避けるべきである。乳製品や蜜は食べても良い。
・丸薬や粉薬を飲んではならない。胸が熱ければ、人参湯だけにする。

どちらかと言えば対症療法、すなわち体を休める、栄養をつける、という点を重視しているようである。根本的な治療法はなかったと考えて良いだろう。

また朝廷はこのような対策だけではなく、ある意味で精神的な対策もとっている。天平十三年（七四一）二月十四日に、ときの天皇である聖武天皇が出した勅（命令）には、次のように記されている（一部省略）。

私は徳が無いにもかかわらず、天皇の位にのぼった。いまだに政治は安定しておらず、寝ても覚めても恥ずかしい思いでいっぱいである。かつての名君は、みな素晴らしい業績を残し、国が栄え人が楽しみ、災害がなく幸福が訪れていた。何をすれば、名君と同じ道をたどれるだろうか。ところで最近、穀物が実らないばかりか、疫病が頻繁に生じている。慚愧の念に堪えず、自らを責めるばかりである。ここに至り、広く民衆のために、幸福を求めたい。そこで過去にも、全国の神社修理などを行い、全国に、高さ一丈六尺の「釈迦牟尼仏尊像」を作らせ、大般若経を書写させた。さらに各国に七重塔を作り、金光明最勝王経・妙法蓮華経一部を書写させようと思う。それとは別に、金字の金光明最勝王経を写し、七重塔ごとに一部を安置させようと思う。

この勅は、疫病対策だけではなく、天平十二年（七四〇）に生じた藤原広嗣の乱後の混乱を鎮めようとしたために発されたとも推測されているが、それはともかく、神社修理や仏教経典の書写、七重塔の建立など、いわば宗教的な政策が行われていることが理解できよう。現在の我々も神頼みをしないわけではないものの、疫病への物理的対策が先述のように根本的なものではなかったとすると、当時の人々がより精神的な対策へと傾いてしまうのも納得せざるを得ない。なお、この七重塔建立はのちに国分寺と呼ばれるようになり、現在でも各地に地名や遺跡が残っている【1-2】。また、右史料の傍線を付した「金字の金光明最勝王経」も、紫紙に書かれたものが奈

【1－2】伊予国分寺跡（愛媛県今治市。著者撮影）

良国立博物館に保管されている（「奈良国立博物館　収蔵品データベース　国宝金光明最勝王経巻第一―十（国分寺経）」https://www.narahaku.go.jp/collection/759-0.html）。

ここまで、疫病対策について述べてきた。次に、この疫病がどこからもたらされたのかについて考えてみたい。この点に関しても史料を検討しよう。『続日本紀』天平七年（七三五）八月乙未条には、以下のようにある。

> 天皇が命令していうことには、「聞くところによると、このごろ、大宰府で疫病のために亡くなる人が多いとのことだ。疫病を治癒し、民の命を救いたいと思う」と。そこで当地の神々に捧げものをたてまつり、民のために祈る

こととした。また、大宰府管内の大寺や諸寺などに命じて金剛般若経を読ませた。さらに、長門国より東側の国司の長官あるいは次官に、もっぱら斎戒して道饗祭（みちあえさい）という祭祀を行わせることとした。

「大宰府」という地名は「太宰府市」などとして現在も存在するが、今の九州地方（当時は西海道と呼称）を管轄する役所が設置されていた。この史料から、そこで疫病が発生していたことが知られる。長門国（現在の山口県）より東側で祭祀が行われているということは、この八月の時点では、大宰府ほどは疫病の影響がないものの、疫病が広まらないように祭祀が行われていたと考えられよう。道饗祭は境界祭祀であろうから、例えば長門国と周防国の境などの、国境で行われた可能性が高い。大宰府の疫病が都に入ってこないように、ある意味で水際対策をとっていたのだと推測される。しかしながらその対策もむなしく、先述した『続日本紀』天平七年是歳条でみたように、夏から冬にかけて全国で疫病が流行していることから、大宰府から全国に広まっていった。つまり、水際対策は効果がなかったと考えて良い。

さて、ではなぜ大宰府で疫病が流行したのだろうか。大宰府といえば、当時の外交の玄関とも言える場所であるため、海外から流入してきた可能性がまっさきに疑われよう。そのような疑念をもとに史料をみると、ちょうど同じころ、遣唐使が帰国していることが知られる。すなわち『続日本紀』天平六年（七三四）十一月丁丑条によると、遣唐使の大使である多治比真人（たじひのまひと）が多祢島

（現在の種子島）に漂着し、翌天平七年三月丙寅条で真人は入京していることが知られることから、都に戻っていることが理解できる。多祢島は大宰府管内であるため、彼らが疫病をもたらした可能性は捨てきれない。

その一方で、実はこの時期、新羅からの使者も来訪していることが、『続日本紀』天平六年十二月癸巳条の「大宰府が奏上するに、新羅の貢調使たる級伐飡金相貞等が来泊」という記述から知られる。翌天平七年二月癸卯条によれば、使者である金相貞は入京しており、彼らが疫病をもたらした可能性もある。

唐から帰国した遣唐使か、朝鮮半島から来訪した新羅使か。実は決め手はまったくない。しかも、同時期の唐や朝鮮半島の史料には、当地で疫病が大流行したという記述は皆無で、疫病が発生しているという記述すら、発見できない。とすれば、大宰府管内が疫病の発生源である可能性もまた否定できないのである。

本章では、日本古代における疫病について、二つの事例を取り上げて検討してきた。二つの事例とともに、仏教が大きく関係していたことが理解できよう。すなわち仏教伝来に際しては疫病が流行したかどうかはわからないが、少なくとも『日本書紀』の編者は信仰と疫病とに大きな関係性があることを示唆している。また、奈良時代の疫病の大流行に際しては、疫病が一つの原因で国分寺などの建立が企図されたと考えられる。

本章で論じたような、前近代における宗教と疫病（のみならず、災害全般）との関係について近年筆者は研究を続けているが、今後もその検討を続けたいと考えている。

参照文献

史資料
『日本書紀 二』（新編日本古典文学全集）小学館
『金光明最勝王経』（『大正新修大蔵経』大正一切経会）
『高僧伝』（岩波文庫）岩波書店
『続日本紀 二』（新日本古典文学大系）岩波書店
『類聚符宣抄』（新訂増補国史大系）吉川弘文館

研究文献
有富純也（二〇二一）「疫病と古代国家」倉本一宏編『王朝再読』臨川書店（初出：二〇一〇年）。

小野響（二〇二〇）『後趙史の研究』汲古書院。

橋本繁（二〇一七）「百済の興起」『世界歴史大系　朝鮮史1』山川出版社。

北條勝貴（二〇〇五）「祟・病・仏神」あたらしい古代史の会編『王権と信仰の古代史』吉川弘文館。

吉田一彦（二〇一二）『仏教伝来の研究』吉川弘文館。

Farris, William Wayne（1985）*Population, Disease, and Land in Early Japan, 645-900*. Cambridge, Mass.: Harvard University Press.

第二章　江戸・明治期の気象観測記録

――シーボルト史料との出会い

財城真寿美

1　気候学における歴史文書の利用

気候学は、地理学の一分野に分類され、古典的な気候学では、対象地域の気象データの統計分析からその地域の特徴を明らかにしていくことが目的であった。近年は、気象庁のような各国の気象機関による気象観測ネットワークが整備され、最近一〇〇年程度のデータを分析して、時間変化や空間分布の特徴を明らかにする研究もあれば、地球大気を物理的に再現した気候モデルを使って将来の気候予測をする研究もある。一方で、気象測器が普及しておらず、公式気象観測も始まっていなかった過去の気候を復元し、分析する研究もあり、気候学をさらに細分類して歴史気候学と呼ばれている。

歴史気候学は、歴史文書に記された当時の気候に関係する直接的または間接的な情報を利用して、文書が記録された当時の気候を復元したり、連続的な記録を利用して気候変動の分析をした

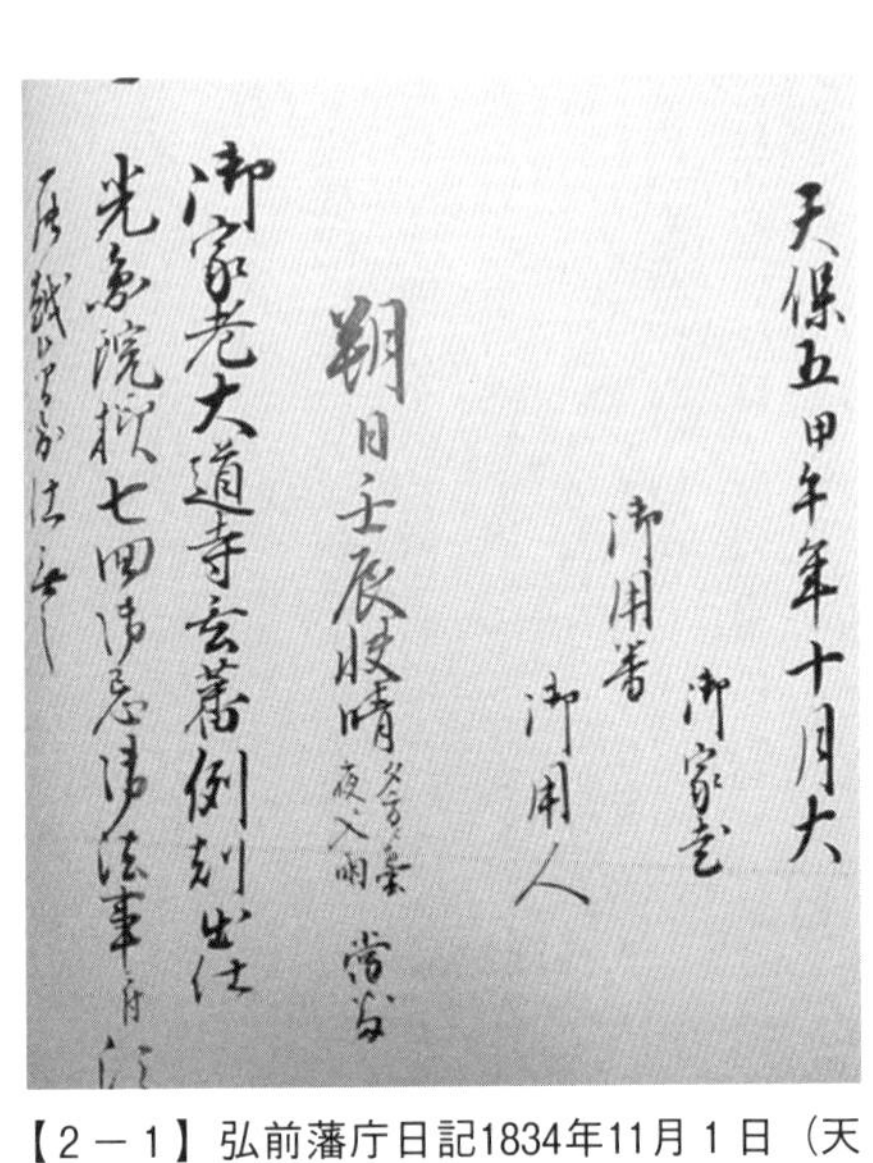

【２－１】弘前藩庁日記1834年11月１日（天保５年10月１日）の天気に関する記述

りする。例えば日本では、江戸時代以降の文書が各地に数多く残されており、特に個人の日記や役所・寺社の日記には、日付に続いて、その日の天気が記録されており、その記録が過去の気候を知る重要な手がかりとなっている【２－１】。また日々の天気以外にも、当時の気候を間接的に表す結氷や花の開花などの記述が含まれていることがある。全国各地に残る日記から、このような天気に関する情報を抽出していけば、過去長期に遡る膨大な量の天気の情報が蓄積されるはずである。

このような背景から、歴史気候学に関心を持つ研究者や気象庁関係者等によって、日本各地に残る歴史文書から日々の天気の情報が読み取り抽出され、デジタル化が進められてきた。その天気記録がインターネット上で閲覧できる「歴史天候データベース」では、興味のある年月日を入力すると、その日の全国の天気がマッピングされる機能があり、研究者だけでなく一般の方にも多く利用されている（吉村　二〇一三）。また、弘前藩庁日記の天気記録は、データがエクセルフ

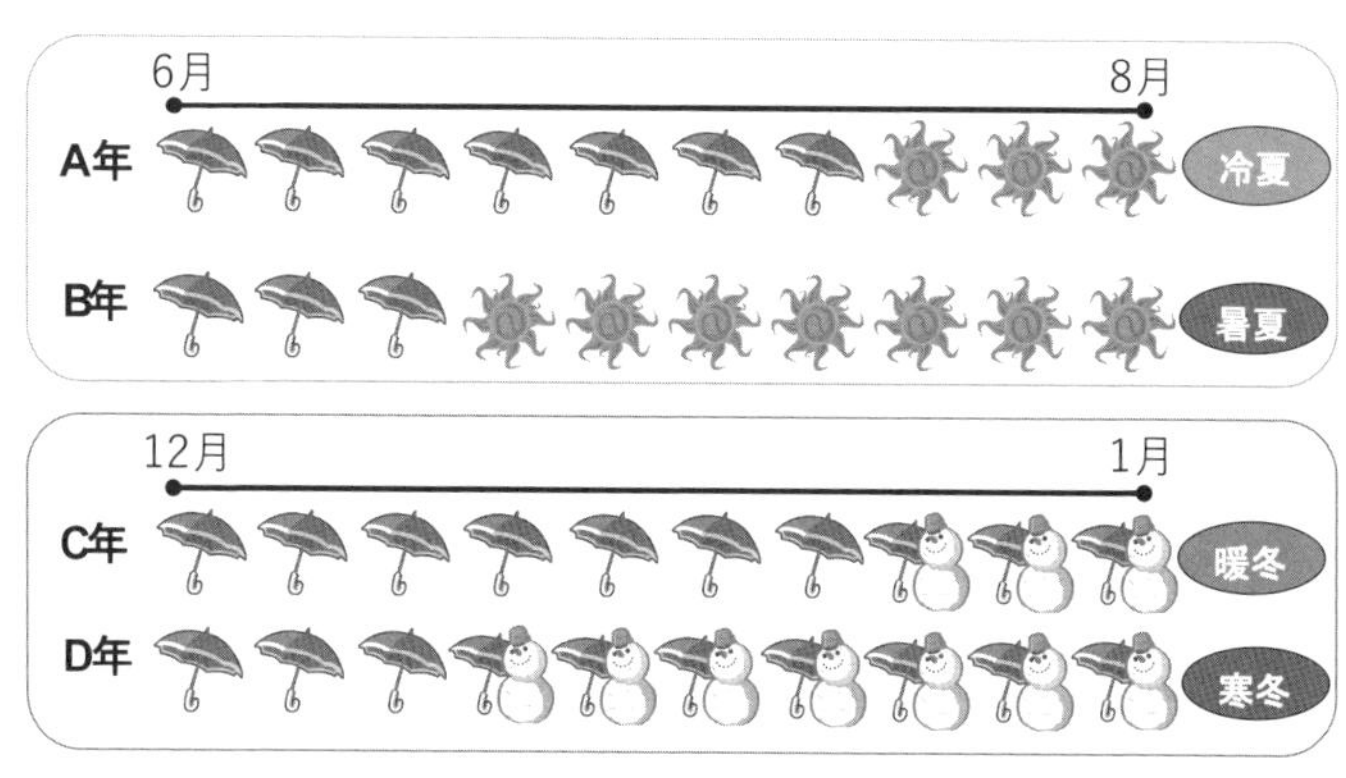

【２－２】天気の出現頻度から気候を推定するイメージ

ァイルにまとめられて、ＤＶＤ書籍となっている（福眞二〇一八）。

歴史文書に記された天気に関連する情報のうち、当時の気候を復元するための具体的な指標としては、降雨・降雪の発生率、気象災害、結氷の有無や時期、生物季節といったものがある。例えば、暖候期における降雨日の発生頻度を分析することによって、梅雨（空梅雨や長梅雨など）や冷夏・暑夏の気温の傾向が復元可能である。【２－２】の上部のように、夏期（六月―八月）において降水日の割合が大きい年（Ａ年）は冷夏傾向、小さい年（Ｂ年）は暑夏傾向となるイメージである。同様に、寒候期については全降水日に対する降雪日の頻度によって冬の気温が復元できる。また河川の氾濫などの災害の記録からは、豪雨や台風の規模が推測できる。湖や池の結氷は、しばしば文書に記録されることがあり、諏訪湖の結氷と御神渡り（おみわたり）に関する記録が有名である。この結氷時期の遅速や結氷の有無に関する情報から、結氷を左右する冬季の気温が復元できる（三上・石黒　一九九八）。生物季節とは、サクラの開花やカエデの紅葉などの植物や動物の活動が季節によって変化する現象のことである。サクラの開花は、歴史文書に頻繁に記録される事例であり、その開花時期は三月の気温と相関があるので、春季の気温を復元する指標になりうる。ことにサクラの開花に関しては、江戸時代をはるかに遡って九世紀ごろから記録が残っており、長期にわたる気候変動を知ることができる（荒川　一九五五：河村　一九九三：青野　二〇一三：Aono 2015）。

前述のような指標を使って気候を復元する際には、初めに精度の高い現代の気象データが入手できる数十年間について、気候を表す指標（降雨日の頻度やサクラの開花日など）と、復元したい気候要素（気温など）との間に有意な相関があるかを検証する。そして、その相関関係を表す回帰式（推定式）をもとに、過去の気候を推定していく【2-3】。この方法を用いて、八王子市に一七二〇年代から残る石川家の日記の天気記録から復元された七月の気温と現代の気象庁・東京の気温変動を示したものが【2-4】である（Mikami 1996）。これによると、二〇世紀に比べて、一八・一九世紀の夏季は低温傾向にあること、また一七三〇年代―一七四〇年代、一七八〇年代、一八三〇年代は特に気温が低く、この夏季の冷涼な気候が飢饉の一要因になったとも言われている。また、一四世紀半ばから一九世紀半ばは、気候学では「小氷期」と呼ばれ、世界各地で寒冷な気候が頻繁におこったことが知られており、その傾向が復元された気温データからも読み取ることができる。

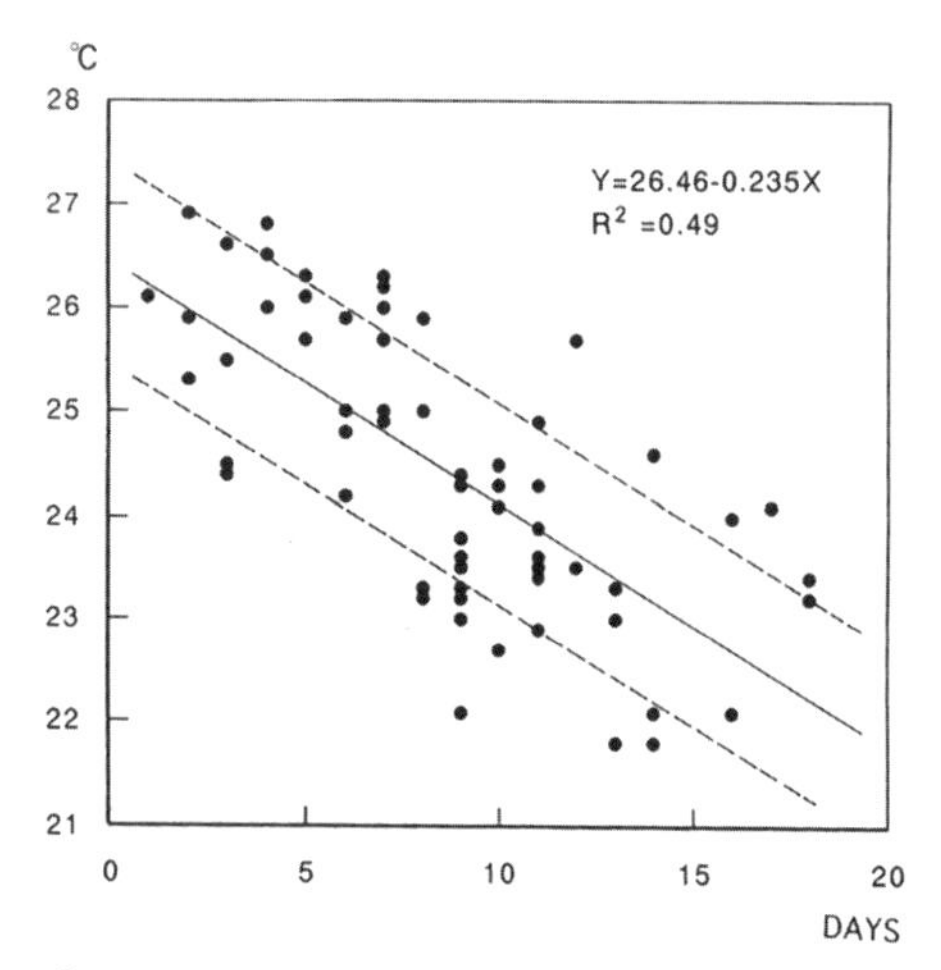

【２－３】1876年—1940年の東京の７月における降雨日数と月平均気温の関係（Mikami 1996）

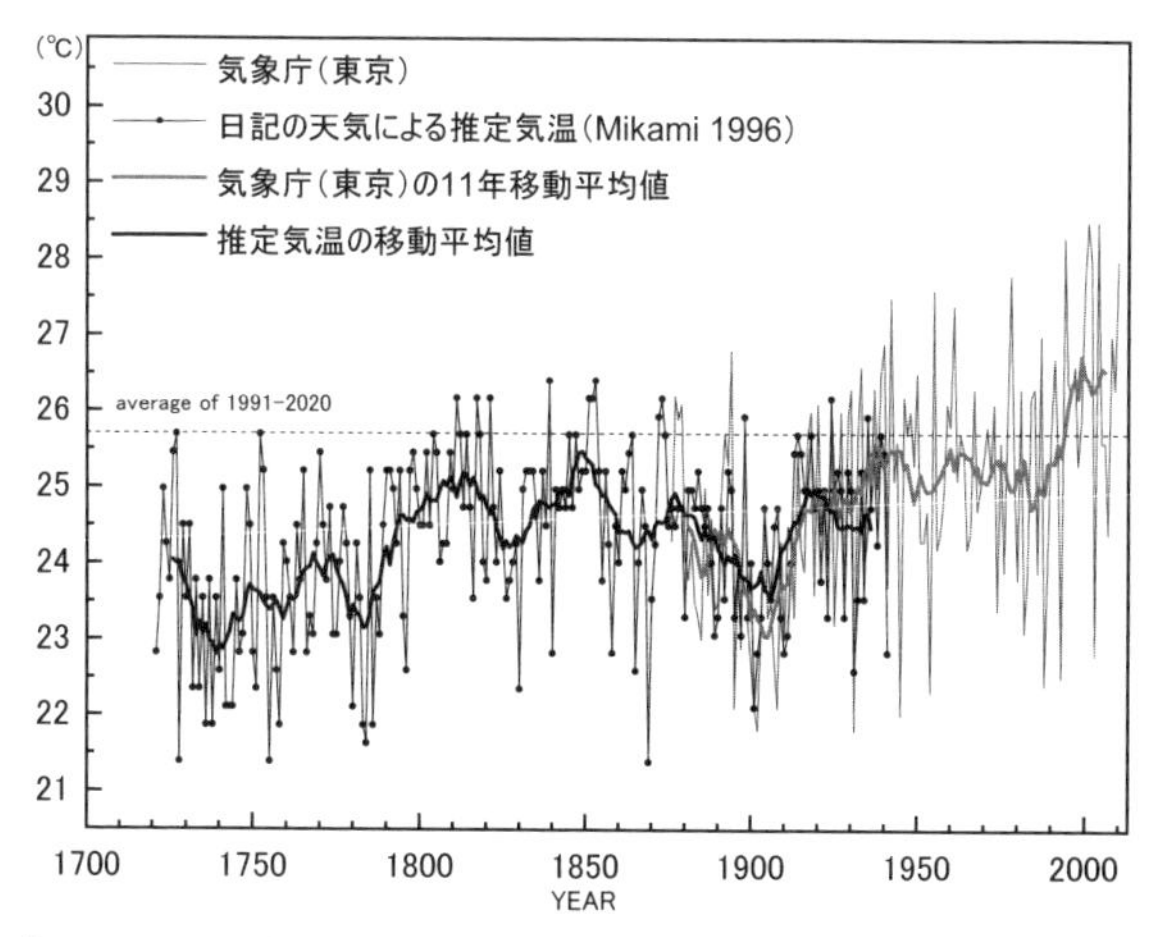

【２－４】石川日記（八王子）の降雨日数から推定した過去300年の東京の７月の気温

2　江戸・明治期の気象観測記録との出会い

日本の気象庁が設立された一八七五年以前、日本においては、気象測器で計測された気温や気圧、降水量の数値記録は存在しないと考えられてきた。そのため江戸時代以前の日本の気候について知るためには、前節で紹介した歴史文書の天気記録などを用いて当時の気候を推定するほかに、樹木の年輪や湖沼底の堆積物などから古環境を推定復元する手法などが利用されてきた。しかし、偶然にも著者が大学院の修士課程に進学する少し前の一九九八年、当時の指導教官がイギリスとオランダの気候学者から、長崎の出島で観測された一九世紀初頭の気象記録がオランダに所蔵されているという一報を受け取っていた。このことは、日本の気象データの空白期間と認識されていた時代に、気象観測が行われていたという事実、そして気象データの存在を示すこととなり、またその観測者が日本では歴史上の人物として良く知られていたシーボルト（Philipp Franz von Siebold, 一七九六－一八六六年）であったことから、気候学分野では重要な発見として報じられた【2－5】。一方で、歴史学、特に科学史の研究者コミュニティでは、すでに存在が知られていた記録であり、これを機に気候学と歴史学の分野横断的な研究プロジェクトが始まることになる。そして、期せずして、前出の指導教官の研究室に配属されることになった私とシーボルト気象記録との長い付き合いが始まるのである。

日本では、シーボルトの出島での科学的活動として、近代医学の教育・普及が一般に知られて

新　聞　THE NAGASAKI SHIMBUN　1998年（平成10年）10月22

江戸末期の気象記録発見

出島でオランダ人医師ら観測

江戸時代末期の一八四〇―五〇年代に出島にいたオランダ人医師らが毎日つけた気象観測記録が、オランダの王立気象研究所で発見され、東京都立大の三上岳彦教授（気候学）らが二十一日、仙台市で開かれた日本気象学会で発表した。江戸時代の観測記録としては、長崎のオランダ商館に勤めていたシーボルトが残しているが、一日三回の観測にとどまり時間の記載もない。

江戸時代末期に出島にいたオランダ人医師らがつけた気象観測記録

今回見つかった記録は一日四回決まった時間に観測しており、今より寒い小氷期の終わりとされる当時の気候を知る上で貴重なデータとなりそうだ。

同教授によると、見つかったのは一八四五―五六年、五八年、七一―八〇年の記録。基本的に一日四回、気温、気圧、湿度、風向、風速、降水量などが観測され、月に一日は一時間おきの記録になっている。

1日4回、気候変動解明に期待

一八四〇―五〇年代の気温を調べたところ、長崎海洋気象台で観測が始まった一八七八（明治十一）年以降と比べ高く、年平均気温は今世紀前半の平均値を二度程度上回り約一七度だった。

当時は十五世紀ごろから続いた小氷期の末と考えられており、低温との予想とは違っていた。しかし、長野県・諏訪湖の結氷記録などから一八五〇―六〇年代は暖冬が続いたと考えられており、観測データと矛盾はなかった。

この記録は王立気象研究所の研究員が発見、五月に資料を持って来日し、三上教授が確認した。

同教授は「一八一九―二八年のシーボルトらによる出島の観測記録、十七―十九世紀の諫早藩の天候記録との比較もでき、長期間の気候変動の解明につながる」と期待している。

【2－5】出島でのシーボルトらによる気象観測の発見が報じられた新聞記事（長崎新聞1998年10月22日）

いるが、ヨーロッパでは、日本の自然科学的・民俗学的な調査・研究が知られている。その自然科学的調査の一部として、気象測器を用いた観測が位置づけられている（塚原 一九九八；財城ほか 二〇〇二）。シーボルトが初めて来日した一八二三年以前の一七六八年には、平賀源内が寒熱昇降器（温度計）を製作し、大気の温度を客観的に測定できるようになっていたが、その測器を用いて系統的な気象観測が行われたという文献資料はない。また、一七七五年に来日したスウェーデン人カール・ツンベルク（Carl Thunberg）も温度計を用いて、一七七五年九月から一七七六年一〇月までの約一年間、一日四回の気温観測を行っている（Thunberg 1796）。しかしながら、そのうち一七七六年三月―六月の江戸参府の四カ月間は、観測地点が移動しているため気候学的に分析可能な気象データであるとは言い難い。一方で、シーボルトはオランダから持ち込んだり、来日後手作りした気象測器を用い、出島の居宅において、毎日決まった頻度と時刻で気象観測を数年にわたって実施している。一年以上にわたり定点で定時に気象観測を継続し、その結果をまとめたシーボルトによる系統的な気象観測記録は、小氷期末期にあたる一九世紀初頭の日本の気候を客観的に評価できるという点において、日本の気象観測史上、重要な資料であるといえよう。

シーボルト直筆の気象観測記録（【2-6】、Von Siebold undated）は、ドイツのボッフムにあるルール大学附属図書館に、「シーボルトコレクション」として所蔵されている。また、それらのコピーの一部が東洋文庫（東京）と長崎県立図書館にも所蔵されている。その気象観測記録は一八一九年―一八二八年におよぶものである。ところで、シーボルトの来日は一八二三年であるが、

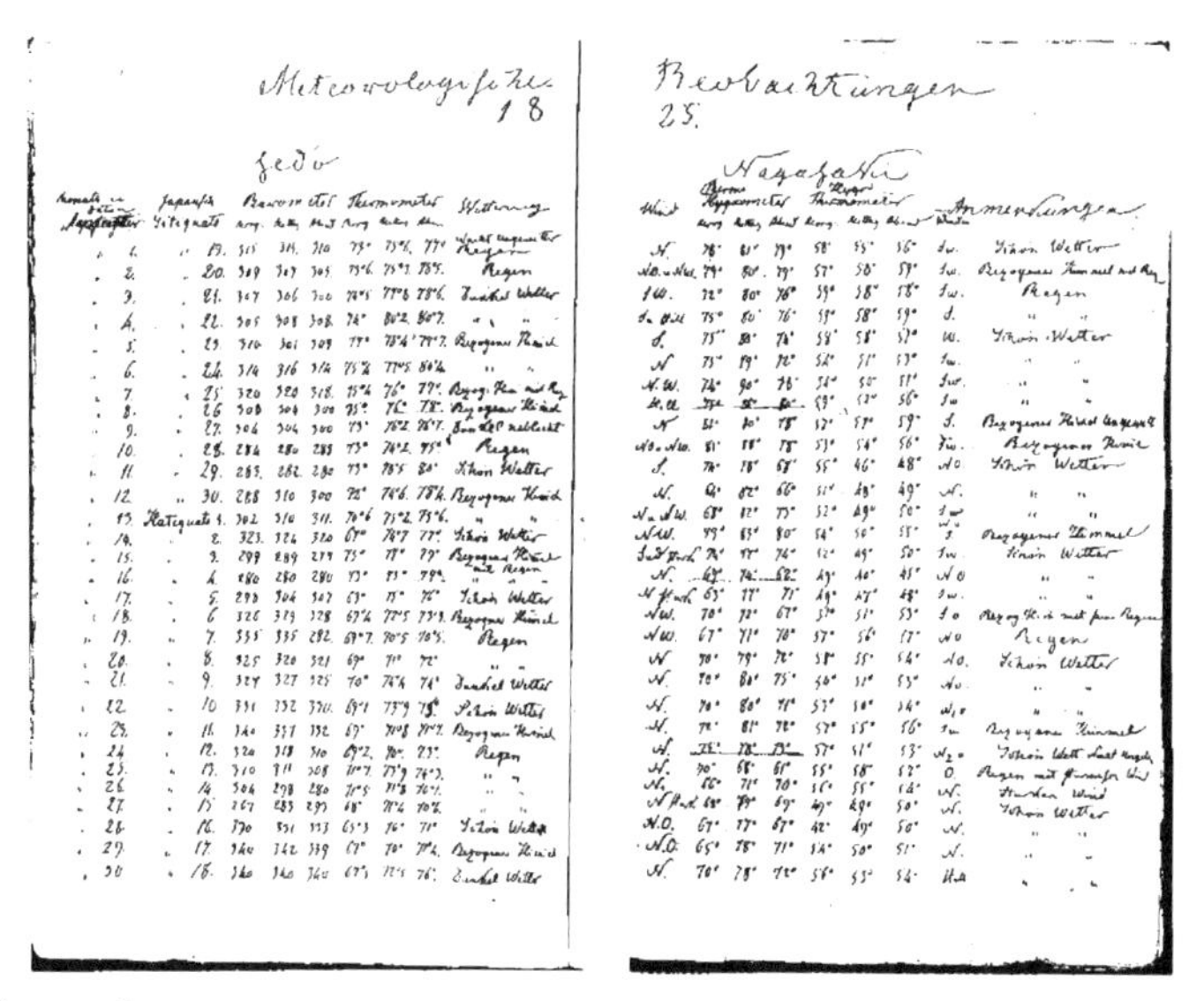
Meteorologische Beobachtungen
1825.

Jedo

Nagasaki

【２－６】シーボルトによって報告された1825年９月の気象観測記録．左ページが江戸（Jedo），右ページが長崎（Nagasaki）の記録（Von Siebold undated）．

シーボルトコレクションにある気象観測記録は、一八一九年から始まっており、シーボルト来日前にすでに気象観測を行っていた人物がいたことが推察できる。実は、一八一九年から一八二三年の観測は、当時出島にあったオランダ商館の商館長であるコック・ブロンホッフ（Cock Blomhoff, 一七七九－一八五三年）によるものである。ブロンホッフは一八一七年から一八二三年まで出島に商館長として在任しており、外交のみならず、自然科学・民俗学などについての見識も豊かで、気象観測をはじめとする日本の科学的調査・研究に貢献したことが、近年の研究でも示唆されている（ルジェーネ 二〇〇〇）。しかしながら、シーボルトコレクションに含まれるブロンホッフ在任中の観測記録は、あきらかにシーボルトの筆跡と見受けられる（栗原 一九九七：Können et al. 2003）。その理由は定かではないが、シーボルト自身が日本滞在中の調査研究成果を書きまとめる際に、ブロンホッフの観測結果もシーボルト自身の成果として報告しようとしたとも考えられる。現に、一八一九年から一八二三年の記録には、ブロンホッフによる観測である旨の記述が見当たらない。したがって、シーボルトコレクションに含まれる気象観測記録のうち、実際にシーボルトによって行われた観測記録は、一八二五年一月―一八二八年九月（一八二五年一一月―一八二六年一一月は欠測）である。観測要素は、一八二五年は気温のみ、一八二六年からは気温に加えて気圧と相対湿度、一八二七年からは降水量も追加され、測定されている。

3 シーボルトによる出島気象観測記録の内容

気温は華氏（ファーレンハイト）で記録されている。シーボルトより以前に出島で気象観測を行っていたブロンホッフは、オランダ商館長日記（Blomhoff 1820：日蘭学会 一九九七）で、「一八二〇年一月六日。昨夜中も本日も同じく、ひどく雪が降り、雨が降り、雹（ひょう）が降り、そして結氷を見た。そのため昨夕と今朝は寒暖計が三二度（摂氏零度）を示した」と記している。また、一八二〇年一月一二日、二〇日（Blomhoff 1820）と一八二三年一月二〇日―二三日（Blomhoff 1823）にも同様の記載が見られた。これにより、ブロンホッフの気温観測に関しては、温度計がおおよそ正常に機能していたと推測できる。続くシーボルトによる気温観測では、ブロンホッフが使用していた温度計をそのまま利用したか、または新しいものに置き換えたかは、記録からは明らかでない。

シーボルトによる気圧の記録は、一八二六年一一月一日から一八二八年九月二九日にわたり、一八二七年九月二三日をさかいに、それぞれ異なった単位系で記録されている。まずシーボルトは、一八二六年に独自に入手した測器で観測を始め、一二進法（一二分の一インチ）とフレンチインチ（一インチ＝二・七〇七センチメートル）で記録している。そして一八二七年九月二三日からは、シーボルト手製の二つの気圧計（うち一つはすぐに故障により使用停止）を用い、十進法（一〇分の一インチ）とイングリッシュインチ（一インチ＝二・五四〇センチメートル）による観測を行っている。一九世紀初めのヨーロッパで使用されていた気圧計測の単位は、イングリッシュインチまたはフレンチインチが主流であった。記録後半のイングリッシュインチによる記録は、その旨を記したシーボルトの注記があったが、前半のフレンチインチに関しては何の記述もなく、筆者らの検証によって明らかとなった（Können et al. 2003）。一方で、ブロンホッフはオランダ商館長日記（Blomhoff 1820：Blomhoff 1823）の中で、イングリッシュインチで気圧の記述をしている。そのため、ブロンホッフとシーボルトは、それぞれ異なる気圧計を使用していたと考えられる。

シーボルトは相対湿度の観測も行っている。湿度計はシーボルト手製のもので、「美しい日本女性の髪で作成した」という記述がある。降水については、前半部分には天気概況に降水の有無が記されているだけであるが、一八二七年九月二三日に気圧計が変更された際、雨量計も導入されたようで、数値による記録が始まる。また、積雪時には積雪深も天気概況に記載されており、台風の接近時には定時観測以外の気圧の変化、地震発生時には時刻や揺れの程度なども記録されている。

観測はモルゲン（Morgen）・ミッターク（Mittag）・アーベント（Abend）、すなわち朝・昼・夜の一日三回行われたようだが、観測時刻の記述はない。しかしながら、記録の一部に、日々の観測記録とは別に、気温と気圧の二日間にわたる毎時の観測記録（一八二八年二月一九・二〇日と八月二五・二六日）がある。その観測記録と日々の観測記録とを照合した結果、実際の観測時間は長崎地方時の六：〇〇、一二：〇〇、二二：〇〇であることが判明した。当時、世界各地に居留していたオランダ人は、経度から算出した地方時を使用しており、長崎の地方時は日本標準時（JST）プラス二〇分である。そして、一八二六年一一月－一八二七年九月の期間には、六：〇〇、九：〇〇、一二：〇〇、一五：〇〇、一八：〇〇、二二：〇〇と一日六回もの詳細な観測が行われていた（Können et al. 2003）。

シーボルトコレクションの観測記録には、一八二四年一二月二二日－一八二五年一二月二一日の一年間、江戸（Jedo）と長崎で同時に観測を行った記録がある（【2－6】、Von Siebold undated）。シーボルトは一八二六年三月－七月に江戸参府をしているが、それよりも前に気象測器が江戸へ運ばれ、観測が行われていたことになる。これついて二通りの解釈が考えられる。一つは、ブロンホッフが江戸参府した際に温度計を持参し、それを江戸に残して誰かに観測を行わせた。そして後に、その記録をシーボルトが入手し、自分の観測記録に含めた。もう一つは、江戸参府に先立って温度計が献上品などとともに江戸へ運ばれ、シーボルトから指示をうけた者が観測を行っていたということであるが、真相は明らかになっていない。一方で、シーボルト自身も江戸参府の行程において、移動しながら観測を行っている。この参府期間中は、シーボルトが出島で使用していた測器を持ち出していたと考えられ、出島のオランダ商館での観測は記録されていない。

【2−7（1）】はシーボルトによって観測された月平均気温について、当時の気候の特徴や観測精度を検証するため、一八二五年—一八二八年の値と長崎地方気象台の平年値（一九九一年—二〇二〇年の平均値）を比較したものである。一八二五年と一八二八年は冷夏傾向、冬については四年間を通じて寒冬傾向にある。当時の気温が平年値よりも低い傾向にあることは、この時期まだ小氷期であったことが推察できる。【2−7（2）】は月平均気圧について、一八二六年—一八二八年の観測値と平年値を比較したものである。前述したとおり、一八二七年六月と八月の値が平年値の季節変化から大きく外れて高く、取り扱いには注意が必要であろう。

江戸時代の医学の普及や植物・地図の収集などで知られるシーボルトが気象観測を詳細に行っていたことは、一般にはあまり認識されていない。しかし、気象測器を使用して大気の現象が数値によって記録されるようになったこと、また観測を規則的に継続し、蓄積した観測データから統計値を算出して気候の特徴を考察することなど、それまでの日本の自然科学には浸透していな

（1）月平均気温

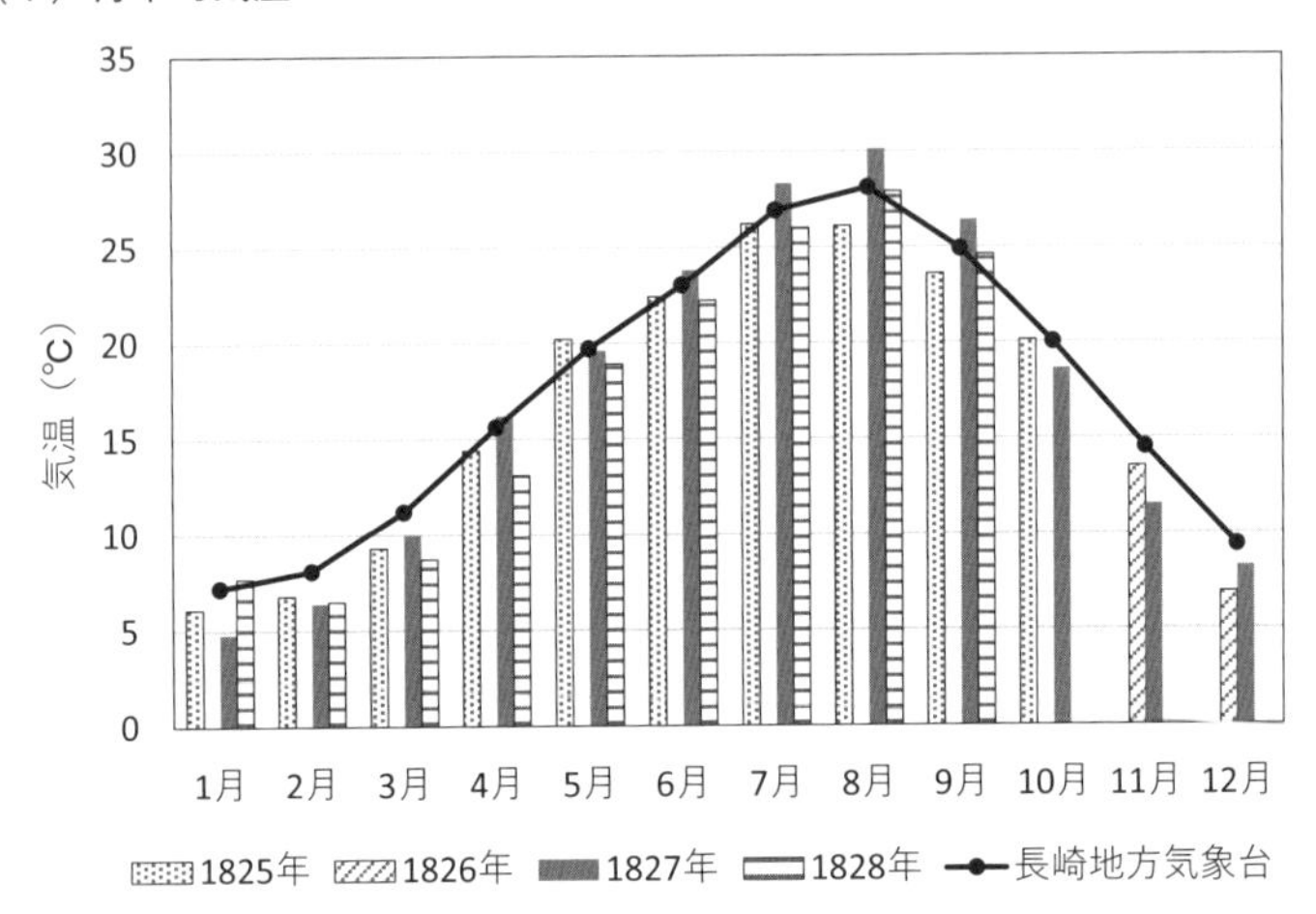

（2）月平均気圧

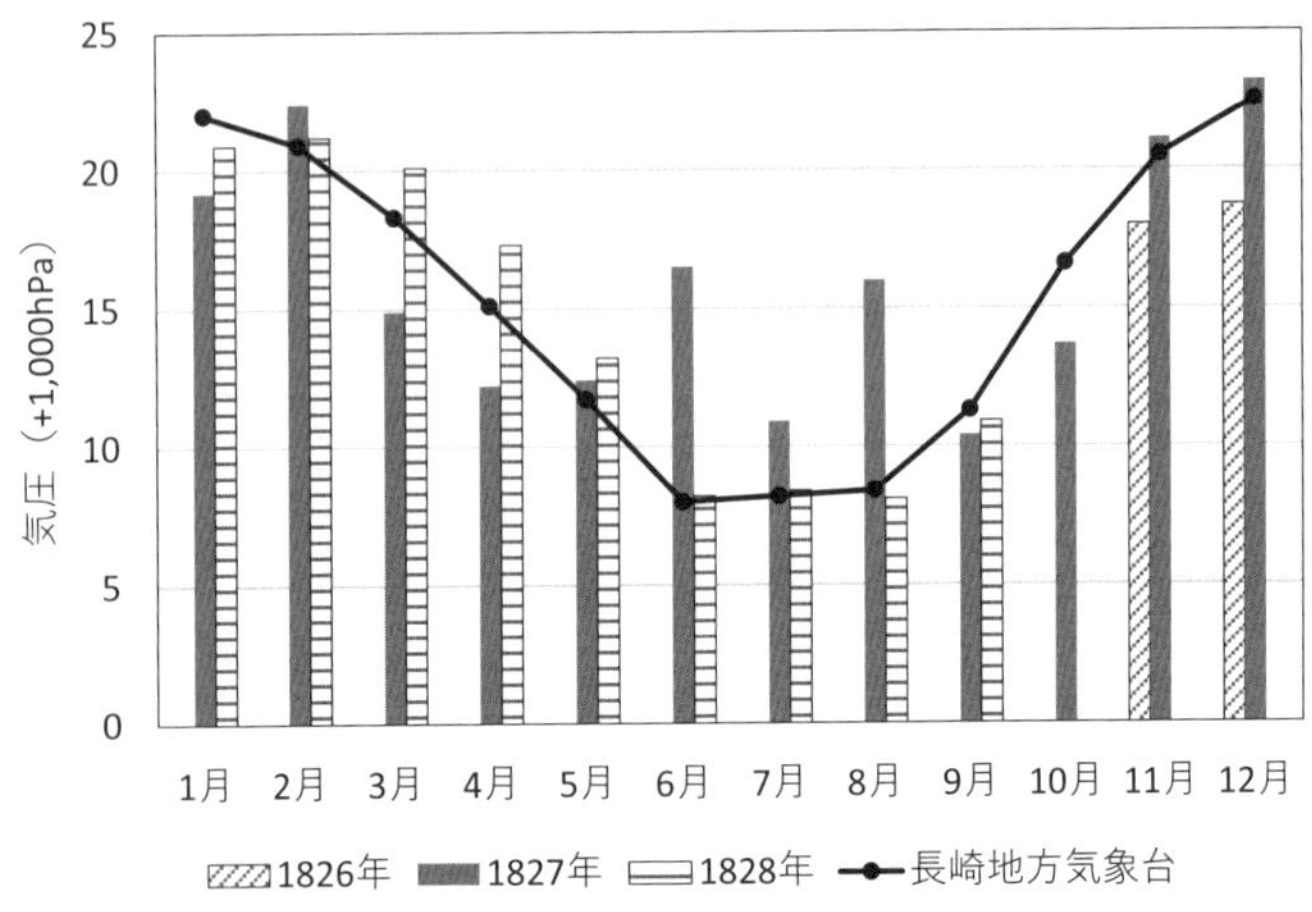

【2－7】シーボルトによる出島での観測値と長崎地方気象台の平年値（1991年―2020年）の比較

かった手法や知識をもたらしたことは、気象学や気候学の歴史上、重要な意味がある。また、彼の手書きの記録を眺めると、気圧計や湿度計を手作りしていたことや、手書きの原簿をさらに清書していたことなど、手先が器用で細やかなパーソナリティであったことがうかがえ、シーボルトという人間をより身近に感じることができる。

4　シーボルト以降の日本各地における気象観測記録

日本での初めての系統的な気象観測が、長崎県の出島でブロンホッフやシーボルトらによって行われていたことを紹介したが、その後調査・研究を続けていくと、気象庁設立前の長崎以外の日本各地において、気象観測が行われてきたことが明らかとなってきた（【2－8】、Zaiki et al. 2006）。シーボルト以降、長崎では一八四五年からオランダ商館の医師らによって気象観測が続けられ、一八五四年の開国以降も長崎大学医学部の前身でもある長崎養生所（現在の長崎市立仁田佐古小学校）で観測が続き、一八七八年に長崎の気象台が設立されるまで観測が行われていた。一八四五年以降の観測記録は、オランダ王立気象研究所に所蔵されている（Stamkart 1851：KNMI 1855）。

近代気象観測の窓口となった長崎に滞在していたオランダ人医師らは、当時最先端のヨーロッパ科学を日本に持ち込み、これが蘭学として日本人科学者に広まった。そしてその影響を受けて、東京・大阪で気象観測を行ったのが、蘭学を学んだ日本人天文家たちである。東京での観測（一

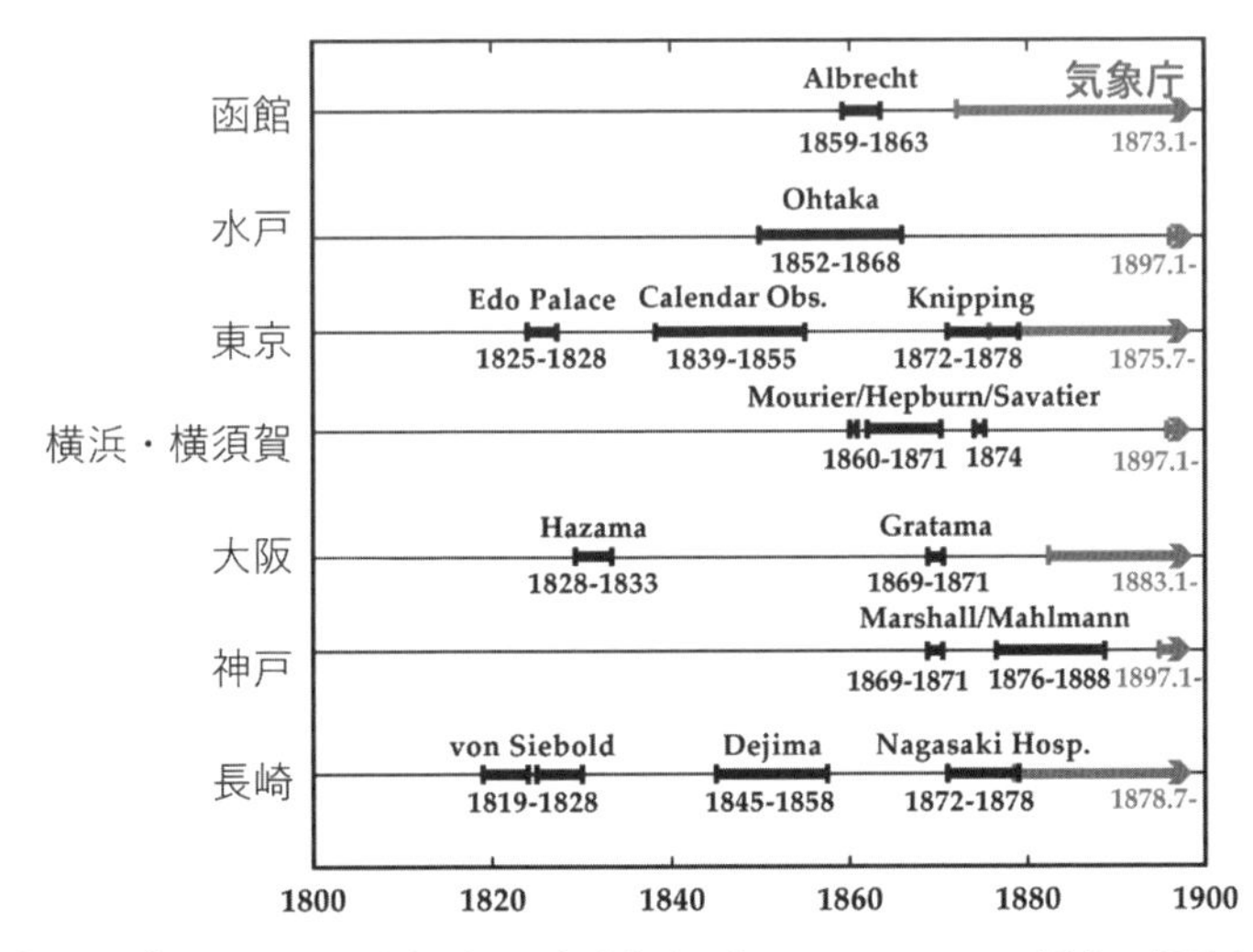

【2－8】19世紀の日本各地での気象観測（Zaiki et al. 2006の図を一部改変）

八三九年―一八五五年）は、徳川幕府の天文方による暦作成のための天文観測の一部として行われ、その記録は『霊憲候簿』と呼ばれ国立公文書館と国立天文台に保存されている（【2―9】、作者不詳　一八三八―一八五五）。また、大阪での観測（一八二八年―一八三三年）は、天文家の間重新（一七八六―一八三八年）が行った観測記録で、大阪市立図書館の羽間文庫に収蔵されている。当時、まだ日本で精度の高い気象測器を作る技術はなく、オランダ人が持ち込んだものを使用していたと思われる。間重新の気象データを考察してみると、気温データは年間を通して十六度前後で季節変化もなく一定であることが分かった。これはおそらく、当時温度計が高価なものであったため、土蔵のような安全に保管できる建物内に設置してあったのではないかと推測している。残念ながらこの気温データは気候学的には利用が難しくなったが，気圧データは分析可能である。

一八五四年の開国以降は、日本進出を狙う列強各国の思惑が窺われ、横浜ではアメリカ人宣教師のヘボン（J. C. Hepburn, 一八一五―一九一一年）やフランス人医師のムーリエ（P. Mourier）らが（【2―10】、Mourier 1866）、神戸ではイギリス人神戸港長のマーシャル（J. Marshall）とマールマン（J. J. Mahlmann）らが気象観測を行っていた。彼らは、当時の英字新聞に気象情報を掲載したり、本国の気象学会誌に観測記録を報告したりしていた。

これらの気象観測は、測器を用いた客観的な気象観測値ではあるが、実際に気象データとして気象庁の公式気象データと比較するには、いくつかの処理が必要となる。まずは、観測記録に書かれた数値を（エクセルなどに）入力してデジタ

寒暖儀　晴雨儀　測午鏡
天保九年戊戌十一月一日己亥
朝雨南風烈　寒暖儀 晴雨儀　五十二度　二十九寸五分
午正雨　六十一度　二十九寸五分五釐
太陽南中不測
初昏曇　六十四度　二十九寸五分
中星不測
十一月二日庚子　子午線 垂揺球 象限儀　居通 秀成 恒保　観測 秀成
朝薄曇北風烈　四十一度　二十九寸七分餘

【2－9】幕府天文方による1838年12月17、18日の天文・気象観測が記録された『霊験候簿』（作者不詳 1838―1855）

Décembre 1864.

YOKOHAMA. TABLEAUX MÉTÉOROLOGIQUES. (107) Année 1865.

DATES	BAROMÈTRE A ZÉRO. 7 h. matin.	10 h matin.	4 h. soir.	10 h. soir.	MOY.	TEMPÉRATURE. 7 h. matin.	10 h matin.	4 h. soir.	10 h. soir.	MIN.	MAX.	MOYENNE des extrêmes.	MOYENNE des quatre observ.	HYGROMÉTRIE. Thermom. sec.	Thermom. mouillé.	Tension de la vapeur.	Humidité relative.	PLUIE	VENT.	ÉTAT du ciel.	REMARQUES diverses.
1	mm	mm	mm	mm	mm	°	°	°	°	°	°	°	°	°	°	mm	•	mm	•	•	•
2	763,10	762,52	760,51	764,03	763,54	8,7	15,2	15,3	12,0	4,4	16,9	10,6	11,6	11,5	9,3	7,45	73	•	N 1	serein.	•
3	70,21	71,30	71,79	72,92	71,56	5,2	7,8	9,0	3,0	5,2	9,8	7,5	6,3	6,3	2,7	3,44	46	•	N 3	nuageux.	•
4	72,00	71,41	6[illegible],69	63,67	68,69	2,0	4,6	4,0	6,0	0,0	5,6	2,8	3,9	3,9	2,9	5,07	83	2,4	N 3	pluie.	•
5	53,79	55,25	52,40	60,24	54,92	14,6	19,5	19,0	10,0	5,0	20,0	12,5	15,8	15,8	12,4	8,68	64	•	SO 2	serein.	•
6	67,83	68,82	63,55	71,69	69,09	7,8	9,0	9,5	8,4	7,0	10,0	8,5	8,6	8,6	6,0	4,38	52	•	N 2	nuageux.	•
7	72,44	72,95	71,05	71,06	72,02	3,5	6,4	6,7	6,8	3,0	7,6	5,[illegible]	5,9	6,0	5,2	6,15	88	0,4	N 3	couvert.	pluie dans la nuit.
8	70,75	71,01	69,51	70,64	70,46	1,0	6,8	10,0	7,8	0,6	11,0	5,8	6,4	6,3	5,0	5,76	82	•	calme 0	serein.	gelée blanche.
9	69,56	67,57	66,48	65,37	67,25	8,0	10,0	9,5	8,9	2,2	10,6	6,4	9,1	9,2	8,2	7,52	86	•	calme 0	brouillard.	•
10	63,27	63,71	64,92	67,17	64,77	7,4	8,8	7,0	6,0	5,5	8,8	7,1	7,3	7,3	7,0	7,33	97	•	N 2	pluie.	•
11	64,62	65,57	65,51	67,89	66,15	5,0	6,3	5,5	5,3	4,4	6,4	5,4	5,3	5,3	4,7	6,02	90	1,0	N 2	pluie.	•
12	70,26	71,31	70,96	73,33	71,47	2,8	7,3	8,8	2,3	1,2	9,0	5,1	5,5	5,1	2,5	3,93	59	•	N 2	serein	•
13	71,65	62,16	65,52	64,97	67,85	2,7	5,8	5,0	−0,8	−1,0	5,8	2,4	3,2	3,3	1,9	4,47	76	•	N 2	nuageux.	gelée.
14	65,29	66,56	63,94	65,20	66,23	1,0	8,0	9,4	4,0	−2,6	9,4	3,4	5,6	5,2	4,0	5,24	81	•	N 2	serein.	id.
15	75,45	76,39	77,23	78,37	76,85	4,5	6,3	6,0	−1,3	−1,7	6,7	2,5	3,9	3,9	1,1	3,31	54	•	N 3	nuageux.	id.
16	76,82	76,03	71,00	70,36	73,60	−2,5	4,0	12,6	5,0	−3,4	13,5	5,6	4,8	4,9	2,8	4,37	67	•	N 1	serein.	gelée.
17	66,45	63,50	60,82	56,69	61,82	7,4	9,0	8,0	16,0	7,2	16,0	11,6	10,1	10,0	9,0	7,97	86	24,0	SO 4	orage.	TT à 9h. 30 matin.
18	55,56	57,37	58,90	62,[illegible]0	58,93	12,5	16,[illegible]	15,0	10,0	10,0	16,6	13,3	13,4	13,5	10,3	7,41	64	•	N 2	serein.	typhon dans la nuit.
19	65,72	65,60	64,39	63,49	64,81	7,4	7,1	7,0	7,0	6,0	8,5	7,2	7,2	7,3	6,0	6,22	85	6,6	N 2	pluie.	•
20	60,58	56,04	66,65	57,97	60,86	5,8	6,5	7,0	5,5	3,5	8,8	6,1	6,5	6,4	5,2	5,92	82	•	N 2	couvert.	•
21	61,17	62,04	61,11	63,65	61,96	4,0	6,3	6,1	2,8	2,8	8,2	5,5	4,8	4,7	1,7	3,44	52	•	N 2	nuageux.	•
22	64,99	66,29	66,10	67,32	66,93	1,0	6,7	8,3	1,0	−0,5	8,0	3,7	3,7	3,5	0,3	2,79	47	•	N 2	serein.	•
23	70,48	70,69	71,09	73,04	71,30	−2,1	6,0	7,0	1,0	−3,0	8,4	2,7	3,0	3,2	0,7	3,32	58	•	N 2	id.	gelée.
24	73,30	71,21	67,90	65,29	69,45	−2,8	5,0	8,0	4,0	−3,5	8,0	2,2	3,6	3,4	2,4	4,87	83	•	N 2	id.	id.
25	64,01	65,03	66,13	68,54	65,93	1,0	7,6	8,0	4,0	−2,5	9,0	3,2	5,2	5,0	1,5	3,36	49	•	N 2	id.	id.
26	71,76	71,94	71,17	71,39	71,57	1,0	5,0	8,0	0,0	−1,2	9,0	3,5	3,5	3,5	1,0	3,45	60	•	N 2	serein.	gelée.
27	71,18	70,14	69,79	70,00	70,28	1,0	6,2	8,0	2,5	−1,5	8,9	3,7	4,4	4,4	1,7	3,97	59	•	N 2	id.	id.
28	74,40	76,00	73,92	73,03	74,09	1,0	6,0	9,0	6,0	−2,8	9,4	3,3	5,6	5,4	3,5	4,75	71	•	N 2	id.	id.
29	71,61	70,56	64,87	64,40	68,36	6,0	5,6	6,0	5,4	3,7	6,0	4,8	5,4	6,4	4,6	5,86	87	•	N 3	pluie.	pluie dans la nuit.
30	62,43	62,71	63,86	64,77	63,45	6,0	9,2	8,8	5,0	5,0	9,6	7,3	7,3	7,3	6,2	6,44	88	9,0	N 4	id.	•
31	67,12	67,31	65,20	65,00	66,14	3,0	8,0	10,0	6,2	2,0	10,0	6,0	6,8	6,7	5,0	5,62	77	•	N 2	serein.	•
Mois.	767,58	767,49	766,77	767,29	767,29	4,0	7,7	8,7	5,3	1,8	9,9	5,8	6,4	6,4	4,8	5,24	71	37,4	•	•	

【2－10】フランス気象学会年報に掲載されたムーリエによる1864年12月の横浜の気象観測記録（Mourier 1866）

ル化を行う。次に、単位を現行気象データと同じもの（気温は摂氏（セルシウス）、気圧はヘクトパスカル）に変換する。オリジナルの観測記録では、気温は華氏や烈氏（レオミュール）で記録されているものが多い。また気圧は、インチで記録されているが、前述のように、当時はイングリッシュインチとフレンチインチの両方が主流であったため、単位の換算にはどのインチを使っているのかを同定する必要もある。さらに気圧に関しては、温度補正・重力補正・海面更正が必要かどうかを検討し、必要に応じてそれぞれの補正をしなければならない。次に、月平均値を算出する際には、現在の気象データとは観測時刻や観測回数、観測地点の高度が異なり、データの質に差が生じるため、それを是正する均質化（homogenization）という処理をする。最後に、気象庁データとの比較や統計検定によって異常値を判別し、データの品質管理を行う。この様に、古い気象観測データは、様々な処理を経て気候学的な分析が可能となる。当時の気象測器の精度の問題から微小な差の議論は難しく、また気象記録がカバーする期間も限られているが、江戸時代以前の自然環境を知る指標としては最も時間解像度が高い客観的な気象データといえる。

5　歴史気候学における江戸・明治の気象観測記録を利用した研究と今後の展望

気象庁による公式気象観測開始以前の一九世紀の日本においては、気象データは存在しないと考えられていた。しかし、シーボルトやオランダ商館長らが出島で行っていた観測記録の存在が明らかとなり、気候学分野では重要な発見であると評価された一方で、これらはすでに歴史学においては既知の資料であったことを前述した。これにより著者は、その後、国内外の多くの歴史学者と協力して学際的な研究プロジェクトに参画するチャンスを得た。研究者としては、専門分野内で研究を深めていくことも重要であるが、周辺学問分野にもアンテナを広げ、柔軟な思考で多角的な研究を展開していくことも、研究の醍醐味であるといえる。本章では、歴史資料が気候学のような自然科学研究にも貴重な情報をもたらす可能性があることを紹介した。近年では気候学以外にも、過去の地震や火山噴火の復元やその被害評価の研究、またオーロラ（歴史文書では「赤気」と記述される）や太陽活動の研究などにも応用されるようになっており、自然科学分野では歴史資料の重要性が再認識されるようになっている。

本稿で紹介したような公式観測開始以前の古い気象観測記録は、現在も紙媒体のまま世界各地の図書館や古文書館に保管されており、紙媒体の資料は将来劣化して解読不可能になることが懸念されている。そのため近年は、自然科学に関連する歴史資料をデジタル化して保存する「データレスキュー」という取り組みが世界各国で進められている（財城 二〇一二）。また著者と関連研究者らが管理運営するウェブサイト「Japan-Asia Climate Data Program」では、本稿で紹介したシーボルトによる気象観測データの他に、これまでレスキューした一九世紀の日本各地の気象データを公開している。日本に限らず、多くの地域・地点において気象観測記録が過去に遡って、時間的・空間的に高精度で整備されることは、地球規模の気候変動研究に利用されるグローバルスケールの気象データセット作成や予測モデルの精度向上に大きく貢献すると期待されている。

参照文献

史資料

作者不詳（一八三八—一八五五）『霊験候簿』国立公文書館所蔵。

Blomhoff, J. C.（1820）*Japans Dagh Register, gehouden in't Compoir Nangasackij Anno 1820, door het Opperhoofd Jan Cock Blomhoff*（オランダ商館長日記一八二〇年ヤン・コック・ブロンホッフ長官）〔オランダ国立文書館所蔵〕

Blomhoff, J. C.（1823）*Japans Dagh Register, gehouden in't Compoir Nangasackij Anno 1823, door het*

Opperhoofd Jan Cock Blomhoff（オランダ商館長日記一八二三年ヤン・コック・ブロンホッフ長官）〔オランダ国立文書館所蔵〕

KNMI: Koninklijk Nederlands Meteorologisch Instituut (1855) *Nederlandsch Meteorologisch Jaarboek 1855*（オランダ気象年報一八五五年）〔オランダ王立気象研究所所蔵〕

Mourier, P. (1866) "Yokohama (Japon). Observations Météorologiques faites pendant l'anne 1865." *Annuaire de la Société Météorologique de France* 14: 105-119.（「横浜（日本）、一八六五年の気象観測」『フランス気象学会年報』）

Stamkart, F. J. (1851) "Meteorologische waarnemingen, gedaan op het eiland Decima, bij de stad Nangasaki, op Japan. Breedte5328 459N., Lengte51298 529 beoosten Greenwich." *Verhandelingen der Eerste Klasse van het Koninklijk Nederlandsch Instituut van Wetenschappen, Letterkunde en Schoone Kunsten te Amsterdam* 4: 215-234.（「長崎の出島で行われた気象観測、北緯五三二八度四五九分、グリニッジ東経五一二九八度五二九分」『オランダ王立科学・文学・美術研究所第一回研究会講演集、アムステルダム』）〔オランダ王立気象研究所所蔵〕

Von Siebold, P. F. (undated) *von Siebold's scientific documents* (handwritten in Dutch and German). Vols. II 4b, 5a, 5b, 8a. (Microfiche Vols. 4 and 20)〔ルール大学附属図書館所蔵〕

研究文献

青野靖之（二〇一三）「京都の桜満開日記録による歴史時代の気候復元」『歴史地理学』二六七、五〇—五四頁。

荒川秀俊（一九五五）「京都における観桜の記録から推定される気候変動」『地学雑誌』六四、三一―三二頁。

河村武（一九九三）「サクラの開花資料による小氷期の気候復元の試み」『地学雑誌』一〇二、一二五―一三〇頁。

栗原福也（一九九七）「フォン・シーボルト来日の課題と背景」箭内健次・宮崎道生編『シーボルトと日本の開国近代化』続群書類従完成会、一五―六九頁。

財城真寿美（二〇一二）「新用語解説：データレスキュー」『天気』五八、一七三―一七五頁。

財城真寿美・塚原東吾・三上岳彦・G. P. Können（二〇〇二）「出島（長崎）における19世紀の気象観測記録」『地理学評論』七五、九〇一―九一二頁。

塚原東吾（一九九八）「シーボルトによって記録された一八二七―一八二八年の日本の気象学的データの自然科学的な解析と研究」『福武学術文化財団平成9年度年報』一、六三―七三頁。

日蘭学会編（一九九七）『長崎オランダ商館日記　八』（日蘭交渉史研究会訳）雄松堂出版。

福眞吉美（二〇一八）『弘前藩庁日記ひろひよみ〈御国・江戸〉――気象・災害等の記述を中心に（ＣＤ‐ＲＯＭ）』北方新社。

三上岳彦・石黒直子（一九九八）「諏訪湖結氷記録からみた過去五五〇年の気候変動」『気象研究ノート』一九一、七三―八三頁。

吉村稔（二〇一三）「古日記天候記録のデータベース化とその意義」『歴史地理学』五五、五三―六八頁。

ルジェーネ、スーザン（二〇〇〇）「一九世紀オランダ帝国主義文化のなかでの日本」（塚原東吾訳）『日蘭学会会誌』二五（一）、三九―五六頁。

Aono, Y. (2015) "Cherry blossom phenological data since the seventeenth century for Edo (Tokyo), Japan.

and their application to estimation of March temperature." *International Journal of Biometeorology* 59: 427–434.
Können, G. P., Zaiki, M., Baede, A. P. M., Mikami, T., Jones, P. D., and T. Tsukahara (2003) "Pre-1872 extension of the Japanese instrumental meteorological observation series back to 1819." *Journal of Climate* 16: 118–131.
Mikami, T. (1996) "Long term variations of summer temperatures in Tokyo since 1721." *Geographical Reports of Tokyo Metropolitan University* 31: 157–165.
Thunberg, C. P. (1796) *Travels in Europe, Africa, and Asia performed between the years 1770 and 1779*. 3rd ed., London: Gale ECCO.
Zaiki, M., Können, G. P., Tsukahara, T., Mikami, T., Matsumoto, K., and P. D. Jones (2006) "Recovery of 19th century Tokyo/Osaka meteorological data in Japan." *International Journal of Climatology* 26: 399–423.

ウェブサイト
「歴史天候データベース」http://tk2-202-10627.vs.sakura.ne.jp/（二〇二二年一二月一二日閲覧）
Japan-Asia Climate Data Program. http://www.jcdp.jp/index.html（二〇二二年一二月一二日閲覧）

第三章　明治後期の少年少女雑誌
――『少女の友』の表紙絵・冒険小説の変化

今田絵里香

1　大阪府立国際児童文学館と『日本少年』『少女の友』

明治後期に創刊された少年雑誌『日本少年』、少女雑誌『少女の友』に出会ったのは、大阪府立国際児童文学館であった。

近現代日本の雑誌を研究するためには、東京の国立国会図書館に頻繁に通うことができる研究者が有利である。なぜなら国立国会図書館には大量の雑誌が所蔵されているからである。そのため、東京の研究者のほうが研究環境としては恵まれているといえる。

ところが、児童雑誌に関しては、二〇〇八年の時点においては、東京の国立国会国際子ども図書館よりも、大阪の大阪府立国際児童文学館のほうがはるかに大量に児童雑誌を所蔵していたのである。『日本少年』『少女の友』に関してもそうであった。そのため、児童雑誌に関しては、京都・大阪・神戸の研究者のほうが研究環境としては恵まれていたのである。

このようなことは稀なことだと思われる。地方の図書館のほうが東京の図書館よりも史料をはるかに大量に所蔵していることは、めったにないだろう。たいてい地方の研究者は、東京の研究者と比べて史料を閲覧する上で不利な環境に置かれているものである。

幸運なことに、博士論文を執筆していたころ、わたしは京都大学の大学院生で、大阪府立国際児童文学館に容易に通うことができた。そのため、大阪府立国際児童文学館の所蔵資料を分析し、博士論文を執筆して、二〇〇六年に博士号を得ることができた。さらに二〇〇七年には、その博士論文を著書として刊行することができた。このようなことができたのは、大阪府立国際児童文学館に『日本少年』『少女の友』が大量に所蔵されていたからであった。

『日本少年』は月刊の雑誌として実業之日本社より一九〇六（明治三九）年一月号から一九三八（昭和一三）年一〇月号まで、『少女の友』は同じく月刊の雑誌として実業之日本社より一九〇八（明治四一）年二月号から一九五五（昭和三〇）年六月号まで刊行された。そのため、『日本少年』を一〇年分閲覧すると最低一二〇冊になる。たいてい増刊号が刊行されているため、一二〇冊を超えることになる。二〇年分だと、最低二四〇冊、三〇年分だと、最低三六〇冊になる。雑誌を分析するということは、このように大量の雑誌を分析することに他ならない。

二〇〇八年には、大阪府の要請によって、大阪府立国際児童文学館の利用実績を把握するため、職員の皆さんが閲覧数を書き記すようになった。ところがある日、わたしの閲覧数が五〇〇冊を超えていたことがあったのである。一日一人五〇〇冊を超える閲覧数はいくらなんでもおかしいのではないか、虚偽の報告だと思われるのではないかと思って、わたしはたいへん心配したものであった。とにもかくにも、『日本少年』『少女の友』のように長きにわたって刊行された雑誌を分析する場合、大量に閲覧することがしばしば起こり得るのである。そのため、一つの施設に雑誌が揃っていることが非常に重要なのである。

大量の雑誌を閲覧するのは、閲覧するほうにとってもたいへんだが、搬出するほうにとってもたいへんである。大学院生のころ、わたしがどのように『日本少年』『少女の友』を閲覧していたかというと、次のような手続きでおこなっていた。まず、大阪府立国際児童文学館に行ってすぐに、本日閲覧予定の雑誌をあらかじめ申請する。そしてそれをカウンターのなかに置いておいてもらう。一度に閲覧できる冊数は一人二〇冊までであるため、わたしはカウンターのすぐ近くの席に待機していて、一冊閲覧するとすぐにその一冊を返し、次の一冊を出してもらっていた。職員の皆さんは『日本少年』『少女の友』が大量に刊行されていることをご存じであるため、このような配慮をしてくださっていたのである。たいへんありがたいことといえる。この事例が示すように、大阪府立国際児童文学館では、職員の皆さんが史料・資料に精通していて、その知識をいかして利用者のためにさまざまな支援をしてくださっていたのである。

ところが二〇〇八年、当時の大阪府の橋下徹知事が、利用者が少ないことなどを理由にして、大阪府国際児童文学館の廃止を検討しはじめた。閲覧数を書き記して、利用実績を把握しようとしはじめたのは、このような動きによるものであった。

そのようななかで、二〇〇八年八月末の土日に、橋下徹知事が私設秘書に大阪府立国際児童文学館の施設内をビデオカメラで隠し撮りさせていたことがわかった（「橋下知事が移転決定の府立施設内を〝盗撮〟」『産経新聞』二〇〇八年九月六日）。橋下徹知事は私設秘書が撮影したビデオカメラの映像を見て、「子どもたちが漫画ばかり読んでいた」（「橋下大阪知事廃止方針の児童文学館の仕事ぶりを隠し撮り」『毎日新聞』二〇〇八年九月六日）と言ったようだ。しかしその日、わたしはもちろん大阪府立国際児童文学館を利用していて、『日本少年』『少女の友』を大量に閲覧していたし、複写もしてもらっていたのである。「子どもたちが漫画ばかり読んでいた」などということはけっしてなかったといえる。わたしは私設秘書のビデオカメラには映っていなかったのだろうか。不可解なできごとである。

二〇〇九年、さまざまな人びとが存続のために声をあげたにもかかわらず、大阪府立国際児童文学館は廃止となった。二〇一〇年、大阪府立国際児童文学館の所蔵資料は大阪府立中央図書館に移されて、新たに大阪府立中央図書館国際児童文学館として開館されることになった。

しかし大阪府立中央図書館は通常の図書館であるため、大阪府立国際児童文学館と同程度の資料収集機能、研究機能を望むことはできない。そこで、それまで大阪府に委託されて大阪府立国際児童文学館の運営をおこなってきた一般財団法人大阪国際児童文学振興財団が、引き続き資料の収集、展示、研究などの大阪府立中央図書館国際児童文学館のさまざまな事業にかかわって、かつて大阪府立国際児童文学館が担っていた資料収集機能、研究機能を維持しようとしている

（宮川 二〇二一）。しかし大阪府立国際児童文学館が廃止されて、それまで存在した運営委託費がなくなったため、厳しい経営状況に置かれているといわれている（同）。

たいへん残念なことである。大阪が誇る文化の一つが失われたといっていいと思われる。地方の研究者が研究環境の面で東京の研究者を凌ぐことは稀なことだと考えられるが、そのような数少ない事例が一つ失われることになったのである。大阪府立国際児童文学館がなければ、わたしは博士論文を執筆することも、著書を出版することもできなかったといえる。

この大阪府立国際児童文学館所蔵の『日本少年』『少女の友』を分析することで、どのようなことが明らかになったのかというと、近代日本の都市新中間層の男子・女子のジェンダー規範であった。

先に見たように、『日本少年』は実業之日本社より一九〇六年一月号から、『少女の友』は同じく実業之日本社より一九〇八年二月号から刊行されるようになった。この『日本少年』『少女の友』の読者の大多数を占めていたのは、第一に大都市居住者、第二に男子は中学校の生徒、女子は高等女学校の生徒、すなわち中学校・高等女学校に進学できる上層・中間層程度の社会階層の者であった（今田 二〇一九：二〇二二）。したがって都市新中間層の男子・女子が大多数を占めていたと把握することができる（同）。【3－1】が高畠華宵（たかばたけかしょう）の手による『日本少年』の表紙絵である。ここには日章旗を手にした洋装の少年が描かれている。また【3－2】が中原淳一の手による『少女の友』の表紙絵である。ここには和装の少女が描かれている。この服装を見る限り、

【3－1】『日本少年』1927年３月号表紙絵（高畠華宵）（著者所蔵）

【3－2】『少女の友』1938年11月号表紙絵（中原淳一）（著者所蔵）

この少年少女は中間層の男子・女子であると推測することができる。

『日本少年』『少女の友』の編集者・執筆者はこのことを充分にわかっていたため、都市新中間層の男子・女子に向けてさまざまなメッセージを伝達しようとしていた。その一つが都市新中間層の男子・女子に「少年」「少女」という呼称を与えて、「少年」「少女」の理想化されたイメージを作り出すことであった。すなわち「少年」「少女」という都市新中間層のジェンダー規範を作り出して、都市新中間層の男子・女子に向かって伝達したのであった。『日本少年』『少女の友』を分析することをとおして、このような都市新中間層の男子・女子のジェンダー規範を明らかにすることができた。

近代日本の都市新中間層の男子・女子のジェンダー規範を明らかにしてどのような意義があるかというと、わたしたちのジェンダー規範を解き明かすことにつながるという大きな意義がある。都市新中間層とは会社員、職業軍人、教員、弁護士、医師など、いわゆる都市における俸給生活者である。この都市新中間層は、他の階層に先駆けて「夫は仕事、妻は家事・育児をおこなうべきである」という性別役割分業に関する規範を持っていた（同）。このような規範は現在のわたしたちの規範に通底するものだと捉えることができる。その他、「両親、とりわけ母親は、子どもに愛護、教育を与えるべきである」など、都市新中間層は現在のわたしたちのジェンダー規範につながるような規範を他の階層に先駆けていくつか持っていた。さらには『日本少年』『少女の友』はそのような都市新中間層のジェンダー規範を理想化する形で描き出して、都市新中間層の少年少女たちにも、さらには他の階層の少年少女たちにも広める役割を担っていた（同）。そう考えると、都市新中間層の男子・女子のジェンダー規範をさぐることで、わたしたちのジェンダー規範がどのように生まれたのか、どのように広まったのかをさぐることができるのである。

2　『少女の友』の表紙絵の変化

『少女の友』を見てみよう。先に見たように、『少女の友』は都市新中間層の女子のジェンダー規範を作り出して伝達していた。というのも、近代日本に誕生した学校教育制度が女の一生に「少女時代」を作り出して、その後、学校教育制度に続いて誕生した『少女の友』などの少女雑

【3－3】『少女の友』1912年5月号表紙絵（川端龍子）（著者所蔵）

【3－4】『少女の友』1916年12月号表紙絵（川端龍子）（著者所蔵）

誌が「少女時代」を生きる存在に「少女」というイメージを付与し、広めたためであった（今田 二〇一九：二〇二二）。

ただし、「少女」は一貫したイメージではなかった。とくに第一次世界大戦前とその後では大きく異なることがわかった。

このことを表紙絵から見てみよう。第一次世界大戦前の表紙絵には束髪、和装、非活動的な振る舞いの少女が多数描かれている。たとえば【3－3】は、川端龍子の手がけた『少女の友』一九一二（明治四五）年五月号の表紙絵である。ここには花を切っている束髪・和装の少女が描かれている。【3－4】は、同じく川端龍子の手がけた『少女の友』一九一六（大正五）年一二月号の表紙絵である。

【３－５】『少女の友』1917年11月号表紙絵（川端龍子）（著者所蔵）

【３－６】『少女の友』1933年７月号表紙絵（深谷美保子）（著者所蔵）

ここには花をながめている束髪・和装の少女が描写されている。【3－5】は、同じく川端龍子の手がけた『少女の友』一九一七（大正六）年一一月号の表紙絵である。ここには銀杏の葉をつまんでいる束髪・和装の少女が描かれている。このような表紙絵を見ると、束髪、和装、非活動的な振る舞いの少女が多数描かれていることが見てとれる。

一方、第一次世界大戦後の表紙絵には、断髪ないしはお下げ髪、洋装、活動的な振る舞いの少女が多数描かれている。たとえば【3－6】は、深谷美保子の手がけた『少女の友』一九三三（昭和八）年七月号の表紙絵である。ここには登山を楽しんでいる断髪・洋装の少女が描かれている。【3－7】は、同じく深谷美保

【3－7】『少女の友』1934年5月号表紙絵（深谷美保子）（著者所蔵）

【3－8】『少女の友』1938年2月号表紙絵（中原淳一）（著者所蔵）

子の手がけた『少女の友』一九三四（昭和九）年五月号の表紙絵である。ここには犬の散歩をしているお下げ髪・洋装の少女が描写されている。【3－8】は、中原淳一の手がけた『少女の友』一九三八年二月号の表紙絵である。ここにはスキーに興じている断髪・洋装の少女が描かれている。このような表紙絵を見ると、断髪ないしはお下げ髪、洋装、活動的な振る舞いの少女が多数描かれていることが把握できる。

このように第一次世界大戦を境にして、表紙絵の少女は和装から洋装へ、束髪から断髪・お下げ髪へ、非活動的な振る舞いから活動的な振る舞いへと変化することがわかった（今田 二〇二二）。

3　『少女の友』の第一次世界大戦前の冒険小説――冒険をしない少女

さらに、本章ではこのことを冒険小説の変化から見てみることにしよう。冒険は「少年」の領分と思われがちである。確かに『日本少年』と『少女の友』を比較すると、『日本少年』のほうが「冒険小説」と名づけられた小説をはるかに多く掲載している。たとえば『日本少年』の代表的な少年小説は池田芙蓉（いけだふよう）（池田亀鑑（いけだきかん））の「馬賊の唄」である。この小説は『日本少年』に一九二五（大正一四）年一月号から一九二六（大正一五）年一月号まで掲載された。この小説の概要は、山内日出男が父親を捜すため、獅子を従者に、道中で出会った猛という少年を協力者にして、馬賊と戦ったり、官軍と戦ったりして、中国大陸を大冒険するというものである。まさに「冒険小説」というべき小説である。このように「冒険小説」とは、少年が悪漢たちと戦い、世界中の秘境に危険を冒して挑んで、大人を凌ぐ成功を手中に収める作品群に他ならない。『日本少年』にはこのような「冒険小説」が多数掲載されている。

一方、『少女の友』の代表的な小説は川端康成の「乙女の港」である。この小説は『少女の友』に一九三七（昭和一二）年六月号から一九三八年三月号まで掲載された。この小説の概要は、横浜のミッション・スクールに入学した大河原三千子が、五年生の八木洋子、四年生の克子に想いをよせられるが、二人のうちどちらの想いを受け入れるかで迷った末、洋子の想いを受け入れるというものである。このように「冒険小説」とはまったく異なるものであるといえる。この「乙女の港」のような小説は「少女小説」と名づけられている。「少女小説」とは、親子姉妹関係、少女同士の友情関係、少女同士の親密な関係を描いた作品群に他ならない。『少女の友』にはこのような「少女小説」が多数掲載されている。

とはいえ、『少女の友』においても冒険小説は掲載されている。そこで『少女の友』の冒険小説を一九〇八年二月号から一九四五（昭和二〇）年八月号まで分析することにした。創刊号から終戦の号までを分析するためである。また一月号、八月号を分析することにした。一月号は連載開始の号であることが多く、ストーリーを把握しやすいため、八月号は夏休みの号でクライマックスが描かれることが多く、これについてもストーリーを把握しやすいためである。なお、欠号があった場合、一月号、あるいは、八月号に近い月の号を分析することにした（分析した号は次のとおりである。一九〇八年一〇月、一一月、一九〇九年九月、一一月、一九一〇年二月、一〇月、一九一〇年三月増刊、八月号。一九一一－二〇年一月、八月号。一九二一年二月、九月、一九二二年四月、八月号。一九二三年一月、八月、一九二四年八月、九月、一九二五年一月、八月、一九二六年一〇月、一九二七年四月、一九二九年五月、六月、一九三一年五月、一〇月、一九三五年六月、九月号。一九三六－一九四二年一月、八月号。一九四三年二月、八月、一九四四年一月、八月、一九四五年二月、四月号）。

最初に、創刊の年である一九〇八年から第一次世界大戦までの冒険小説を見てみよう。この期間の冒険小説の主人公は、現代のわたしたちから見るととても冒険小説の主人公とは思われないような描かれ方をしている。というのも、一人では冒険ができない存在として描かれているのである。

とくに、一九〇八年から明治末の一九一一（明治四四）年までにおいては、主人公は涙を流すことしかできない存在として描かれている。たとえば長谷部湘雨の「生か死か」（『少女の友』一九〇九年一一─一二月号連載）は、主人公の姉がある日忽然といなくなって、主人公とその家族が姉を捜索するというストーリー構造になっている。しかしこの小説の主人公は、姉の失踪に直面してもひたすら泣きじゃくっているばかりなのである。


それから、私は弾かれたよーに飛び起きて、

『お母さん、お母さん』

と、お母さんの室へ走ったんだったわ。

驚いてお母さんが起きた。

『どうしたんです』

私はワッと泣き出して終ったんだわ。

『どうしたんですよ、え』

『お姉さんが、お姉さんが』（長谷部湘雨「生か死か」『少女の友』一九〇九年一一月号）

【3－9】長谷部湘雨「生か死か」『少女の友』1909年11月号挿絵（明石赤子）（大阪府立中央図書館国際児童文学館所蔵）

このように、主人公は姉の失踪にただ泣きじゃくるばかりであるし、母親に頼るばかりなのである。

【3－9】は明石赤子が手がけた本作の挿絵である。ここには不審な足跡をながめる主人公、母親、女中、書生が描かれている。主人公はただなすすべもなく茫然としていることがわかる。

また大野花圃（おおのかほ）の「爆裂弾」（『少女の友』一九一〇年七―一〇月号連載）は、主人公が悪漢に誘拐されるというストーリー構造になっている。この小説でも、主人公はどうすることもできずに泣きじゃくるばかりなのである。というのも、主人公が悪漢に誘拐されて、悪漢の召し使いである「婆やさん」が少女を逃がそうと奮闘しても、主人公はひたすら「婆やさん」にすがりついて泣くばかりで、逃げようとも手助けをしようともしないのである。

このように、創刊の一九〇八年から明治末の一九一一年まで、主人公の少女はひたすら涙を流すばかりの存在として描かれている。冒険小説の主人公であるにもかかわらず、冒険は一切できないと思われるほどの脆弱な存在として描写されているのである。

その後、大正はじめの一九一二年から第一次世界大戦終結まで、主人公は涙を流すしかできない存在ではなくなるものの、あいかわらず一人ではなにもできない存在として描かれている。この期間においても、少女は冒険しない存在として位置づけられていたようである。ただ、主人公が冒険しなければ、その小説は冒険小説とはいえなくなってしまう。そこで少女にかわって少年が冒険する存在として描かれている。少女はただ少年に助けてもらうだけなのである。そこでは少女は単なる飾りのような役割しか与えられていないといえる。

たとえば三津木春影（みつぎしゅんえい）の「まぼろしの少女」（『少女の友』一九一四年一―一二月号連載）は、主人公である青年が殺人事件を解決するというストーリー構造になっている。少女は出てくるものの、青年にただ保護されるのみである。少女は脇役であるといえる。

また同じく三津木春影の「悪魔が岩」（『少女の友』一九一五年七―八月号連載）は、主人公である少年が悪漢と戦うストーリー構造になっている。少女は少年の妹として出てくるものの、少年に助け出される役割しか与えられていない。ここでも少女は脇役であるといえる。

妹だけは間道から逃して、ヤレ一安心と思ふ間もなく、恐ろしい鷲三の姿は直ぐ目下の海岸へ現はれて、段々洞穴へ上つて来る。（中略）

『小僧、手前の名は何と云ふんだ』

（中略）鷲三は腹立たしげに叫んだ。

『オイ早く云ふんだ。云はぬとひどいぞ』

鷲三は今にも撲り倒すやうに拳を挙げた。省三は悪漢の鋭い視線を避けるやうに、怖々云ふた。

『僕、僕の名は倉澤省三です』（三津木春影「悪魔が岩」『少女の友』一九一五年八月号）

このように本作では、省三という少年が妹を助けて、悪漢の鷲三と戦うさまが描かれている。ここに見られるように、本作のストーリーは完全に省三の視点で描写されていて、省三が主人公であると理解することができる。

さらに森下雨村の「ダイヤモンド」（『少女の友』一九一七年一―九月号連載）は、主人公である少女の父親が誘拐されて、いとこの少年がその事件を解決するストーリー構造になっている。主人公は少女であるが、この少女は自分自身の父親が誘拐されても、家に侵入してきた盗賊に父親の鞄を盗まれても、どうすることもできない。そこで少女のいとこの少年がかわりに事件を解決するのである。【3―10】は川端龍子の手がけた本作の挿絵である。ここには犯人の足跡を見つける少年、および、少年の後ろに隠れている少女が描かれている。この挿絵が象徴的に示しているように、常に少女は少年の後ろに隠れていて、少年に助けられているのである。

雨の村人（森下雨村）の「赤い塔の家」（『少女の友』一九一八年七―一二月号連載）も、同じようなストーリー構造になっている。この小説は、主人公である姉妹の家に起きた怪現象の謎をいとこの少年が解き明かすストーリー構造をとっている。怪現象の謎を解き明かすのも、姉妹を助けるのも、このいとこの少年なのである。

久米（二〇一三）によると、一九〇八年から明治末の一九一一年まで、少女雑誌『少女世界』（博文館）の冒険小説においても、必要に迫られてやむを得ず冒険をする少女という形式をひねり出して、あくまでも少女がおとなしい少女という規範から逸脱しないように配慮していたという。また、一九〇〇年代、少年向け冒険小説で人気を博した押川春浪（おしかわしゅんろう）が、少女向けの冒険小説を依頼されたとき、大いに困惑したという。

【３−10】森下雨村「ダイヤモンド」『少女の友』1917年１月号挿絵（川端龍子）（大阪府立中央図書館国際児童文学館所蔵）

何か少女に関する冒険譚をやれと云はれる、之れには頗る閉口しました、元来女は温和しいのが天性で、好んで冒険などをすべきものでは無い、余り飛んだり跳ねたりすると、お転婆などと云ふ可笑な綽名を頂戴する（中略）。（押川春浪「少女冒険譚」『少女世界』一九〇六年一〇月号）

このように、少女はあくまでもおとなしい存在として見なされて、冒険をするべきではない存在として捉えられていたようである。

4　『少女の友』の第一次世界大戦後の冒険小説――冒険をする少女

ところが第一次世界大戦後、冒険小説の主人公は大きな変化を遂げる。冒険をするようになるのである。

とはいえ、第一次世界大戦後から一九二八（昭和三）年までは、まだ少女一人の冒険は不可能だと見なされていたらしく、必ず冒険のパートナーとして少女の兄が描かれている。ただし、兄は少女を一方的に助ける存在ではない。少女に助けられる存在でもある。すなわち兄と少女はお互いに助け合う間柄として描かれているのである。

たとえば岩下小葉の「七つの星の秘密」（『少女の友』一九二一年七―一二月号連載）は、不思議な島を兄妹が探検するというストーリー構造になっている。この小説において兄が島からどのようにして出たらいいかについて思案している場面がある。しかし妹は「泳いで帰ればいい」「あたしだつて泳ぐわ」（『少女の友』一九二一年九月号）とこともなげに言っている。ここには冒険を躊躇する兄、それとは逆に冒険を促している妹という構図が見られる。これまでの『少女の友』にはなかった兄妹のありようが描かれているといえる。

また坪内清人の「怪島の兄妹」（『少女の友』一九二二年一—六月号連載）は、兄妹が悪漢の正体をつきとめるというストーリー構造になっている。本作には驚くほど勇ましい少女が描かれている。ある夏の日、主人公の少女は避暑で訪れた別荘にて、怪光線を放つ飛行船を目撃する。少女はその正体を確かめようとして、モーターボートに乗って飛行船を追う。兄は少女に促されてしぶしぶ同行する。ところが兄は悪漢に捕まって、少女は一人海に飛び込んで逃亡することになった。そこで少女は兄を助けるために悪漢の基地へ侵入する。そして少女はガラスの扉を体当たりで破って部屋に侵入したり、悪漢に拳銃を突きつけたりして、悪漢と戦うのである。少女は兄の存在がかすむほど大活躍をしているといえる。

『やい。やい。女のくせに大胆にも何の為めにこの石牢の中へ這入(はい)つて来た?』
『何と云ふ目的などはありません。道を迷つてうかうかとここへ這入つて来たんです』

優美子は同情を求める様にわざと哀れげな調子でいつた。けれども情も何も持たぬ巡警はそんな事でなかなか承知はせぬ。彼は直ぐ声を荒げて言つた。

【3－11】坪内清人「怪島の兄妹」『少女の友』1922年4月号挿絵（原田なみぢ）（大阪府立中央図書館国際児童文学館所蔵）

『道に迷つた者が何故窓硝子を破つて部屋の中へ這入つて来たんだ？』

『えッ！』（中略）

『（中略）貴様はこの男の子を盗みに来たんだな……』

『何でそんな事をわたしがするものですか――』

『何だと！　図太い女奴！』

（中略）優美子は素早く身をかはすと、予（かね）てから護身用としてポケットに入れて置いたピストルを取り出し銃口を巡警の方に向けて引金を引いた。

（坪内清人「怪島の兄妹」『少女の友』一九二二年四月号）

このように優美子という少女は、兄が幽閉されている石牢を見張っていた巡警に拳銃で戦いを挑んでいるのである。

【3－11】が原田なみぢの手がけた本作の挿絵である。少女が悪漢に拳銃を突きつけているところが描かれている。第一次世界大戦前の『少女の友』には見られない勇ましい少女であるとい

える。

さらに川上幸一の「父を尋ねて」（『少女の友』一九二二年七―一二月号連載）は、兄妹がアフリカで行方不明になった父親を捜すというストーリー構造になっている。この小説では、「叢（くさむら）の中を兄妹互に援（たす）け合（あ）ひながら、足の続く限り逃げ延びて、漸（よう）く危（あや）い命を拾ったのであった」（川上幸一「父を尋ねて」『少女の友』一九二二年八月号）と描写されていて、兄妹が互いに助け合いながら冒険していることをうかがうことができる。

先に見たように、大正はじめの一九一二年から第一次世界大戦終結までにおいては、少女が少年に助けられるというストーリー構造が見られたが、第一次世界大戦後から一九二八年までにおいては、それとは逆に、少女が少年を助けるというストーリー構造も見られるようになっている。たとえば浅原鏡村（あさはらきょうそん）の「不思議な迷宮」（『少女の友』一九二五年八月号掲載）は少女が父、兄を迷宮から助け出す小説であり、伊藤純一の「幽霊塔の姉弟」（『少女の友』一九二五年八月号掲載）は少女が幽霊塔に閉じ込められた弟を助け出す小説である。

【3―12】が高畠華宵の手がけた「幽霊塔の姉弟」の挿絵である。ここには弟を背負ってロープで塔を脱出する少女が描かれている。

また、この期間においては、大人の女性も勇ましい存在として描かれるようになっている。というのも、この期間の冒険小説においては、しばしば盗賊を率いるリーダーとして大人の女性が描写されるようになっているのである。たとえば闇野冥火（池田亀鑑）の「髑髏の笑ひ」（『少女の

【3－12】伊藤純一「幽麗塔の姉弟」『少女の友』1925年8月号挿絵（高畠華宵）（大阪府立中央図書館国際児童文学館所蔵）

友』一九二四年一－一二月号連載）、同じく闇野冥火の「青い小蛇の死」（『少女の友』一九二六年一－一二月号連載）などが挙げられる。もちろん盗賊であるため、けっして肯定的に描かれているわけではない。しかし「青い小蛇の死」では、盗賊のリーダーである女性は、さまざまな女性に変装して刑事から逃れたり、刑事に向かって「青二才のくせに、ふざけた真似をおしでないよ！」「小僧のくせに、笑はせやがるよ」（闇野冥火「青い小蛇の死」『少女の友』一九二六年一〇月号）と凄みを利かせたりしていて、これまでの冒険小説には見られなかったような新しい女性の姿が描かれていると捉えることができる。

しかし、その後、一九二九（昭和四）年から一九四五年までにおいては、冒険小説から少年が排除されるようになる。冒険小説は、主人公の少女と主人公を助ける少女のみでストーリーが進んでいくものになるのである。

たとえば、井上紀美子の「謎の青玉」（『少女の友』一九二九年一－七月号連載）は少女二人が紅（べに）

蜥蜴団（とかげだん）という盗賊団と戦う小説であり、小山勝清の「夕陽沈む時」（『少女の友』一九三一年一―一二月号連載）はロシアの革命党に所属しているロシア人少女二人が党のために男装して大活躍する小説である。

また、佐藤京子の「乳房の秘密」（『少女の友』一九三一年四―九月号連載）は、父親が殺人犯として逮捕されるのを目の当たりにした少女が、父親の身の潔白を信じて、数学の天才少女とともに真相を明らかにするストーリー構造になっている。

『信子さん。私、貴女にお願ひがあるのよ。ソラ、あの、貴女のお父さんの事件ネ。私、あれを一つ研究してみたいと思つてゐるのよ』
　信子は吃驚（びっくり）して、まじまじと大松さんの顔を見つめました。大松さんも、フト気がついて、
『アラ、御免なさい、私、まはりくどく云ふ事が出来ない性（たち）ですからね、気に障つた事があつたら勘弁してね！』（佐藤京子「乳房の秘密」『少女の友』一九三一年五月号）

このように、数学の天才少女である「大松さん」は、主人公の少女である信子が父親の逮捕に落ち込んでいるときに、あっけらかんと真犯人を捜すことを申し出ているのである。

さらに、山中峯太郎の「祖国の鐘」（『少女の友』一九三六年一―一九三七年三月号連載）は日本人の父親・中国人の母親を持つ少女が抗日血盟の秘密結社「黒き心臓」の一員として、日本警察と

抗争を繰り広げる小説である。この少女は「黒き心臓」を率いるリーダーの女性に誘拐されるが、その女性を改心させるために「黒き心臓」に加わる。しかし友人の日本人少女が日本警察とともに少女を助け出そうとする。こうして少女は、「黒き心臓」のリーダーの女性か日本人少女か、また、「黒き心臓」か日本警察かの間で板挟みになるのである。

この小説では主人公の少女も、「黒き心臓」のリーダーの女性も、勇ましく描かれている。とくに「黒き心臓」のリーダーの女性は、主人公の少女を誘拐して、身代金の二〇万ドルを受け取るとき、「黒き心臓は、今まで約束を違へたことが、一度もないのさ。二十万弗、渡すがいいぢやないの。すると二十四時間以内に、桂蘭（主人公の少女――引用者）は最も安全な方法で、爪のさきまで傷ひとつ負はずに、そつくりと送りかへされるのよ」（山中 一九四一：六五）と男性に向かって凄んでみせるのである。

その他、山中峯太郎は「聖なる翼」（『少女の友』一九三七年四―一九三八年三月号連載）、「黄砂に昇る陽」（『少女の友』一九三八年九―一九三九年一二月号連載）という冒険小説を連載している。「聖なる翼」は、少女が少女の父親の軍事機密を手に入れようとする一味に狙われるが、少女の親友と親友の家の書生に協力してもらうことで事件を解決するというものである。「黄砂に昇る陽」は、少女がモンゴルで行方不明になった兄を捜すうちに、兄がソ連の機密書類を得るため、かつて親友であったロシア人少女と攻防を繰り広げていることを知るが、最後には少女もロシア人少女もこの兄の手助けをして、機密書類獲得を成功させるというものである。

この「黄砂に昇る陽」の主人公の少女は、モンゴル人になりすまして兄を助ける勇敢な少女として描かれている。またロシア人少女は、最初は敵として兄妹に接しているものの、最後は味方として兄妹を助けている。そしてこのロシア人少女も、駱駝に乗って砂漠を疾走したり、父親の軍を自由自在に動かしたりするなど、勇敢な少女として描かれているのである。


信雄は（中略）日本語で云ひかへした。

「女を相手にするのは、ばからしいからナ」

ソニヤは夜風に金髪をなびかせながら、昂然として云つた。

「日本の青年は女性を侮るのね。フム、わたしが今、あなたとここで会つて、何と思つてゐるか、あなたにそれが、おわかりになつてゐるの」

「知るもんか」（中略）

「さう。わたしはここで命令権をもつてゐるの。あなたを今すぐに、最後の刑に落す宣言をあたへるのも、いいえ、ここで自由にしてあげるのも、わたしの胸のうちにあることですの。おわかりになつて？」

「女がそんな命令権をもつてゐるソビエット軍を、おれは軽蔑するばかりだ」（山中峯太郎「黄砂に昇る陽」『少女の友』一九三九年三月号）

【3―13】山中峯太郎「黄砂に昇る陽」『少女の友』1939年7月号挿絵(松本盛昌)(大阪府立中央図書館国際児童文学館所蔵)

このようにロシア人少女のソニヤは、かつて親友であった信雄を捕虜にして、生殺与奪の権を握っていることを威厳に満ちた態度で宣言しているのである。

【3―13】は、松本盛昌による本作の挿絵である。ここには無線機で通信をおこなっているロシア人少女が描かれている。

またこの一九二九年には、冒険小説でもあり、時代小説でもある小説に初めて少女が主人公として描かれるようになっている。それが大河内翠山の「女武者修業」(『少女の友』一九二九年一―九月号連載)である。それまでこのような小説においては少女が主人公として描かれることはなかったといえる。この小説は、少年の姿となって旅する少女が、海賊を倒すなど、さまざまな冒険をするストーリー構造となっている。この小説のなかで、少女は何人もの弟子を持つ舞の師匠の少女と意気投合して、互いに助け合っているのである。

このような少女が少女を助ける冒険小説は、読者の支持を得ていたようである。読者通信欄には、「私は謎の青玉が一番すきですのよ。私達の学校では友ちゃん（『少女の友』――引用者）がもちきりよ。よるとさはると謎の青玉のお話なのよ」（『少女の友』一九二九年五月号）など、「謎の青玉」を支持する読者の声、また、「私昔のお話大好きです。大河内翠山先生の（女武者修業）本当によかつたわ、九月号で終りね、これからも、もつともつといいのを出して下さい」（『少女の友』一九二九年一一月号）、など、「女武者修業」を支持する読者の声、さらに「祖国の鐘が一等素敵だと思ひます。これから先どうなるのでせう」（『少女の友』一九三六年六月号）など、「祖国の鐘」を支持する読者の声が多数掲載されている。

先に見たように、第一次世界大戦後、表紙絵に描かれる少女が和装から洋装へ、束髪から断髪・お下げ髪へ、非活動的な振る舞いから活動的な振る舞いへ変化する。冒険小説に描かれる少女も、冒険しない少女から冒険する少女へ変化を遂げるのである。このような少女像の変化の背景には、第一次世界大戦後に期待される女性像が変化したことがある。小山（一九九一）によると、第一次世界大戦中の欧米女性の銃後の活躍が日本社会において報道されたことで、日本女性にも欧米女性に比肩する活躍が期待されるようになるという。このように第一次世界大戦を契機にして期待される女性像が変化したことによって、表紙絵、および、冒険小説における少女像の変化がもたらされたと考えることができる。

また、一九二九年から一九四五年まで、冒険小説において少年が排除されて、少女同士の助け合いが描かれるようになる。このような変化の背景にあったのは、「エス」と称される少女同士の親密な関係を描いた小説の流行である。

少女同士の親密な関係を描いた小説で読者の熱狂的な支持を得たのは、吉屋信子である。吉屋信子は「花物語」（『少女画報』一九一六年七—一九二四年一一月号、『少女倶楽部』一九二五年七—一九二六年三月号連載）で少女同士の親密な関係を描いて、一躍読者の支持を獲得することになった。その後、『少女の友』に「暁の聖歌」（『少女の友』一九二八年一—九月号連載）を連載した後、途切れることなく少女小説を連載し続けて、読者の圧倒的な支持を得ることになった。この『少女の友』における連載小説は、どの小説においても少女同士の親密な関係を描いたものとなっている。

そして『少女の友』では、この吉屋信子の連載小説に追随するように、少女同士の親密な関係を描いた小説が大量に載るようになる。先に見た川端康成の「乙女の港」もその一つである。一九二九年から一九四五年まで、冒険小説において少年が排除されて、少女同士の助け合いが描かれるようになるのは、このような少女同士の親密な関係を描いた小説の流行によるものだと考えることができる。

戦前の中学校・高等女学校は男女別学体制をとっている。そのため、高等女学校は少年を排除した空間になっている。吉屋信子の小説においては、そのような高等女学校の少女のみの空間、そしてその空間によって形作られる少女同士の絆を価値あるものとしている。それとともに、そのような少女のみの空間を享受できる少女時代そのものを賛美しているのである。一九二九年から一九四五年までの冒険小説も、少女のみの空間、そしてその空間によって形作られる少女同士の絆を価値あるものとして描き出しているといえる。

このように少女向け冒険小説の変遷を辿ってみると、①一九〇八年から一九一一年までにおいては少女は大人に助けられる存在、③第一次世界大戦終結までにおいては少女は少年に助けられる存在、②一九一二年から第一次世界大戦終結後から一九二八年までにおいては少女は少年と助け合う存在、④一九二九年から一九四五年までは少女は少女同士で助け合う存在として変遷していったことがわかる。①から④までの変遷をながめると、少女がしだいに大人たち、少年たちの保護を必要としなくなっていく過程を見てとることができる。そして最後には少女は少女同士で協力し合って冒険できるようになったことがわかる。先に見た『日本少年』の冒険小説である池田芙蓉の「馬賊の唄」の少年は、旅の道中で出会った少年と協力し合って冒険している。『少女の友』の冒険小説の少女は一九二九年において、『日本少年』の冒険小説の少年と同じように、少女同士で協力し合って冒険できるようになるのである。

本章は『少女の友』の表紙絵、および、冒険小説における少女の描かれ方の変遷を見てきた。ここから明らかになったことは、「少女」というジェンダー規範はドラスティックに変化してきたということであった。『日本少年』『少女の友』がわたしたちに教えてくれたことは、わたしたちの身のまわりの「男らしさ」「女らしさ」というジェンダー規範はたとえそれが非常に揺るぎのないものだと思われたとしても、時代とともに変化していくということなのである。

参照文献

今田絵里香（二〇一九）『「少年」「少女」の誕生』ミネルヴァ書房。

――（二〇二二）『「少女」の社会史　新装版』勁草書房。

久米依子（二〇一三）『「少女小説」の生成――ジェンダー・ポリティクスの世紀』青弓社。

小山静子（一九九一）『良妻賢母という規範』勁草書房。

宮川健郎（二〇二一）「国際児童文学館移転開館一〇周年を振り返る――大阪国際児童文学振興財団とのかかわりの中で」『はらっぱ』三四、二―四頁。

山中峯太郎（一九四一）『祖国の鐘』偕成社。

第四章　宮内省の公文書

――「上川御料地争議録」と私の近代天皇制研究

加藤祐介

1　はじめに

歴史は、史資料に基づいて記述されなければならない。史料批判（史料に書かれていることには必ず書き手のバイアスがかかっており、時には意図的な改ざんも含まれているため、史料の性格を批判的に吟味しなければならない、という近代アカデミズム史学における方法論のこと）が重要であることも論を俟たない。一方で、こうした歴史（家）と史資料の間の厳格な関係は、歴史家の側の自律性や能動性をなんら否定するものではない。「テーマにたいする歴史家の生き生きした関心がなければ、史料は死んだも同然」であろう（渓内 一九九五：一四三―一四四）。

歴史を書くに際しては、十分な史資料と、書き手の側の瑞々しい問題関心とが不可欠である。史資料が先か、問題関心が先かという問題は、もちろん人によって、あるいは学統によっても異なるであろうが、時に悩ましい問題である。私もこの問題に悩んだ一人にほかならない。本章では、史資料との出会いと、問題関心のあり方の相互作用について、私の個人的な体験を述べてみたい。

2　学問を志す

(1) 政治学から歴史学へ

私の専門は日本近現代史であり、特に天皇を主要な構成要素とする近代日本の国家のあり方(=近代天皇制)について研究している。自己紹介などで「歴史研究をしている」と言うと、「浮世離れしている」という意味の反応が返ってくることがある。実際、歴史研究者の中には、現在起きている出来事よりも、とにかく過去に触れることが好きで好きで仕方がないという人もいる。もちろん、歴史研究に向かう姿勢や動機は人それぞれだから、それはそれで尊重されるべきだとは思う。

ただ、私の場合は、むしろ現在起きている社会問題への関心が非常に強いタイプの学生だった。私が在籍していた大学では、学部三年次より専門演習に所属するのだが、そこで私は政治学(現代日本政治)の演習を選択した。私が学部生だった二〇〇〇年代後半は、例えば「派遣切り」や「ネットカフェ難民」という言葉が流行したように、貧困と格差社会の問題が深刻な社会問題として認知されており、そうした問題を政治学の視座から検討してみたいと思ったのが最大の動機であった。

私が所属した演習はハードで知られる演習で、演習がある木曜日は四時間程度議論に明け暮れ、それ以外の曜日はひたすら演習の準備をするという日々が始まった。そこでは本当に濃密な時間が流れていたように思う。ちなみに当時のノートを読み返すと、渡辺治編『日本の時代史二七――高度成長と企業社会』（吉川弘文館、二〇〇四年）、デヴィッド・ハーヴェイ『新自由主義――その歴史的展開と現在』（作品社、二〇〇七年）、NHKスペシャル「ワーキングプア」取材班編『ワーキングプア――日本を蝕む病』（ポプラ社、二〇〇七年）、後藤道夫『収縮する日本型〈大衆社会〉――経済グローバリズムと国民の分裂』（旬報社、二〇〇一年）といった本を熱心に読んでいたことが分かる。いずれも実証史学の学術書というよりも、アクチュアルな問題関心に基づいて著された書物であり、当時の私の関心の所在が推し量られる。

このように、私は「正統的」な日本史学からは少し外れたところから自身の学問を始めた。ただし、私が所属した政治学の演習は、計量分析や理論よりも歴史的なアプローチを重視するという特徴があり、演習に参加する中で現在の出来事を歴史的に位置づけることの重要性を自然に身に着けることができたと思っている。現在の歴史研究者としての私の原形は、間違いなくこの時に作られたものであると言える。

学部四年次になり、卒業論文を作成する段階になって、私は昭和恐慌期（一九二九―一九三〇年代初頭）の経済政策と社会政策というテーマを選んだ。現代日本の国家のあり方を考える上で日本近代史の検討は欠かせないと思ったのもテーマ選択の理由の一つだが、人びとの生存が脅かされる時代における統治のあり方とはどのようなものだろうか、という問題に関心を持ったことが大きな理由であった。これは現状への問題関心をあまりにもストレートに歴史に投影したものであって、今思い返すと赤面してしまうのだが、当時の私は真剣そのものであった。

ただ、実際に研究らしきことを始めてみると、過去の史料を集めて読み込み、そこから何が言えるのかを考えるという手法は、自分の性格にとても合っていることに気づいた。当時、私は大学院進学か就職かでかなり迷っていたのだが、卒業論文を作成する中で、大学院に進学して日本近現代史を研究しようという気持ちが次第に強くなっていった。

(2) 大学院への進学と煩悶の日々

大学院修士課程に進学した私は、本格的に日本近現代史の勉強を開始した。とりあえず古典とされる実証史学の学術書を読み漁ったり、くずし字の読解能力をつけるべく研究会を開いたりしていた。何しろ学部生時代は政治学の演習にいたものだから、日本史学の勉強の仕方に慣れるまでは大変だったような気もするが、自分で選んだ学問を深めることの喜びの方が勝っていたのだと思う。

修士論文については、卒業論文のテーマを実証的に深化させた論文を作成した。その後、修士論文を圧縮して、「立憲民政党と金解禁政策」という主題の小論にまとめ直し、学術雑誌に載せて頂いた(加藤 二〇一二)。結果的に、これが私のデビュー論文となった。

一方で、大学院博士課程に進学した頃から、自身の研究に行き詰まりを感じるようになってきた。一九二〇—一九三〇年代の経済・社会政策と政治というテーマは、特に一九八〇年代以降、飛躍的に研究が進んだ領域であって、その中で私は自分の研究の独自性を出せずにいたのである。今考えると、これまで史料的な見通しとか視角の新しさという問題を脇において、問題関心だけで突っ走ってきたのだから、研究が行き詰ったのは必然だったようにも思う。そんな煩悶を抱えながらも、それを打開するアイディアがひとりでに浮かぶはずもなく、無情にも博士課程一年次の夏が過ぎていった。

3　近代天皇制の研究者になる

(1) 転機としての「上川御料地争議録」との出会い

話が少し変わるが、当時私は、ある先生のご厚意で、別の大学の日本近現代史の演習にも出席させて頂いていた。演習のテーマは、近代天皇制について一次史料を用いた自由報告を行うというものであった。演習の参加者は近代天皇制について専門に研究されている方ばかりではなかったが、それにもかかわらず皆一様にきわめてレベルの高い報告をされていて、正直私は圧倒されていた。また自分の報告の番が回ってくることについて戦々恐々としていた。当時の私は、近代天皇制について掘り下げて考えたことなどなかったから、他の参加者のような報告ができるか、全く自信がなかったのである。

報告の予定日が迫っていた。そこで私は、近代天皇制を考える上で、これまで自身で研究してきた一九二〇－一九三〇年代の政治経済史の方法が応用できそうな事例がないか、サーベイを行った。その中で偶然引っかかったのが、一九二〇年代初頭に皇室が所有する土地（＝御料地）において農民運動が起こっていることを伝える新聞記事であった。この記事が目に留まったのは、もともと貧困や格差社会という問題に関心を持っていたためでもあるだろう。

詳しく調べてみると、この農民運動は、北海道上川郡神楽村（現在の旭川市、東神楽町）に所在する御料農地（以下、神楽村御料地）で発生した争議におけるものだということが分かった。すぐに図書館のＯＰＡＣで検索したところ、『北海道上川世伝御料地小作争議誌――大正期における帝室御料地の解放』（北海道農地開拓部　一九五四）という文献がヒットした。同書は手書き・ガリ版刷りの書物であり、独特の趣があったことを思い出す。史的唯物論全盛の時代の農民運動研究であるから、今日において直接採用できない史実の評価も含まれていたが、一次史料に基づいて争議の経過が詳述されており、また当事者からの聞き取りも豊富に含まれており、一見して貴重な資料だということが分かった。

ただし、同書からは、争議の調停に当たった宮内省側の動きは掴めなかった。この争議について宮内省側から記した史料が遺っているのではないだろうか――。そう思って宮内庁宮内公文書館において史料調査を行い、その結果として出会ったのが、今回紹介する「上川御料地争議録」二冊【4－1】である。

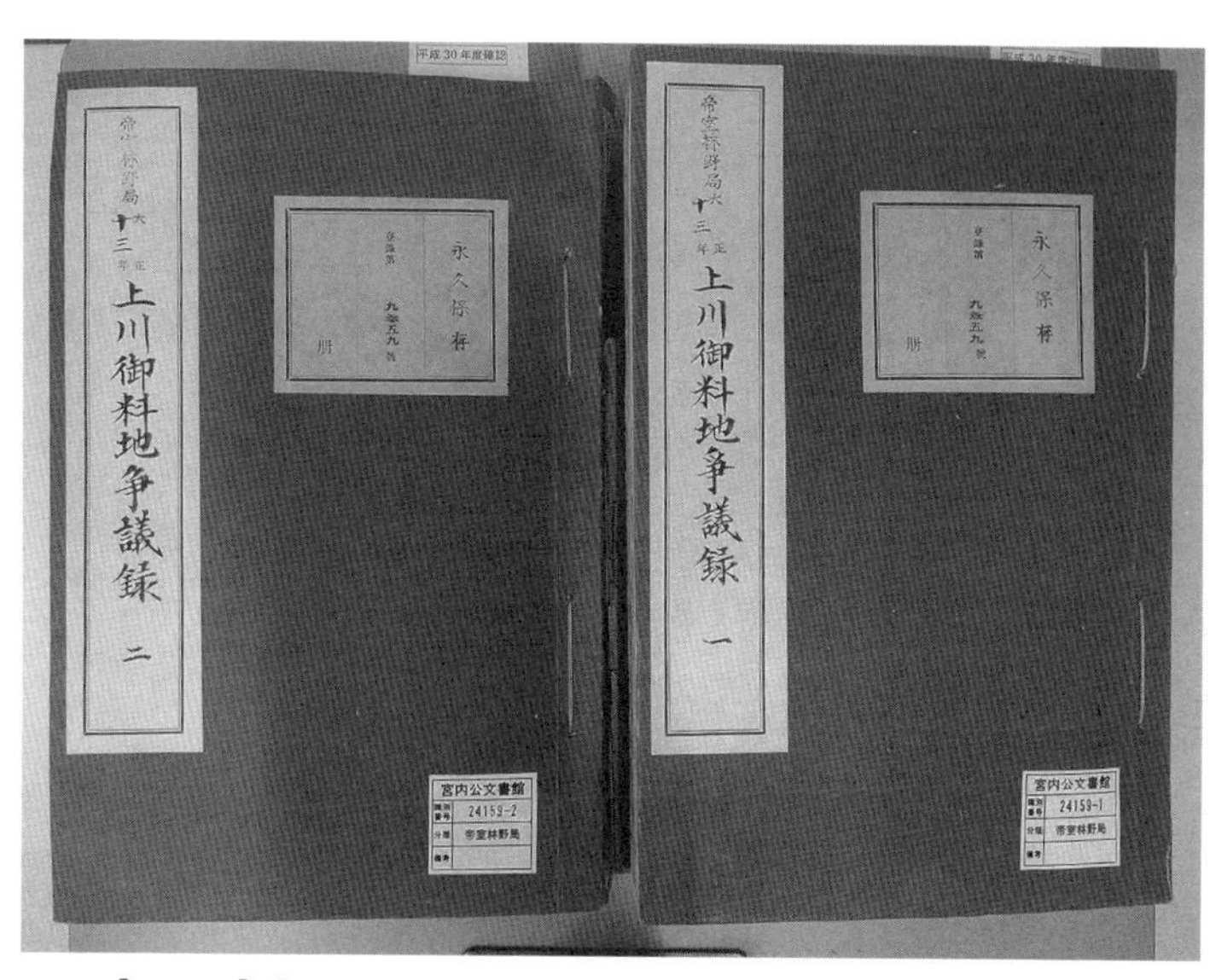

【4－1】「上川御料地争議録」二冊　宮内庁宮内公文書館所蔵（識別番号24159）

（2）神楽村御料地争議の歴史的位置

神楽村御料地争議の背景と経過について確認しておきたい（加藤 二〇一五：二〇二〇）。

近代日本においては、一八八五年から一八九〇年にかけて、日本銀行株・横浜正金銀行株などの有価証券と、広大な官有地（山林、原野、鉱山など）が皇室財産に編入されていった。その背景には、政府財政から独立した皇室独自の財政体系を構築することによって、予算議定権の行使による議会の皇室への介入を防止するという意図が存在した。加えて、ヨーロッパの王室がチャリティに携わっていることにかんがみ、日本の皇室においても社会事業に関与することが国民統合の上で有益であるため、その原資を設定する必要があるという意見も皇室財産の設定を後押しした。

御料地中の山林を御料林、農地を御料農地という。御料農地は人びとに御料地を貸与して貸地料を取得するという経営形態であり、明治中期以降、貸し付けが積極的に推進され、一九一八年の段階で貸地面積は約五万一〇〇〇町歩に達していた。日本近代史においては、新潟などに存在した大地主を「一〇〇〇町歩地主」と呼ぶことがあるが、皇室は実にその約五〇倍の規模の巨大地主であった。神楽村御料地は御料農地の一つであり、農地の生産性も高く、また消費地である旭川町（一九二二年より市制施行）に近いこともあって、宮内省内では期待されていた土地であった。

一方で、一九二〇年代においては小作争議の件数が激増していく。地主的土地所有の下で法的・経済的・社会的に弱い立場にありながら、それまで声を挙げることがなかった（できなかった）小作人たちが階級的に結集し、地主に対して小作料の減免や耕作権の強化などを要求していったのである。これによって私的所有権の絶対優位と契約自由を基本原則とする地主的土地所有のあり方は大きく後退し、また戦後の農地改革の歴史的前提が作られていくことになった。

神楽村御料地争議は、こうした二つの事象が交錯したところに生じた事例であった。宮内省は、御料地経営の現場において、図らずして大正デモクラシーと直面することになったのである。

交錯の状況について、具体的に見ておきたい。神楽村御料地において、宮内省は一区画五町歩の農区を造成し、一八九三年以降、貸し付け規則である「上川御料地貸下手続」に基づき、御料地の農業目的での貸し付けを行っていた。借地期間は三〇年であり、当初は専ら畑としての利用が想定されていた。また貸地料は一反当たり二〇銭（墾成期間中は三厘）と低額であった。

宮内省は直接耕作者を対象とした貸し付けを原則としており、「上川御料地貸下手続」によって借地の無断転貸を禁止していた。しかし、神楽村御料地においては原則と実態が次第に乖離していく。すなわち、明治後期以降における労働集約的な稲作の普及を背景として、御料地の借地人が第三者に借地を転貸し、耕作に従事させるという事例が広汎に生じていくのである。その際、借地人は宮内省側の追及を躱すために、「請負耕作」・「分収耕作」という名義でもって借地の無断転貸を行っていたという。その一方で借地人の内部においても、水田経営に失敗して借地権を第三者に売却する者や、数戸分の借地権を集積して富裕化する者が現れるなど、分解が進んでいった。

借地の転貸を受ける者（＝転借人）は、宮内省から直接御料地を借り受けている者（＝借地転貸人）に対して、収穫物の三―五割を現物で納入していた。すなわち、宮内省と借地人の間というよりも、借地転貸人と転借人の間に収取関係が存在していた。加えて、ある転借人が、「村の通常の集まりでも地主〔＝借地転貸人〕は座敷に上り座布団も茶菓も出したが、小作人〔＝転借人〕は土間に坐って話をきくだけであり、会議なども地主〔＝借地転貸人〕たちの決定したことを小作人〔＝転借人〕は唯々諾々として承知する以外はなかった」と当時を回顧しているように（北海道農地開拓部 一九五四）、神楽村の社会において借地転貸人は支配的な階級を構成していた。

両者の間の矛盾が爆発したのが、一九二〇―一九二四年の神楽村御料地争議であった。この争議においては、活動家が転借人側を支援する一方で、上川郡の地主会などが借地転貸人側を支援した。また争議は、両陣営による宮内省への陳情合戦という様相を次第に呈していった。

(3)「上川御料地争議録」が伝える争議当事者の肉声

「上川御料地争議録」は二冊から成り、第一冊には北海道庁長官が宮相・内相などに送付した報告書・探聞書が、第二冊には在神楽村の宮内省の出先機関が作成した業務日誌(「東御料地小作争議の真相」)がそれぞれ綴じられている。日誌の著者は、帝室林野管理局札幌支局上川出張所長の大窪光儀という人物である。大窪作成の日誌の中には関係者からの聞き取りが多く含まれ、書簡・新聞記事なども豊富に添付されている。以下、日誌が伝える活動家や転借人たちの肉声を少しだけ紹介してみたい(傍線は引用者による)。①は杉木弥助という活動家の演説(一九二三年一月二八日)、②は徳田球一という活動家の演説(一九二三年四月三日)、③は転借人たちが宮内省に提出した嘆願書(一九二三年三月一五日)である。

①

借地人は官を詐(いつわ)り規則に違反する不当行為を為したるは法律上無効にして、我々は今迄積上げたる小作料を当然取り戻すべき権利あるものである。〔中略〕不法不当にも規則を蹂躙し蹴散し宮内省を欺きたる借地人の行為は社会主義者以上〔に〕恐るべきものと考ふるが故に

我々は……〔注意が入ったため中断〕

②

御料地貸付規程に依る時は実際の耕作者に貸付するといふ事になり居るにも不拘、借地人即ち資本家は沢山の土地を所有して居る。〔中略〕借地人等の横暴なることは僅かに二十銭の小作料を納めて耕作人よりは何俵と云ふ小作料を取り居る。斯る有り難き皇室の思召しを借地人等……〔注意が入ったため一時中断〕今耕作人が窮状を訴へて宮内省当局に迫り、貸付規程通りにして頂く様に次官なり大臣なりに願ひ出づる様にしなければなりません。

③

現在直接に〔帝室林野〕管理局より貸借せる彼等借地名義人に比すれば、吾々は五十倍乃至二百倍の小作料を支払ひながら天地も啻ならざるの冷遇を受くるの立場に有之候。之れ皆現在借地名義人が吾々と〔帝室林野〕管理局との中間に介在するがために他ならず候。〔中略〕吾々請願人に直接御払下げ又は貸付の恩典に浴し度、速かに此の窮境を脱する様御尊慮を相煩し度此段謹んで奉嘆願候。

①においては、借地転貸人たちは「規則に違反する不当行為」、すなわち借地の無断転貸行為

を行ったのだから、転借人が今まで支払った転貸料（「小作料」）は返還されてしかるべきである、という主張が開陳されている。②においても、借地転貸人たちの規則違反を追及する点では同様である。こうした論理を背景として、③においては、借地転貸人を排除した上で、転借人たちに御料地を「直接御払下げ又は貸付」してほしいという主張がなされている。なお、③においては「借地名義人」という言葉が使われているが、ここには借地転貸人を寄生的な存在として排撃する論理が含まれている。

また転借人側は、社会主義的な理念よりも、天皇の恩恵を借地転貸人が壟断することは不当である、という論理でもって自己の主張を正当化していた。この点にかんして興味深いのは②である。②の発言者である徳田球一は、後に日本共産党の指導者となって近代天皇制を正面から批判し、逮捕後も非転向を貫き、戦後に釈放されるまで一七年以上を獄中で過ごした人物である。そんな徳田が「有り難き皇室の思召し」を主張したことは一見すると奇異に見える。しかし、一般に活動家が人びとの運動の中に入る際には、人びとの側の論理や情念を一定程度汲み取ることが必要である。すなわち、「筋金入り」の徳田をして「有り難き皇室の思召し」を絶叫せしめたほどに、神楽村御料地の転借人たちの間において「天皇の恩恵を自分たちが享受できないのは不当である」という思いが強かった、ということを②の記述から読み取るべきである。転借人たちは、そうした思いを背景として、③に示されるような、借地転貸人が所持する借地の奪取という急進的な要求を掲げたのである。

（４）史資料体験が自分自身をどう変えたか

争議の最終局面においては、転借人たちがお互いに疑心暗鬼になり、相互に排撃し合う中で運動の求心力が失われていく、というアリ地獄のような様相も見られた。結果的には、借地転貸人が所持する借地の奪取という転借人側の要求は果たされず、代わりに別の神楽村内の御料地（未開地）が転借人側に払い下げられることによって、妥協が図られることになった（一九二四年八月）。

「上川御料地争議録」から浮かび上がってくる、近代を生きた人びとの心性のあり方は、研究に行き詰っていた私にとって、とても新鮮なものであった。また争議対応の過程において、宮内省が、「一君万民」（天皇の下における全国民の平等）という近代天皇制の下における正統的なイデオロギーの統御に苦慮していくことからも窺えるように、この争議は社会経済史のみならず、政治史の題材としても興味深いものであった。もともとは演習での単発の報告のために調べはじめた事例ではあったが、結果的に「上川御料地争議録」との出会いは私にとって鮮烈な史資料体験となった。宮内庁にはまだまだ手付かずの史料が眠っているのかもしれない――。そう考えて調査を継続する中で、皇室の財政体系という視角から近代日本の国家のあり方を考えるというテーマがだんだんと浮かんできたように思う。こうして近代天皇制に研究テーマを変更し、それでなんとか博士論文を仕上げることができ、今に至っている。

また神楽村御料地争議の事例に取り組む中で、現場に足を運ぶことの重要性について、遅まきながら目を開かされたことについても触れておきたい。私は大学院在籍時より、旭川市と東神楽町を継続的に訪れ、史料調査を行ってきた。文献史料の調査も実り多いものであったが、大正期の地図と現在の地図を照らし合わせながら争議の現場を歩いたことも、時に予想外の発見をもたらしてくれた。なお、【4―2】は元神楽村御料地の現在の水田の風景、【4―3】は転借人側に払い下げられた御料地の開発を記念して建立された記念碑である。また後に私は、神奈川県小田原町（現在の小田原市）に所在した御料地の払い下げ事例を検討することになるのだが（加藤 二〇一九）、その際も現場を歩くことによって得られた情報や、郷土史家の方からの聞き取りによって得られた知見を論文に盛り込んだ。その意味において、「上川御料地争議録」との出会いは、私が近代天皇制研究を始めるきっかけとなったのみならず、自身の政治史研究の型を作る上でも重要な画期となった。

4 おわりに

挫折も経験した修行時代ではあったが、史資料体験という点では、私は幸福な体験者であったと思う。繰り返しになるが、歴史とは、史資料と書き手の問題関心の往還を経て記述されるものである。その意味において、本章の記述は、もちろん個人的な体験談ではあるが、歴史研究者の実践の一端を伝えているであろう。歴史研究を志す若い学生にとって、この拙い文章がなんらかのヒントになればと願っている。

【4－2】元神楽村御料地の現在の風景　東神楽町の北海道道68号旭川空港線より旭川市の方角を望む。筆者撮影。

【4－3】聖台開発記念碑（1936年建立）　東神楽町に所在。筆者撮影。

参照文献

史資料

「上川御料地争議録」二冊（宮内庁宮内公文書館所蔵、識別番号二四一五九）。

研究文献

加藤祐介（二〇一二）「立憲民政党と金解禁政策」『史学雑誌』一二一／一一、六三―八四頁。

――（二〇一五）「大正デモクラシー状況への皇室の対応――御料地争議における天皇制イデオロギーの噴出」『歴史学研究』九二七、一一―一六頁。

――（二〇一九）「皇室・旧藩主家・小田原町・地域住民――小田原城址地をめぐる所有と利用の関係史」河西秀哉・瀬畑源・森暢平編『〈地域〉から見える天皇制』吉田書店、一六一―一九六頁。

――（二〇二〇）「皇室と国民――神楽村御料地争議（一九二〇―一九二四年）再論」『民衆史研究』九九、三三―五〇頁。

渓内謙（一九九五）『現代史を学ぶ』（岩波新書）岩波書店。

北海道農地開拓部編（一九五四）『北海道上川世伝御料地小作争議誌――大正期における帝室御料地の解放』北海道農地開拓部。

第五章　法律の制定過程を探る
――デジタルアーカイブから広がる歴史研究

鈴木智行

1　新史料はどこにある？

歴史を研究していると、様々な史資料体験をすることとなるが、そうした中でやはり別格の体験となるのが、新史料の発見であろう。筆者の研究している日本近現代史は、日本を対象とした前近代史（古代・中世・近世史）と比べれば史料が豊富に残っているという点で、外国史と比べれば史料が身近にあるという点で、新史料に巡り合うことが多い研究分野であると思われる。日本近現代史での新史料発見というと、東京都西多摩郡五日市町（現あきる野市）にあった深沢家の「開かずの蔵」から見つかった「五日市憲法」の発見のような劇的なものをイメージする人もいるかもしれない（新井 二〇一八）。筆者も農村地域に行って史料調査を行ったこともあり、また、史料を所蔵していると思われる団体に電話をかけてご厚意により史料を見せていただいたこともある。その際の、何年も人に見られてこなかった史料の現物を手に取った時の興奮・感動というのも得難い史資料体験である。しかし、本章で紹介したい新史料との出会いが起こった場所は、筆者の自宅で起こったことであった。もうお分かりかもしれないが、本章で紹介する史資料体験は、近年発展の著しいデジタルアーカイブを利用したものとなる。以下では鈴木（二〇二〇）に結実することとなる筆者の史資料体験とそれに基づく研究の様相について述べていくこととする。

2　問題意識の整理と史料の発見

まず、史料の発見に至るまで、筆者がどのような関心に基づき史料を探していたのか、簡単に説明していこう。

日本においては一九一四年の第一次世界大戦の開始以降、重化学工業化が進展し、これに伴って著しい都市化が進んだことが知られている。一九世紀末に五三四万人だった日本の都市人口（市部人口）は、一九二〇年に一〇一〇万人に、一九四〇年には二七五八万人へと増加した（岡田一九九三：一九七―一九八）。筆者はこうした日本における第一次大戦後の都市化の進展過程に興味関心を持ち、研究を行ってきた。

その際特に関心を持っていたのが、この都市人口の増加により市部の人口が飽和し、旧来の市部の外側にまで、行政域を越えて都市化が進展していく、という現象についてである。第一次大戦と第二次世界大戦の間の時期を戦間期と呼ぶが、この戦間期に進んだ都市への人口集中は、特に大都市において、都市域の拡大につながった。こうした現実に対応して、例えばそれまでおおよそ山手線の内側程度の範囲を市域としていた東京市（一九四三年以前の東京の都市公共団体）は、一九三二、一九三六年に実施された市域拡張により、現在の東京二三区の範囲を市域とするに至った【5−1】。このような都市化は社会の変化を伴ったと予想されるが、当時の人々・政府はこれにどのように向き合ったのだろうか。

こうしたことを考えるうえでヒントになりそうな制度が見つかった。一九一九年に制定された都市計画法（旧法）で唯一導入された新事業財源である、「受益者負担」という公課である。受益者負担とは、都市計画道路の建設により、地価の上昇など経済的利益を得るとみなされた道路周辺の土地所有者などに、都市計画道路の事業費を負担させる制度である。受益者負担を課す際の手続きが、議会の審議を必要とせず省令（内務省令）

【５－１】東京市域拡張図

出典：東京市監査局都市計画課編（1937）『東京市域拡張史　千歳村・砧村編入』東京市監査局都市計画課、に一部加筆。1932年以前の東京市市域は太線の内側になる。

によればよいという簡便な制度であったこともあって、戦前期においては都市計画事業の財源として、受益者負担が一定の役割を果たしていた。受益者負担は行政域を越えて行われる都市計画事業を単位として課されるため、税金（地方税）とは違い、行政域にかかわらず課すことが可能（府県や町村ごとに地方税の課税を地方議会で決定する必要がない）であった。都市が広がっていく中で、実際の都市域と行政域が一致しない場合でも、受益者負担は利用可能な制度であり、どうしてこのような制度ができあがったのか、都市計画法の制定過程にまでさかのぼって調査することとした。

するとこの受益者負担は、法制定過程の当初は「改良税」という名前で地方税の一種として検討がなされていたことが判明した。さらに不思議なことに、受益者負担の根拠となる条文は、最初の草案段階では地方税を定めた条文（地方税としての「改良税」）に基づき実現が目指されていたが、どこかの段階で、事業の費用分担を定めた条文（都市計画事業により利益を受ける個人へ負担を課す「受益者負担」）により課されることに、変更されていたことも判明した。受益者負担はいつ、行政域にかかわらず課すことができる制度となったのだろうか。そしてなぜ、根拠となる条文の変更が行われたのだろうか。以上の課題が次に考えるべきこととなった。

都市計画法は、内務省という戦前期に内政関連を広く担当した省庁の主導により作られたと考えられていた。そして、法の制定の中心にいた池田宏という内務官僚の旧蔵史料（市政専門図書館所蔵、都市計画法の草案史料などがある）を利用した丁寧な研究がすでにあった（渡辺　一九九三：

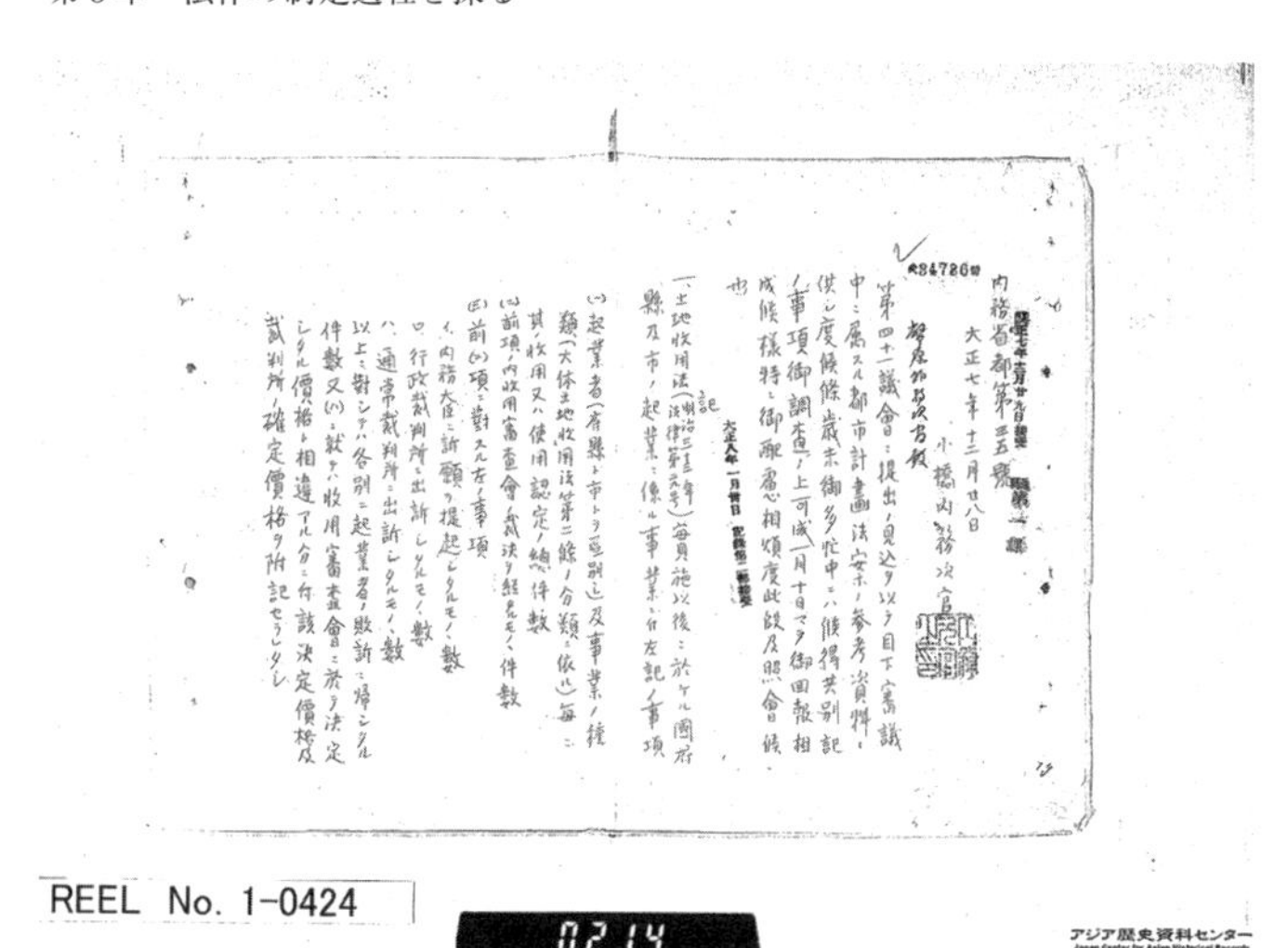

【5－2】都市計画法案及建築法案ニ関スル件（アジア歴史資料センターの利用画面）

一三五―一四九）。そのため、当初はこの研究を下敷きにして、調査すればよいと考えていた。そうしたときに、何の気なしにアジア歴史資料センターのホームページから検索していて見つけた史料が、外務省外交史料館の所蔵する「戦前期外務省記録」の史料群の中の、「帝国議会関係雑纂／政府提出法律案関係」という簿冊の中に綴りこまれていた「都市計画法案及建築法案ニ関スル件」という史料である【5－2】（「50　都市計画法案及建築法案ニ関スル件」）。

本史料は外務省が保存していた公文書で、一九一八年一二月二八日に小橋一太内務次官から幣原喜重郎外務次官宛てで送付された問い合わせ（都市計画法案と建築法案に関するもの、建築法案とは都市計画法の制定と同時に成立した市街地建築物法の草案、市街地建築物法は現在の建築基準法の前身となる法律）と、それへの外務省の返答で構成されている。筆者が驚いたのは、この内務省からの問い合わせに、これまで知られていなかった都市計画法の草案が添付されていたことであった。

アジア歴史資料センターとは、「インターネットを通じて、国の機関が保管するアジア歴史資料（原資料＝オリジナル資料）を、パソコン画面上で提供する電子資料センター」のことで、国立公文書館が運営を行っている（アジア歴史資料センター「センターの概要と特徴」）。二〇二三年現在において、アジア歴史資料センターのホームページを使って閲覧できる史料は、「国立公文書館、外務省外交史料館、防衛省防衛研究所戦史研究センター所蔵の資料を対象としてデジタル化が行われたもの」とされており、アジア歴史資料センターは「所蔵機関において電子化した上で提供を受け」、「これらをデータベース（デジタルアーカイブ）化してインターネット上で公開する役割を担って」いるとされる（アジア歴史資料センター「センター公開資料の概要」）。

この草案の解説については後で行うこととするが、本史料の発見はおそらくはアジア歴史資料センターの整備がなければ難しかったと思われる。というのは本章の冒頭でも述べたように、近現代史料はそれ以前の時代と比較して多くの史料が残存しており、残存している史料を全て読むことは現実的には不可能であるため、基本的には研究者の問題関心に沿う形で史料を探すことになる。例えば、今回のように都市計画法の制定過程に関心があれば、都市計画法の制定に重要な役割を果たした人物の史料や、制定の中心となった内務省の史料を探す（ただし、内務省の公文書の残存は少ない）のが、通常まず行われるべきことであろう。それゆえ、筆者が発見した史料「都市計画法案及建築法案ニ関スル件」があった外務省の公文書を探すことは、必ずしも優先度が高いものではなく、自宅からでも目録が検索でき、かつ、多機関の史料を横断的に検索できるアジア歴史資料センターがなければ、おそらくは見つかることのなかった史料であったと思われる。なお、本史料が綴りこまれている簿冊は、「帝国議会関係雑纂」と題される史料群のうち、「政府提出法律案関係」と題されてまとめられた唯一のもので、一八九〇―一九二六年までの史料が綴りこまれているという、比較的長期間の記録が残っている。しかし、本簿冊を確認してみると法案の草案らしきものが含まれているのは件名六七件のうち一五件に過ぎない。これを見る限りでは、他省庁に法律草案を送付しそれが残存すること自体もまれな事であったと想定される。史料のデジタル公開の進展と検索機能の充実は、単純に史料へのアクセスを容易にするだけでなく、想定しなかった史料との出会いももたらしてくれるものだといえよう。

3　さらなる史料の捜索

これまで知られていない都市計画法の草案を見つけたことで、法の制定過程について新たな事が言えるかもしれないと考えたので、さらなる調査を進めることとした。結果的には、内閣での閣議の過程に関する史料（閣議書）を見つけ、そこにも別種の草案があることもわかった【5―3、5―4】。先行研究で明らかにされていたことを踏まえて（渡辺 一九九三：一三五―一四九）、

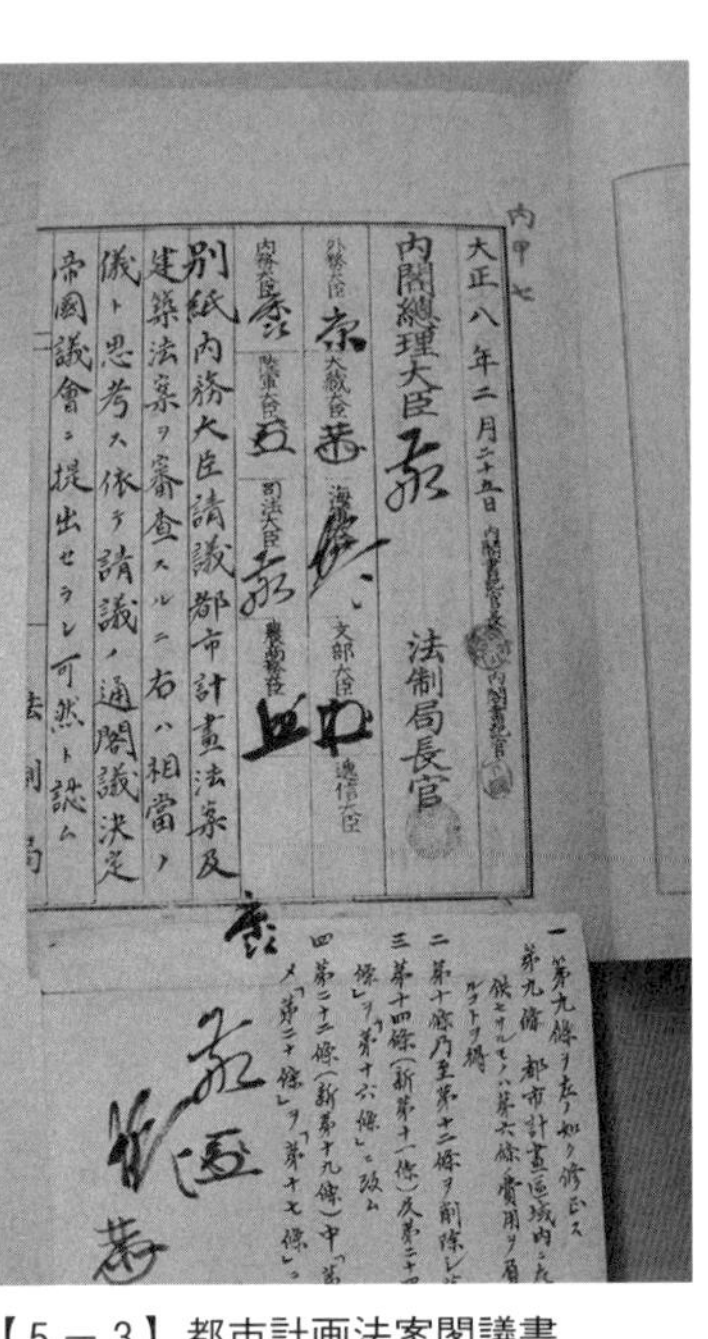
大正八年二月二十五日
内閣総理大臣
法制局長官
別紙内務大臣請議都市計畫法案及建築法案ヲ審査スルニ右ハ相當ノ儀ト思考ス依テ請議ノ通閣議決定帝國議會ニ提出セラレ可然ト認ム

【5－3】都市計画法案閣議書
出典：「都市計画法・市街地建築物法ヲ定ム」『公文類聚　第43編・大正８年・第２巻』国立公文書館所蔵、請求番号類01299100。

都市計画法の制定過程を草案ごとに整理すると【5－5】のようになる。

筆者が新たに見つけた草案は草案B（外務省の公文書「都市計画法案及建築法案ニ関スル件」にあった草案）と、草案C（閣議書にあった草案）になる。加えて、先行研究では位置づけることができていなかった、先述した法制定で大きな役割を果たした内務官僚（池田宏）の旧蔵草案が（渡辺一九九三：一四一－一四二、渡辺の言う旧法案B）、草案Dの位置にあることを確定させた。以上、デジタルアーカイブを利用した偶然の史料の発見から始まった史料の捜索は、さらなる草案の発見にもつながり、都市計画法の制定過程全体を見通す準備が出来上がることとなった。次節ではこれらの草案の分析からどのようなことが分かったのか、説明していこう。

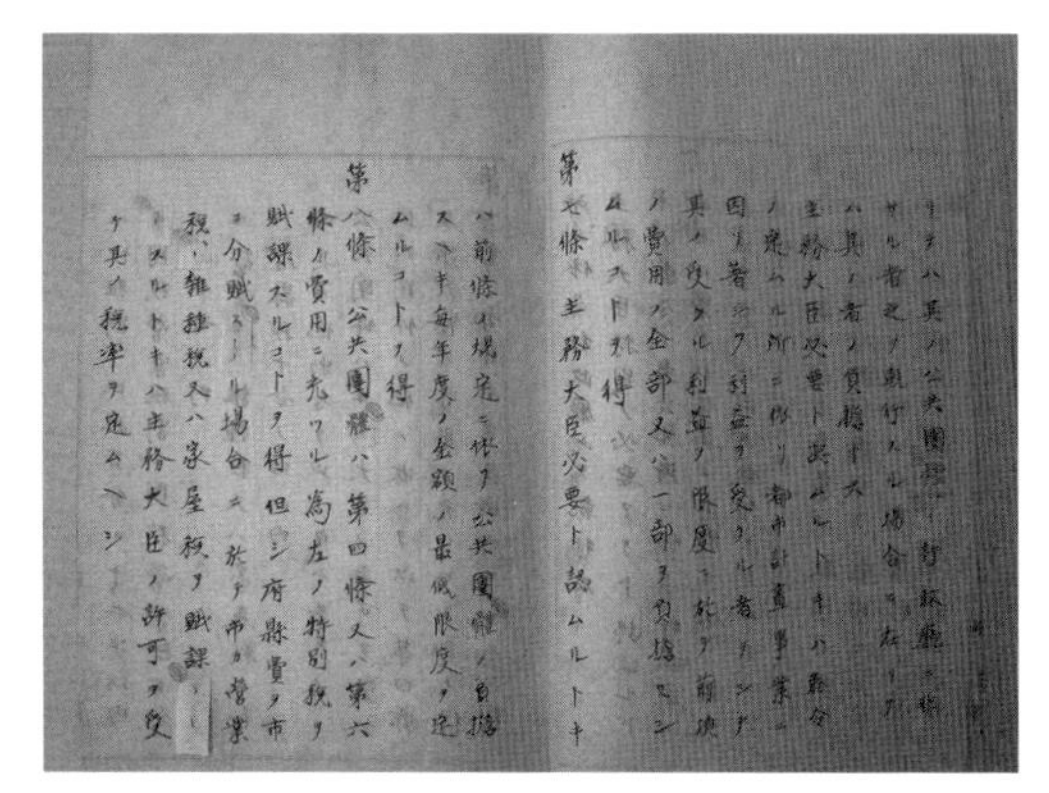

トキハ其ノ公共團體ニ對シ
サル者之ヲ執行スル場合ニ在リテ
ハ其ノ者ノ負擔トス
主務大臣必要ト認ムルトキハ勅令
ノ定ムル所ニ依リ都市計畫事業ニ
因リ著シク利益ヲ受クル者ヲシテ
其ノ受クル利益ノ限度ニ於テ前項
ノ費用ノ全部又ハ一部ヲ負擔セシ
ムルコトヲ得
第七條　主務大臣必要ト認ムルトキ
ハ前條ノ規定ニ依リ公共團體ノ負擔
スヘキ毎年度ノ金額ノ最低限度ヲ定
ムルコトヲ得
第八條　公共團體ハ第四條又ハ第六
條ノ費用ニ充ツル爲左ノ特別稅ヲ
賦課スルコトヲ得但シ府縣費ヲ市
ニ分賦スル場合ニ於テ市カ營業
稅、雜種稅又ハ家屋稅ヲ賦課
スルトキハ主務大臣ノ許可ヲ受
ケ其ノ稅率ヲ定ムヘシ

【5－4】都市計画法案草案C

出典：「都市計画法・市街地建築物法ヲ定ム」『公文類聚　第43編・大正8年・第2巻』国立公文書館所蔵、請求番号類01299100。

① 都市計画調査会（都市計画法案について検討する政府の審議会のようなもの）で都市計画法の**草案A**が作成される。

② 草案Aをもとに、閣議にかけるための**草案B**が内務省内の検討を経て作成され、内務大臣から内閣に対して草案Bが提出される。

③ 草案Bは内閣法制局で法の条文を一か条ごとに確認する検討が行われ、**草案C**として修正されたうえで閣議にかけられる。

④ 草案Cは内閣の閣議に二度かけられ（閣議のやり直しが行われており、この点もややイレギュラーであった）、**草案D**として修正されて、帝国議会の審議にかけられる。

⑤ 草案Dが帝国議会両院（衆議院・貴族院）で審議され、都市計画法（成案）となる。

【5－5】都市計画法の制定過程と諸草案

出典：鈴木（2020）より作成。

4　史料の読解

　さて、筆者が新たに見つけた草案Bと、草案Cを含む内閣閣議に関連する史料を比較してみると、不思議な点が見つかった。不思議な点というのは、草案Cは法案の各条文に朱を入れる形で修正が行われていたのだが、修正を入れる前の草案が草案Bではなく、別の草案（草案B′と呼ぶ）だった、というものである。すなわち、内務省が作成した草案Bが、いつの間にか法制局の審議過程で差し替えられ、新たな草案（草案B′）になり、それを法制局で修正する形で、草案Cが作られたということがわかったのであった。

　そして、草案Bから草案B′への変更過程で、筆者が注目していた受益者負担を根拠とする条文が、一連の法制定過程で大幅に変更されていたことを発見した（【5－6】、下線を引いた部分が受益者負担の根拠となる）。これはなにか起こったのではないかと思った筆者は、この条文変更の意味を探ることとした。とはいえ【5－6】を見てもらえればわかるように、条文の文言そのものから条文変更の意味を探るのはなかなか難しい。そこで条文変更の意味を探るために、この条文に対する内務省側の説明、より具体的に言えば「改良税／受益者負担」に関する内務省・内務官僚の説明の推移を追跡することとした。

　結論から言えば、草案Bの作成後の時点ではまだ、内務官僚（池田宏）は、地方税（「改良税」）という形式で都市計画事業により利益を受けるものに対する課税を考えていたことが確認でき、

草案・法令名	条文内容
草案B	都市計画の事業の執行に要する費用は、前条の規定に依る行政庁、又は行政庁の統括する公共団体の負担とする、但他に費用の全部又は一部を負担せしむるの必要ありと認むるときは、関係者の意見を聞き、其の負担に付き内務大臣之を定む
草案B′	都市計画事業に要する費用は行政官庁之を執行する場合に在りては国、公共団体を統轄する行政庁之を執行する場合に在りては其の公共団体、行政庁に非さる者之を執行する場合に在りては其の者の負担とす 主務大臣必要と認むるときは勅令の定むる所に依り都市計画事業に因り著しく利益を受くる者をして其の受くる利益の限度に於て前項の費用の全部又は一部を負担せしむることを得
道路法	道路に関する工事に因り著しく利益を受くる者あるときは管理者は其の者をして利益を受くる限度に於て道路に関する工事の費用の一部を負担せしむることを得

【5－6】費用負担条文変遷

出典：鈴木（2020）より作成。

一方で帝国議会審議の途中の時点では、すでに法解釈が変わっていたことが確認できた。つまり先の都市計画法の草案に即した制定過程でいうと、③・④の段階で変更が行われたことが明らかになった。④の過程がわかる史料からは、解釈が変更された様子は確認できないから、条文自体の変更も行われているも③の段階で解釈が変わったと結論づけることとした。

なお、この過程では、幸運もあった。制定途中の都市計画法の内容について内務官僚がなにか言及していないか、当時の都市に関する論説・記事を載せている雑誌をさまざま調べていたのだが、最終的には『都市公論』という雑誌の中にそうした記事を見つけることができた。『都市公論』という雑誌は、不二出版という出版社から復刻版が出されており、チェックする際にはそれを利用した。この復刻版は『都市公論』の後継雑誌を出している都市計画協会の協力で作られたものであったが、『都市公論』のごく初期の巻号（第一巻第一号から第二巻第六号まで）については復刻版の刊行時には見つからなかったようで、欠号となっていた。復刻版の刊行後に、たまたま第二巻第二号だけは発見されたため、補巻一として出版された（『復刻版 都市公論』補巻一 一九九二）。筆者が見つけた記事はまさにこの第二巻第二号に載っていたもので、出版社が復刻版を刊行し、その後も欠号を探し続けたおかげで、事実関係を確定することができたといえる。鈴木（二〇二〇）の作成は商業出版による史料状況の改善にも助けられたことになる。

さて、内閣法制局での審議過程で行われた条文変更は、具体的にはどのような意味を持ったものだったのか。先述したように戦間期の都市化は行政域を越えて進んだため、都市計画事業も当然行政域を越えて行われることとなった。そのような場合には、国や地方公共団体の間で事業費を分担することとされたが、このことを定めた条文が、内閣法制局での審議過程で変更され、受益者負担の根拠条文となった。かなり単純化して説明すれば、都市計画事業の費用分担者に、国や地方公共団体だけでなく、都市計画事業により利益を受ける私人を含むように変更されることとなった。この条文変更により、従来財源の根拠とならなかった条文が財源の根拠へと変わることになったのであった。

なぜこのような条文変更が行われたのだろうか。閣議に向けて内閣法制局が作った意見書や、議会での政府委員（内務官僚）の答弁から判断するに、これは都市計画法に先行する形で同じ議会で成立することとなった道路法の条文を参考としたためであったと考えられる。道路法には、道路の開通により利益を受けることとなる企業などに道路工事の費用負担を課すことができるようにするという条文があった。受益者負担の根拠となった条文はこの道路法の条文と似通ったものとなっている（前掲【5－6】参照）。また議会審議の際の政府委員の答弁でも道路法の条文に同様の条文があると明言されている。

以上のように、受益者負担は、内閣法制局において道路法を参照したうえで変更されたことで成立したことが判明した。

5　史料読解の研究上における位置づけ

さてここまでかなり細かい部分についてまで史料読解の概要を説明してきたが、この結果わかったことの意義について、最後に説明していこう。ここまでの読解により、受益者負担の法制化にあたっては、内閣法制局での審議過程が重要な役割を果たしていたことが判明した。

内閣法制局は、戦前期においては内閣総理大臣の補助機関であり、各省庁から提出された法案を他法令との法的整合性なども含めて審査し、法制局の意見を付したうえで、閣議に提出するという役割を担っていた（大石 二〇〇六：一〇）。都市計画法の制定にあたっては内閣法制局が持っていた法令審査権がフルに利用されたといえようが、果たしてこのような法制定過程は、当然の過程であったといえるのだろうか。

実は、内閣法制局での審議過程以前の段階にあたる、都市計画調査会（法制定過程①）において、都市行政を管轄する内務省と、政府の財政・租税を管轄する大蔵省が、都市計画法に盛り込むべき財源をめぐって対立していた。内務省は都市計画を進めていくにあたり、その実現性を担保するため、財源を広く確保しようとしていた。しかし、大蔵省は都市部に税源をとられることに反対であり、内務省の提案をなるべく骨抜きにしようとしていた。そして、大蔵省の強い反対により、内務省の提案した財源案は実際にかなりの部分が骨抜きにされていた。

こうした状況下で行われた内閣法制局での受益者負担に関する変更は、端的に言えば、内閣法制局がかなり内務省に肩入れしたものであった、と言えるだろう。先に見たように、変更により受益者負担の根拠となった条文は、変更前は単に政府や地方公共団体間の費用分担を定めた条文であり、本来財源の根拠となるような条文ではなかった。このように財源と関係ない条文を財源の根拠となる条文に変えることで、都市計画に関する事業財源が確保され、結果的には受益者負担は都市計画法の制定により唯一新規導入された財源となった。内閣法制局の審査過程で行われたことは、他法令と比較したうえでの法的整合性を求めた活動というよりは、内閣法制局が内務省の行いたい都市計画・都市計画事業を手助けする立場に立った、政治的判断を含んだ活動であったといえるだろう。

ここまで見通したうえで、都市計画法が制定された際の内閣に目を向けてみよう。この時の内閣は初の本格的な政党内閣といわれる原敬内閣であり、内閣法制局長官は横田千之助という人物【５−７】であった。

清水唯一朗氏によれば、原が党首を務めている立憲政友会は、安定した政党内閣を樹立するため、統治機構に理解があり行政に関する専門性を持つ、官僚出身者を多数リクルートしていた。原内閣の大臣にはこうして集められた官僚経験者が登用されていたが、官僚出身者が大臣になると省庁間の縄張り争い・セクショナリズムが起こる可能性があった。そこで、閣議の前に法案を審査する内閣法制局長官に、官僚出身者ではなく、政党員として経験を積んできた横田を起用し、内閣法制局で各省庁間の争いを調整しようとした。それまで内閣法制局の長官は政治的な任用で選ばれてはおらず、法制官僚や帝大教授などから選ばれる専門職的なポジションであったが、以後、内閣法制局も政党の影響力が及ぶようになったとされる（清水 二〇一三：二七六―二八〇）。

【５－７】横田千之助
出典：東恵仁編（1898）『明治弁護士列伝　肖像入』周弘社。国立国会図書館「近代日本人の肖像」(https://www.ndl.go.jp/portrait/) を利用。

こうした先行研究を踏まえれば、都市計画法の制定・受益者負担の誕生の過程は、原敬内閣の下での省庁間対立が実際に内閣法制局で調整された事例であったといえるだろう。とはいえ、このような制定過程が政党内閣の下でのあるべき姿であったかどうかは議論の余地があると思われる。実際に受益者負担が課されるようになると、内務官僚の中からも、地方税のように地方議会の審議を必要とせずに内務省令のみで国民に負担を課すことができる受益者負担という制度は、法律に根拠があるとはいえ、おかしいのではないかという意見が表明されることもあった。こうしたやや法的バランスを欠く制度となった理由は、ここまで見てきたような、内閣法制局のやや強引な介入にあったと思われる。

6　新史料発見の意義

以上、日本近現代史研究において、筆者が体験した新史料の発見から論文の執筆に至るまでの過程を振り返ってきた。かなり細かい部分についてまで立ち入って説明をしてきたのは、新史料の発見がどのようにして研究を進展させたのかを示したかったからでもあるが、一方でそれだけではないことを感じて欲しかったからでもある。

まず、やや逆説的な言い方となるが、ある史料が新史料となるためには、既存研究・先行研究が一定以上の水準で存在する必要がある。本文では必ずしも強調して説明しなかったが、今回の場合で言えば先行研究でしっかりと内務省・内務官僚についてフォーカスを当てた分析がなされていたため、それ以外の部分に関する研究を行えばよく、たまたまそれが可能な新史料が見つけられたからこそ、研究を進めることができた。さらに言えば、見つけた新史料は、見つけた段階で新しい史料であることはわかるものの、その史料の位置づけ・意味については、その史料から読み取れることだけでは十分にはわからない。新史料の意味をしっかり理解するには、広範囲の周辺史料の捜索・読解が必要となる。そして、言うまでもないことだが、筆者が依拠したデジタルアーカイブの整備や史料集の出版など、史料整備に関する基礎的な事業があるからこそ、こうした研究が可能になっていることも忘れてはいけない。誤解を恐れずに言えば、新史料の発見者が「偉い」わけではないのである。

以上、ある意味で言えば、「お手軽」な形で出会うこととなった、個人的な史資料体験について述べてきた。デジタルで見られる史料で事足れり、というわけではないことを頭に入れたうえでのことであるが、デジタルアーカイブの整備により、史料の捜索・閲覧は容易になっており、こうしたテクノロジーを利用すれば、これまで気づかれなかった史料を見つけることも可能になると思われる。

参照文献

史資料

アジア歴史資料センター「センターの概要と特徴」https://www.jacar.go.jp/about/outline.html、二〇二三年一月四日閲覧。
アジア歴史資料センター「センター公開資料の概要」https://www.jacar.go.jp/about/materials.html、二〇二三年一月四日閲覧。

「50　都市計画法案及建築法案ニ関スル件」JACAR（アジア歴史資料センター）Ref.B03041411900、「帝国議会関係雑纂／政府提出法律案関係」所収、外務省外交史料館所蔵（請求記号1-5-2-2_1_001）。

『復刻版　都市公論』補巻一（一九九二）、不二出版。

研究文献

新井勝紘（二〇一八）『五日市憲法』（岩波新書）岩波書店。

大石眞（二〇〇六）「内閣法制局の国政秩序形成機能」御厨貴『内閣法制局の基礎研究』平成一六年度〜平成一七年度科学研究費補助金基盤研究（B）研究成果報告書、九―一八頁。

岡田知弘（一九九三）「重化学工業化と都市の膨張」成田龍一編『都市と民衆』吉川弘文館、一九六―二一四頁。

清水唯一朗（二〇一三）『近代日本の官僚――維新官僚から学歴エリートへ』（中公新書）中央公論新社。

鈴木智行（二〇二〇）「受益者負担の成立過程――都市計画法制定過程再考」『歴史と経済』二四六、一―一七頁。

渡辺俊一（一九九三）『「都市計画」の誕生』柏書房。

第六章　『日本外交文書』への誘い
――戦前期日本外交史研究の課題とアプローチ

樋口真魚

1　戦前期日本外交史研究の課題

日本は一九三一年九月にはじまる満洲事変において国際連盟（以下、連盟）を脱退し、「孤立への道」の第一歩を踏み出した。さらに一九三七年七月七日の盧溝橋事件を契機として、中国との全面戦争へと突入した。そしてこの戦争の解決を図る過程で、アメリカやイギリスとの対立を深め、やがて世界の大半を占める連合国と戦争を始めることになった。

もっとも、この過程は単線的な道のりではなかった。従来の研究が示すように、連盟脱退後の日本は日中関係をはじめ対外関係の安定化を目指しており、一定の成果をあげていた。連盟を脱退したからといって、国際協調を断念したわけではなかったのである（井上 一九九四）。また近年の日米開戦史研究においても、当時の日本政府内では、中堅幕僚層が政策決定に多大な影響を及ぼすなどその内実は混乱を極めていたこと、また政府内諸勢力が一枚岩となって計画的に開戦準備を進めていたわけではなかったことが指摘される（森山 二〇一二、波多野 二〇一三）。裏を返せば、対米交渉の妥結に期待を寄せる勢力が一定の影響力をもっており、交渉の結果次第で開戦を回避できる可能性もあったといえよう。だが、周知のとおり、日本は外交交渉を通して、「平和」を獲得することができなかった。要するに、外交に失敗して「戦争への道」を歩むことになったのである。

このように考えると、満洲事変から太平洋戦争に至る対外関係史は日本近現代史において最重要課題の一つであることがわかるだろう。実際、この分野の先行研究は膨大であり、内容的にも優れたものが多く存在する。ところが、近年、若手研究者の間では、それほど人気のあるテーマではなくなっているように思われる。周囲をみわたしてみても、この時期の外交史を専門とする若手研究者は意外と少ない。

もちろん、それには様々な理由があるのだろうが、いわゆる「十五年戦争」期の外交史研究が成熟の域に達していることが大きいと考えている。先人たちがあらゆる視角から良質な研究成果を公表してきたため、もはや未開拓の領域を探すことに一苦労する状況である。我こそ新しいテーマを切り拓いていきたい、というのが研究者の性である。この時期の外交史を研究しても、二番煎じの研究になりかねない。主要な史料は出揃っており、多くの研究者がそれらを熟読してきた。いまさら通説を大きく修正するような説を唱えることは難しい。それでもこの分野を研究したいのであれば、新たな視角や論点を打ち出さなければならない。

このことは、外交史研究に限った話ではない。戦前期を対象とする日本政治史研究全体が直面している課題でもある。政治外交史研究を志す多くの大学院生が最初に悩むのも、こうした問題ではないだろうか。実は私も悩める大学院生の一人であった。本章では、大学院生時代に遡って、現在の研究テーマに出会うまでの経緯を振り返りたい。それは、本書のテーマである「史資料体験」を抜きして語ることはできない。私の「史資料体験」が、歴史研究に興味を抱いている学生の参考となれば幸甚である。

2 フロンティアを求めて

研究者としての第一歩は、大学院の修士課程に進学することである。修士課程を修了するためには修士論文を提出しなければならない。したがって、大学院生は修士論文の執筆に向けて、日夜研鑽を積むことになる。修士論文は研究者への登竜門であるといえよう。

修士課程の一年目をおえたとき、私は焦っていた。修士論文のテーマが定まらなかったからである。当時私は昭和戦前期の外交官について研究を進めていた。だが、先述したように、先行研究が多い領域であるため、新しい発見は少なかった。重光葵（しげみつまもる）や有田八郎といった有力外交官の外交政策や理念に注目することで、先行研究に何かしら付け加えることはできないかと思い悩んでいた。

ゼミで研究報告をおこなう機会が何度かあった。しかし、毎回先行研究をまとめたような拙い報告をするだけで、全く手応えを感じなかった。春休みの間にテーマだけでも定めたいと考えていたが、魅力的なテーマは見つからなかった。私は大いに悩んだ。その結果、「新史料を発見すれば、問題はすべて解決するだろう」との結論に至った。これまで誰も読んだことのない史料を探し当て、それをもとに論文を執筆すれば、新発見に満ちた論文になるはずだ。遺族や関係者の所在を突き止め、史料をみせてもらえるよう片端から交渉してみようと考えた。

もちろん、これは簡単な作業ではない。政治家や外交官とはいえ、その遺族を探し出すことは意外に難しい。かりに遺族に連絡できたとしても、自宅等に未公開史料が保管されている可能性は限りなく低い。奇跡的に新史料が見つかった場合でも、それを私に閲覧させてくれるとは限らない。前途多難であることが予想された。

だが、私は幸運に恵まれていた。紆余曲折を経て、新史料を閲覧する機会を得ることができた。ここで具体的な内容を記載することは控えさせていただくが、多くの方々のご尽力によって、ある有力外交官の遺族の連絡先を入手できたのである。しかも、遺族が大変素晴らしい方で、学術研究に対して深い理解があった。自宅に保管されている未公開の史料類を閲覧することについてご快諾いただいた。修士論文が楽に書けることを確信した瞬間であった。私は胸を弾ませながら、この史料を閲覧する日を待っていた。

だが、実際に史料を閲覧してみると、新発見といえるものはほとんどなかった。むろん、この史料が悪いわけではない。当時の私にとって有益な情報が少なく、その史料を有効に活用する力量がなかったというだけの話である。とはいえ、私は大いに落胆した。新史料に基づいて修士論文を執筆するという当初の計画は崩れることとなった。

修士二年目に突入した矢先の四月、指導教員の野島（加藤）陽子先生（東京大学教授）と面談することになった。研究計画書を用意して面談に臨んだが、先生の反応は芳しくなかった。そもそも報告内容が悪かった。だが、それ以上に先生が問題視されていたのは、既存の史料を内在的に読み込もうとしない私の研究姿勢についてであった。

最初から新史料に頼るのではなく、まずは基本史料を大切にするべきではないか。自ら探し当てた新史料にもとづいて論文を書くことも確かに重要ではあるが、その前に、目の前にある史料をきちんと読み込むことを優先すべきである。今の樋口君は、公刊史料さえ十分に読めていないのではないか。遠回りと思うかもしれないが、まずは『日本外交文書』などの公刊史料を悉皆（しっかい）的に読みなさい。そこから重要な史料を探し当て、それを内在的に読み込むことが結果的に近道になるはずだ——先生はそのようなことを仰っていた。

今思えば、先生の助言は的確であった。だが、「新発見に満ちた論文を書き上げるには、新しい史料が必要である」という思い込みもあって、当時の私はその重要性をすぐに理解することができなかった。反論めいたことを言って、先生を困らせたような記憶がある。とはいえ、ほかの選択肢も思い付かなかったので、とりあえず先生の助言にしたがって、昭和期の『日本外交文書』を悉皆的に読み込むことにした。

結果からいえば、このとき『日本外交文書』を読み込んだことで、私は修士論文を書き上げることができた。しかも、その後の研究者人生を大きく変えることになった。

3 『日本外交文書』の世界

ここまで何の説明もなく『日本外交文書』について言及してきたが、このあたりで簡単に解説しておこう。『日本外交文書』とは、その名の通り、外交文書を編纂した史料集である。その起源は、江戸幕府が編纂した『通信全覧』に遡る。この『通信全覧』には、開国後の一八五九年と一八六〇年の外交文書が収録されている。そして明治時代になると、明治政府は『通信全覧』の続編として、一八六一年から一八六八年までの時期を対象とした『続通信全覧』を整理・編纂した。その後も、古代から明治初年に至る対外関係について略述した『外交志稿』や、旧幕府外交文書を東京帝国大学史料編纂所に移して編纂を開始した『大日本古文書幕末外国関係文書』などが刊行されている（吉村 一九八八：六〇―六二）。

これらの史料集は主に明治維新期を対象としたもので、明治以降の外交文書の編纂が開始されるのは昭和期になってからである。なお世界的にみると、外交文書の刊行が進むのは第一次世界大戦以降のことである。大戦後の西洋諸国は、戦争責任を究明することを主な目的として外交文書の編纂事業をはじめた（吉村 一九八八：六二）。その結果、一九二〇年代にはドイツ、オーストリア、イギリス、フランス、ソ連などで相次いで刊行されることとなった。

日本の場合、『大日本外交文書』（のちの『日本外交文書』）第一巻が刊行されるのは一九三六年六月のことである。主要国と比べると、遅い方であった。その一因として、当時の日本外交にとって、「第一次世界大戦の戦争責任論」はそれほど関心の高い課題ではなかったことが挙げられる。日本は第一次世界大戦の戦場にならなかったため、欧州諸国に比べて被害が遥かに少なく、国民に対して自国の立場を説明する必要性が相対的に低かったからである。だが、日本外務省も外交文書編纂の重要性を理解していなかったわけではない。大正中期以降の外務省においても、公開外交を促進し、それを国民外交に高めていこうとする意識が存在していた。これに加え、昭和期に入ると、日本を取り巻く国際環境は以前より厳しさを増しており、外交の失敗が国際的孤立を招きかねないという意識が共有されつつあった。こうした状況下で過去における日本の歩みを国際社会に説明する必要性が生じ、さらに外交力向上の観点から外交文書の整理が要請されたのである（熊本 二〇〇五：三三一―三三六）。

それでは、『日本外交文書』にはどのような文書が収録されているのだろうか。その中心は「外務省記録」といわれる外務省内でやり取りされた文書である。戦前期の外務省では、公務に関わるすべての書類のうち、執務上処理済みとなったものを、事件・事項別にファイリングしていた。この簿冊こそが外務省記録である（熊本 二〇二〇：二二）。

『日本外交文書』では外務省記録のほか、関係省庁や機関の史料なども幅広く採録されている。現在では、『日本外交文書』の大半が「日本外交文書デジタルコレクション」において公開され

【6－1】『日本外交文書』（日本外務省 HP〈https://www.mofa.go.jp/mofaj/annai/honsho/shiryo/bunsho/index.html〉より）

ており、インターネットを通して誰もが自由に閲覧することができる。外交史の卒業論文を執筆したいと考えている学生は、まず『日本外交文書』を一読してみることをお勧めしたい。

私自身の体験談に戻そう。指導教員との面談後、満洲事変後から日中戦争に至る時期の『日本外交文書』を一冊ずつ読み進めることを日々の課題とした。一〇冊以上あるため、初学者にはそれなりに時間のかかる作業である。しかも『日本外交文書』は分厚い史料集である【6－1】。『日本外交文書　昭和期Ⅱ第一部第一巻（昭和七年対中国関係）』を例に挙げると、史料部分だけで九二〇頁もあり、採録文書は実に八七四点にも及ぶ。一点につき三分で流し読みしたとしても、四四時間近くかかる計算である。

大変な作業ではあったが、これらをひとつずつ読んでみると、いろいろな発見があって楽しかった。とはいえ、あまり丁寧に読み過ぎると、一冊全体に目を通すだけで一週間以上かかってしまう。修士論文にはタイムリミットがある。丁寧に読む文書と、流し読みする文書の取捨選択が重要になってくる。

さて、『日本外交文書　昭和期Ⅱ第二部第五巻（昭和十一年対欧米・国際関係）』に目を通していると、実に興味深い文書を発見した。なかでも次の一節は衝撃的であった（なお本章では、史料引用に際しては、読みやすさを優先して、旧字を常用漢字に改め、句読点と濁点を適宜補っている場合がある。また補注を［　］で示し、一部の漢字にルビをふっている）。

一、帝国ハ国際連盟脱退通告後連盟ノ政治的活動ニ一切関与セザルノ方針ヲ堅持スルト共ニ、苟（いやしく）モ帝国ノ利害ニ直接関係アル事項ニ対シテハ連盟ノ容喙ヲ排撃スベキハ勿論、帝国ニ直接ノ関係ナキ事項ニ付テモ、連盟ノ政治的活動ヲ進デ是認スルガ如キ態度ハ之ヲ避ケザルベカラザル立場ニ在リ。従テ連盟脱退後政治条約ノ締結ニ当リ、帝国トシテハ連盟トノ関係ニ付特ニ細心ノ注意ヲ払ヒ、前述ノ我方立場ト杆格（かんかく）スル所ナキヲ確保セザルベカラズ。況（いわん）ヤ今次海峡改訂条約ハ右種最初ノ事例ニシテ将来ノ先例ヲ構成スベキモノナルニ於テ殊ニ然リトス（『日本外交文書　昭和期Ⅱ第二部第五巻（昭和十一年対欧米・国際関係）』文書番号五〇）。

これはモントルー会議という国際会議に関する史料で、一九三六年七月四日に有田八郎外務大臣が全権の佐藤尚武に宛てた訓令（指示書）である【6－2】。よく知られているように、日本は満洲事変を契機として連盟と対立を深め、一九三三年三月二七日に脱退を通告した。この史料を

ク主宰セル趣)ニテ廢止ノ案ヲ決セル次第ナリ
五、此ノ提案要旨ハ會議開催迄公表セサル筈

50 昭和11年7月4日 有田外務大臣より モントルー海峡制度条約改訂会議全権宛(電報)

海峡制度条約改訂会議においては英およびトルコによる修正案中の連盟機能援用条項を削除方提議すべき旨訓令

付 記 七月十一日付、条約局第三課作成
「海峡條約ノ改訂ト國際聯盟援用問題」

本 省 7月4日後5時0分発

峡第八號(至急)
貴電峡第一九號ニ關シ
一、帝國ハ國際聯盟脱退通告後聯盟ノ政治的活動ニ一切關與セサルノ方針ヲ堅持スルト共ニ苟モ帝國ノ利害ニ直接關係アル事項ニ對シテハ聯盟ノ容喙ヲ排撃スヘキハ勿論帝國ニ直接ノ關係ナキ事項ニ付テモ聯盟ノ政治的活動ヲ進テ是認スルカ如キ態度ハ之ヲ避ケサルヘカラサル立場ニ在リ從テ聯盟脱退後政治條約ノ締結ニ當リ帝國トシテハ

127

【6－2】『日本外交文書　昭和期Ⅱ第2部第5巻（昭和11年対欧米・国際関係）』文書番号50（「日本外交文書デジタルコレクション」より）

みると、脱退後の日本が連盟との関係を強く意識していることがわかる。いわく、日本に利害関係のある問題に関しては、連盟の介入を排撃しなければならない。直接関係ない問題に関しても、連盟の「政治的活動」を容認するような行動は避けなければならない。今回の海峡改訂条約（モントルー会議で締結しようとしている条約）は将来の先例となるため、慎重に対応する必要がある、と。

この文書を読んだとき、モントルー会議なる国際会議の存在を初めて知った。脱退後の日本が連盟との関係を意識していたという点が新鮮に思えた。「満洲事変後の

日本は連盟を敵視していた」というのが当時の私の理解で、それ以上のことはよく知らなかった。モントルー会議に関する先行研究を調べてみたが、日本の対応に焦点を当てたものは見つからなかった。日本外交史の観点からモントルー会議を研究すれば、新しい発見があるのではないかと期待を膨らませた。私はこれに一縷の望みをかけることにした。

『日本外交文書　昭和期Ⅱ第二部第五巻（昭和十一年対欧米・国際関係）』に採録されているモントルー会議関連の文書はわずか八点（文書番号四八―五五）に過ぎない。これだけでは全体像を把握することは困難である。詳細を知るためには、もとの史料群を確認しなければならない。つまり、モントルー会議に関連する外務省記録をすべて確認する必要がある。

当時から戦前期の外務省記録の大半が、国立公文書館運営の「アジア歴史資料センター」（以下、アジ歴）でインターネット上に公開されていた。つまり、インターネットから簡単に閲覧することができた。とはいえ、『日本外交文書』に採録されている文書をアジ歴で探すのは意外に難しい。そこで役立つのは、外務省外交史料館が毎年刊行している『外交史料館報』（一九八八年創刊）という雑誌である。ここには、近年刊行された『日本外交文書』の採録文書の一覧および解説が掲載されている。

そこで私は『外交史料館報』（第二一号、二〇〇八年）を手に取り、「モントルー会議」に関連する（と思われる）簿冊の請求番号と簿冊名を確認した（一四〇頁）。そして「アジ歴」でこれらの簿冊を検索し、周辺史料群などを悉皆的に調査した。『日本外交文書』ではわずか八点しか掲載されていなかったが、この作業を通して、膨大な量の関連史料が存在することに気づいた。基本史料となる「欧州大戦関係「ローザンヌ」平和会議一件／海峡制度条約改訂会議（「モントルー」会議）」という簿冊（全部で七巻ある）以外にも、多数の関連する簿冊が残されていた。これらを地道に読み進めることにした。

史料や関連文献を読み進めていくうちに、様々なことがわかった。モントルー会議のおもな議題はトルコの海峡再武装問題で、参加国は日本、イギリス、フランス、ソ連、トルコ、ブルガリア、ギリシャ、ルーマニア、ユーゴスラヴィアであった。第一次世界大戦の敗戦国となったトルコは海峡（ボスポラス海峡・マルマラ海・ダーダネルス海峡）の非武装化を約束させられたが、その一方でトルコの不安を除去するために連盟理事国による海峡自由通航の保障および海峡委員会設置が定められた。当時連盟の常任理事国であった日本は、トルコ海峡の安全保障の担い手としてローザンヌ条約に調印していた。しかし、一九三〇年代になると、イタリアのエチオピア侵攻やドイツのラインラント進駐などにより欧州情勢が不安定化した。自国の安全保障に対する不安を強めたトルコは海峡の再武装を求めてローザンヌ条約の改定を提起し、それが認められることとなった。

この会議では、おもにイギリスとソ連が衝突した。いずれも自国軍艦の海峡通航を有利にすることを企図していた。日本にとっては、遠く離れた中近東地域の問題に過ぎなかった。死活的な利害関係もなく、当初それほど大きな関心を示さなかった。しかし、実際に会議が始まると、連盟の位置づけをめぐって日本は独自の主張を展開するようになり、次第に孤立を深めていった。例えば、トルコが示した新条約案の第九条では、①トルコが戦争を誘発する脅威があると判断した場合、自らの判断で海峡通航を制限できること、②こうした措置を連盟と本条約調印国に通告することが記されていた。ここで日本が問題視したのは②であった。連盟脱退国である日本としては、連盟の関与を明示する条項を何としても削除したかった。

そこで日本は②の削除を求めて、各国と交渉をおこなった。ところが、各国の反応は芳しくなかった。いずれの国も日本の主張に対して全く理解を示さなかったのである。モントルー会議の参加国は日本以外すべて連盟加盟国であった。この点が日本にとって、大きな誤算であった。

では、なぜモントルー会議の参加国は日本の要求を拒否したのだろうか。欧州の連盟加盟国にとって、新条約のなかに連盟の関与を明記することは安全保障の観点から重要な意味をもっていた。例えば、フランス・ソ連というふたつの大国は、国際連盟規約（以下、連盟規約）の枠内の条約として相互援助条約を結んでいた。仏ソ相互援助条約である。この条約では、連盟規約の違犯国に対して両国が共同で対処することが定められた。連盟誕生後の国際社会では、いわゆる同盟が忌避され、連盟規約という国際法規範に準拠した安全保障協定が締結されるようになっていた（植田　一九八九）。

こうした事情により、とくにフランスとソ連が新条約の条文中に連盟の関与を明記することを強く求めた。有事に際して仏ソ相互援助条約を速やかに発動させるためにも、必要な措置であった。確かに連盟は満洲事変やエチオピア戦争を解決に導くことはできなかった。だが、欧州諸国の安全保障政策において、国際法規範としての連盟規約は依然として重視されていたのであった。

このような欧州諸国の反応をうけ、日本側の意見も割れつつあった。当時外相を務めていた有田八郎は、連盟の権限を強化しかねない条文の削除を求めた。連盟と敵対するかたちで脱退を断行した日本にとっては、連盟が有名無実の国際機構となることが最も望ましいと考えたからである。それに対して、全権の佐藤尚武はある程度まで連盟の権限強化を容認するべきだと考えた。佐藤からすれば、連盟こそ国際社会において中心的な役割を担うべき国際機構であり、脱退後の日本も連盟と協調関係を維持するべきであった。両者は脱退後の対国際連盟関係をいかに再設定するか、換言すれば、いかなる「脱退国」を目指すかという点が決定的に異なっていたのである。モントルー会議は日本外務省における「ふたつの連盟観」が交錯する場であったといえよう。

以上の内容の一部が、修士論文の一章分となった。ただ、モントルー会議だけでは修士論文の分量として不十分であったので、有田八郎外相の外交指導論として対中国政策などについても取り上げた。その結果、全体として焦点が定まらず、私の修士論文はお世辞にも出来の良いものとはいえなかった。口頭試問においても、先生方から厳しいご批判をいただいた。しかし、私自身は手ごたえを感じていた。歴史研究の面白さに触れることができたように思われた。

4　その後の研究

博士課程進学後、研究テーマを「脱退後の国際連盟外交」に絞った。修士論文を通して、脱退後の日本が連盟との関係を大いに気にしていたこと、また外務省内において路線対立が生じていたことが明らかとなった。この論点を膨らませるかたちで、博士論文を執筆したいと考えた。先行研究の多くが軍と外務省の間の調整過程など、いわゆる政策決定過程に注目してきた。しかし、脱退後の対連盟政策については、外務省が主導権を握っており、軍の関心や影響力は限定的であった。そこで私は外務省の動向が何よりも重要であると考え、『日本外交文書』を基礎史料として重視した。

さて、『日本外交文書』を読み進めていくうちに、エチオピア戦争が重要な転換点となったのではないかと考えるようになった。イタリアの侵攻をうけたエチオピアは一九三五年一月三日、イタリア軍の軍事行動を連盟に提訴した。同年一〇月七日の連盟理事会においてイタリアの連盟規約第一二条違反が認定され、一〇月一一日の連盟総会では連盟規約第一六条（経済制裁）の適用を決定した。連盟は経済制裁に踏み切ったのである。このとき、連盟が非加盟国にも制裁への協力を要請するのではないかとの情報が流れていた。国際会議事務局長代理としてジュネーヴに派遣されていた横山正幸は、連盟に要請される前に、日本の独自措置としてエチオピアとイタリア双方に武器禁輸を実施することを本省に提案した。一〇月一四日、横山はその目的を次のように説明した。

若シ連盟側ヨリ何等申出無キニ先立チ之ヲ実施スルコトヲ得バ、我独自ノ平和的措置ナルコト一層明白ナルニ至ルベシ。右ハ要スルニ米国ノ例ニ倣フ次第ナルガ、同一ノ地位ニアリテ同一ノ措置ニ出ヅルハ、当然ノコトタルノミナラズ、他面米国ト歩調ヲ一ニスル利益ニ付テ見ルモノ充分ノ考慮ニ値スルモノト認メラル（『日本外交文書』昭和期Ⅱ第二部第四巻（昭和十年対欧米・国際関係）』文書番号一二六）。

日本と同じ連盟非加盟国であるアメリカは、連盟と共同制裁をおこなうことには否定的であったが、それでも日本に比べると連盟に対して協力的な姿勢をみせていた。当時のローズヴェルト政権は一九三五年八月三一日に中立法を制定し、交戦国双方への武器輸出等を禁止した。そして同年一〇月五日には同法の発動に踏み切り、エチオピア戦争に際して禁輸拡大を検討していた。

これをうけた横山は、日本もアメリカと同じく連盟に協力的な非加盟国として振舞うべきだと説いたのであった。このような意見は横山だけでなく、連盟通の外交官たちの間で共有されていた。のちにモントルー会議で全権をつとめることになる佐藤尚武・駐仏大使も一〇月一五日、次のような電報を本省に送っていた。

我国トシテハ其ノ対連盟関係、日支事変［満洲事変］の際の経緯、又伊「エ」［エチオピア］両国トノ関係上モ此ノ際厳ニ中立的態度ヲ持シ欧洲ニ於ケル此ノ不幸ナル紛争ガ一日モ速ニ円満、平和的ニ解決スルコトヲ希フ外他意無カルベク、就テハ連盟等ヨリノ申出ニ接シテ初メテ帝国ノ態度ヲ回答スルヨリモ、寧ロ之ニ先立チ帝国ノ前記根本精神ヲ宣明シ、且ツ不取敢(とりあえず)ノ措置トシテ伊「エ」両国ヘノ武器輸出ヲ禁止シ、其ノ旨宣言セラルルコト目下ノ事態ニ際シ帝国ノ態度ヲ公明ナラシムルノミナラズ、他日万一再ビ日支間ニ不幸ニシテ紛争起リタル場合等ニ備フル為ニモ適当ナルベシト思考セラル（『日本外交文書』昭和期Ⅱ第二部第四巻（昭和十年対欧米・国際関係）』文書番号一二八）

佐藤も横山と同様、連盟が日本に協力を要請する前に、イタリアとエチオピア双方に対する武器禁輸の実施を求めた。連盟に歩調を合わせようとする姿勢を見せておけば、「万一再ビ日支間ニ不幸ニシテ紛争」が発生したときに有利になるのではないかとの打算もあった。要するに、彼らは既存の国際秩序に挑戦するのではなく、連盟と協力しつつ並存することを目指していた（「連盟と並存可能な脱退国」路線）。そしてそれは、ふたたび満洲事変のような紛争が発生したときを想定した対応でもあった。

しかしながら、本省は「連盟と並存可能な脱退国」路線を採用しなかった。以下、広田弘毅外務大臣の見解である。

此ノ際我方ヨリ進ンデ連盟ノ対伊制裁ヲ是認シ、連盟ノ制裁ヲ援助スルモノト解セラル丶ガ如キ通報ヲ為スコトハ、帝国ガ非連盟国トシテ連盟ノ政治的活動ニハ一切関与セザル根本方針ニモ戻ルベク、帝国政府トシテハ現在ノ通、伊対「エ」及連盟対伊ノ何レニモ偏セザル独自ノ態度ヲ持スルヲ以テ、最公正ナル態度ナリト思料シ居ル次第ナリ（『日本外交文書』昭和期Ⅱ第二部第四巻（昭和十一年対欧米・国際関係）』文書番号一三九）

横山や佐藤のような連盟通の外交官と広田外相の立場は明確に異なっていることが読み取れるだろう。広田外相からすれば、両国に対する武器禁輸は「連盟ノ対伊制裁ヲ是認シ、連盟ノ制裁ヲ援助スルモノト解セラル」行為であり、「連盟ノ政治的活動ニハ一切関与セザル根本方針」に反していた。広田外相率いる外務本省は、連盟に歩調を合わせるのではなく、「何レニモ偏セザル独自ノ態度」を示すことこそ「最公正ナル態度」であると説いた。いわば「連盟を排除した脱退国」として独自路線を貫きたいと考えていた。

『日本外交文書』を読むだけで、モントルー会議以前に日本外務省内ではすでに「ふたつの連盟観」が存在していたことに気づく。路線対立が浮上したのは何故なのか。また、両者の相違は何に起因するのか。こうした疑問を念頭に置きながら、研究を進めることとした。

その後も『日本外交文書』を手がかりにして、国内外で関連史料を収集した。その結果、以下のことがわかった。脱退後の日本は連盟から「侵略国」と認定され、経済制裁を科されることを強く警戒していた。とくにソ連の連盟加入（一九三四年九月）はそのリスクを増大させた。当時の日本はソ連を主要な仮想敵国としていたからである。そのソ連が日本に代わって連盟の常任理事国になったことは、国際社会における日ソの地位が逆転したことを意味した。そのうえ日中紛争が再度勃発する可能性も否定できない状況であった。したがって、「連盟と並存可能な脱退国」路線と「連盟を排除した脱退国」路線双方とも、日ソ戦争や日中紛争の勃発時に連盟が対日制裁を実施することを恐れていた。しかしながら、エチオピア戦争が勃発すると、その対策をめぐって意見が対立した。前者は連盟と友好的な関係を構築することで、対日制裁を回避したいと考えた。それに対して後者はできるだけ制裁に関与することを避け、それにより連盟が崩壊に向かうことを期待した。

博士論文では新たに集団安全保障観の相違という視角を導入しているが、基本的には「連盟と並存可能な脱退国」路線と「連盟を排除した脱退国」路線の政策対立という枠組みが主旋律をなしている（樋口 二〇二一）。今思えば、博士論文で軸となった論点は『日本外交文書』に採録されている史料に内在しているものばかりである。もちろん『日本外交文書』に採録されていない重要史料も数多く存在するので、博士論文を執筆する際には周辺史料にも幅広く目を通す必要があった。だが、『日本外交文書』で関連史料を確認していたからこそ、論点が明確になり、周辺史料の価値に気づくことができたと考えている。

当初の私は新史料の発見に固執していたが、研究を進めていくうちに、新史料というのは「誰も見たことのない史料」だけではなく、「誰でも見ることができるが、その重要性に気づかれていない史料」も含まれるのではないかと考えるようになった。誰もが簡単にアクセスできる『日本外交文書』のなかにも、誰も重視してこなかった史料があるはずである。「見落とされてきた史料」を取り上げ、それに新たな意味づけをおこなうことは自分だけの世界を築いているようで実に楽しい。日本近現代史研究をはじめて一〇年以上経ったが、それが今の私の実感でもある。

このことは『日本外交文書』に限った話ではない。日本近現代史分野では、難解なくずし字史料の翻刻から、新聞・雑誌等の活字史料をまとめたものに至るまで、毎年数多くの史料集が刊行されている。これらは宝の山である。研究者たちの苦労の成果を利用しない手はない。日本近現代史研究を志す学生は、まず関心のあるテーマの史料集を読み込んでほしい。そこには新たなテーマや未開拓の領域が眠っているかもしれない。

参照文献

史資料

外務省「日本外交文書デジタルコレクション」(https://www.mofa.go.jp/mofaj/annai/honsho/shiryo/archives/mokuji.html)

国立公文書館「アジア歴史資料センター」(https://www.jacar.go.jp)

『日本外交文書　昭和期Ⅱ第一部第一巻（昭和七年対中国関係）』

『日本外交文書　昭和期Ⅱ第二部第四巻（昭和十年対欧米・国際関係）』

『日本外交文書　昭和期Ⅱ第二部第五巻（昭和十一年対欧米・国際関係）』

研究文献

井上寿一（一九九四）『危機のなかの協調外交――日中戦争に至る対外政策の形成と展開』山川出版社。

植田隆子（一九八九）『地域的安全保障の史的研究――国際連盟時代における地域的安全保障制度の発達』山川出版社。

熊本史雄（二〇〇五）「『日本外交文書』の編纂と「外務省記録」――史料学的アプローチの前提として」『社会文化史学』第四七号、三二一―三六頁
――（二〇二〇）『近代日本の外交史料を読む』ミネルヴァ書房、二一頁。

波多野澄雄（二〇一三）『幕僚たちの真珠湾』吉川弘文館［初出、一九九一］。

樋口真魚（二〇二一）『国際連盟と日本外交――集団安全保障の「再発見」』東京大学出版会。

森山優（二〇一二）『日本はなぜ開戦に踏み切ったか――「両論併記」と「非決定」』新潮社。

吉村道男（一九八八）「外交文書編纂事業の経緯について」『外交史料館報』創刊号、六〇―六二頁。

第二部　世界史の扉

成蹊学園本館から正門を望む（写真：成蹊学園所蔵）

第七章　明清時代の中国民衆宗教と宝巻
——華北農村における黄天道信仰の一風景

小武海櫻子

1　中国の民衆宗教とは

中国社会には、数多くの民衆宗教が存在する。

中国の歴史上、それらのほとんどは、皇帝や官僚によって「逆匪（反逆者）」や「迷信」と断じられてきた。高校の世界史で習う嘉慶白蓮教反乱や義和団事件といった出来事を思い起こすと、抗租抗糧や反洋教を唱えて秩序を乱す民衆騒乱というイメージを持つ生徒も多いだろう。

民衆宗教についてもう少し詳しくその実態を探ると、明清時代には、例えば修行するための建物を所有し、階級制や布教者や戒律を持つ民間教派がある。農村で小さな廟を管理し、喫斎（肉食を断つこと）や誦経を行う居士集団もいる。または診療所を開いたり孤児や身寄りのない女性の住まう施設を提供したりする慈善的教団であったり、修養や静坐を行う修養集団や神秘的な儀礼を開くサークルであったりし、実にバラエティに富んだ姿をしている。

また、民衆宗教が創り出す史料はとてもユニークである。仏典を模倣した折本(おりほん)形式の宝巻や、善書と称する線装本の形式をとった勧善書などがある(ここではそれらを合わせて宗教経巻と呼ぶ)。その内容は、中国の伝統的な思想である仏教・道教・儒教および世俗道徳をあれこれと融合させて、独自の教説を説いている。大学生の時に、澤田瑞穂の収集した宝巻の一つである『虎眼禅師遺留唱経』(早稲田大学図書館の風陵文庫所蔵)をはじめて目にしたとき、その藍色の大きな表紙と、仏教や道教とは全く異なった未知なる文字資料に胸をときめかせたものである。

伝統中国社会の歴史に関する資料を眺めるとき、エリートの記す文字世界を〈正しい〉秩序の記述だとすれば、宝巻とはその対極におかれた、名もなき民衆の声を映し出す〈異端〉の文字世界であると言えるかもしれない。それらの多くは「白蓮教」や「邪教」といったまなざしで認知されつづけ、廟宇(びょうう)を建てて信仰に基づいて集まっていると王朝に察知されれば、常に厳しい弾圧を被りつづけてきた。現代に至るまでしばしば〈異端〉や〈虚構〉と評されるような文字の向こうには、なんとかして生き延びようとする人々の多様な姿を窺い知ることができるのである。

日常の暮らしのなかにある人々の信仰の風景について、中国秘密宗教研究の先駆者である李世瑜は、幼い頃の故郷を回想して次のように述べている。

一九二〇年代の故郷天津の大邸宅には、事業家の父と七〇名におよぶ家族が住んでいた。このほかにも三〇名ほどの使用人がおり、食堂や倉庫なども合わせて大小九つの屋敷がある。一つの小さな社会を形成し、皆でひしめき合って暮らしていた。家族成員は、だれもかれもが何らかの神を崇めていた――当時天津に伝わる在理教だけではなく、使用人たちも自分の故郷から信仰しているものをそのまま持ち込んで、家のあちこちで拝んでいた。天地門、太上門、聖賢道、万字会、一貫道といった具合で。胡二爺（フーアルイエ）、黄三姑（ホアンサンクー）、白六爺（バイリウイエ）といった民間信仰の神々になるとさらに数えきれず、法師（シャーマン）が家を訪れ、仙家楼という祭壇が家中に四つも供えられていたという。彼らは、病院の薬を信じず、神々に病気を治す方法を教えてほしいと必死に祈った。ジフテリアにかかった十二番目の姉は、医者にいかず天地門の法師に法会をお願いしたが、結局治らず、その後日本人の医者にかかるも、そのかいもなく亡くなった。重い心臓病を患った五番目の伯父は、北京から呼び寄せた名医の処方を拒んで紅卍字会（こうまんじかい）を訪れ、関帝の啓示によって処方してもらった薬を服用し、直後に亡くなった。このような「迷信」は一体何者なのか、李世瑜は大いに関心を寄せるのである（李 二〇一一：一七―一九）。

　中国の人々の祈りは、仏教や道教だけではなく、民衆宗教の神々にも向けられている。二〇〇一年一〇月学習院大学で開催された李世瑜氏の御講演にて直接このお話を伺ったとき、「白蓮教」のカーテンの向こうに隠された中国の人々の日常の姿が見えるかもしれないと期待し、私もまた宝巻を手にとってみたのであった。

　しかし、「邪教」の歴史を調べようとするのは、なかなか大変だ。仏教にも道教にも似た、奇妙な名を持つ教団が多く、清朝に摘発されたものだけでおよそ一二〇種以上を数えるとされる。影印資料として刊行されたもので確認できる宗教経巻は、数百種を超える。これほど多くの民衆宗教を単に秩序の外側にいる迷信集団とみなすだけでは、それらがなぜ中国や東アジア諸地域に広がったのかを理解することはなかなか難しい。さらに、これまでの歴史研究者の多くは、中国の民衆宗教を「秘密結社」の一脈として捉え、専ら民衆起義の役割に着目してきた。しかし、その一方で日常の信仰と社会との歴史的な関係性から評価することは少なかった。一九世紀以降の移民の潮流とともにますます活発化する民衆宗教は、なにも社会から疎外された貧困の民の拠り所であっただけではなく、都市の官僚や知識人が積極的に利用していくのである。カサノヴァの提示する近代世界の「公共宗教」をいかに捉えるかという問い（カサノヴァ 一九九七）は、一九八〇年代に新興のキリスト系教派が公的空間で発展した米国だけではなく、近代東アジアの華人社会の歴史においても、また近現代日本の歴史においても考えつづける必要があるように思われる。

2 黄天道の記録——清代官僚の史料から

さて、伝統中国社会と民衆宗教との関係について考えてみると、それらと個々人を結ぶ装置——廟宇、善堂、修養所といったものはどれも似通っているが、都市と農村とではそれらの様相がずいぶんと異なるようである。私が一番初めに取り組んだ研究対象は、一六世紀の明代中期の華北に伝わった黄天道（こうてんどう）という民間教派である。

黄天道は、明清時代の檔案（とうあん）（公文書）に騒乱を起こしたという記録がほとんどみられない。宗教反乱の喧（かまびす）しい同時代にあっては、珍しく〝静かでおとなしい〟教団であったとみられる。これまでの研究上「秘密宗教」や「白蓮教」の一つとみなされている。

「秘密宗教」とは、中国語の用語で地下に潜って信仰活動を行う集団を指している。またそれらのうち、弥勒仏による救済思想や終末観を共通して持つ民間教派は、しばしば明清時代の王朝から「白蓮教」と呼ばれてきた。しかし、「白蓮教」とは一つの教団組織や宗派を指しているわけではない。伝統中国社会の民衆宗教は、実に多様な形で存在しており、また農村や都市を超えて伝わる力を持っている。そのため、少しでも皇帝を批判するような文章（逆詞）の書かれた宗教経巻が発見されれば、官僚や皇帝から「邪教」として摘発された。住民にとっては、どれが「邪教」でどれが安全な信仰かよく分からない。太田出が指摘するように、妖術によって人命が毀損されるという恐ろしい噂が地域を超えて生じると、その正体不明の妖術は住民によって「白蓮教」という語によって認知され、民間の法師や無辜（むこ）の人々が糾弾されたりもした（太田 二〇一九：第四章）。

大学院博士課程以降、近代都市に拠点をおいて慈善事業を行う民衆宗教へと次第に関心が移っていったため、それによって黄天道がまさしく中国の農村と密接な結びつきを持った教派であったと気づいたのはだいぶ後になってからであった。

清代の一七世紀中期以降、直隷（今の河北省辺り）に広く盛行した黄天道について、清初の士大夫である顔元は次のように述べている（史資料は全て日本語訳のみを記す）。

私のいる直隷省では、隆慶・万暦（一五六七―一六二〇）年間より前の風習は純粋でうるわしく、邪教を信ずる者は少なかった。しかし万暦末年より皇天道（ママ）というのが現れ、今大いに広まる様は、京師の府県、ひいては片田舎や辺鄙（へんぴ）な山の奥にまで至るほどで、どこもその教えがみられる。貝殻を尊んで開祖とし、毎日太陽を眺めて参拝するのは、仙家の吐納采錬（こきゅうほう）の術のようにみえるが、目連の生まれ変わりと主張して念仏を唱えもする。ほとんど仙仏の入り混じる教えである。（『四存編』「存人編」巻二）。

清代康熙年間に直隷省広平府（今の河北省邯鄲市）にある彰南書院で教鞭をとっていた顔元は、皇帝の住まう紫禁城がおかれた京師のあちこちに広まった黄天道の噂を聞きつけたわけである。しかし黄天道は、顔元が住まう京師下の府県城から「窮郷山僻」に広まったわけではない。都市に拠点をおいた教団なのではなく、むしろ府県よりさらに下の農村から現れ、農村と県城を往来するような人々によって伝わったとみられる。

つづく乾隆二七年（一七六二年）、黄天道に対する弾圧事件が起こる。この事案に関わった直隷総督方観承は、乾隆帝の憤怒をなんとかして鎮めねばならなかった。

ことの始まりは、乾隆七年（一七四二年）からの捜査であった。当時山西省で収元教信徒田金台、黄天道信徒丁至らが捕えられると、彼らの供述から収元教と繋がりのある教派として、万全県（今の河北省張家口市万全区）で信仰されている黄天道が捜査線上に浮かびあがった。その後、乾隆二七年七月に、方観承が河北省南部の磁州で李懐林という黄天道信徒を捕えると、李が王朝を転覆させるような「逆詞」の記された経巻を所持しているとみなされたため、乾隆帝の怒りを招いてしまった――そこには「趙、李」といった名や「四月一五日に命令を下し、五月の端陽に集まる」といった語や、「清茶教」という明末の大反乱をおこした教団の名が記されていた。さらに、李懐林と諍（いさか）いを起こした同党（なかま）の一人孫耀宗の供述によって、黄天道と収元教が華北に広まっていることが明らかとなったのである（曹 二〇一六：一六―一八；馬 一九九二：四二一）。八か月後の翌年三月、黄天道の本拠地をつきとめた方観承は、次のように乾隆帝に上奏した。

> 直隷総督である私、方観承は謹んで奏し、皇帝に申し上げます。
>
> 愚考いたしますに、私は昨年、孫耀宗の邪教の一件を取り扱い、乾隆八年に起こった田金台・丁至らの犯罪事件の内容を調べました。彼らの陳述によると、黄天道の教えが唱えられたのは、前明王朝の万全衛所轄の膳房堡（ぜんぼうほ）からであります。李賓（りひん）は嘉靖年間の者で、法号は普明といいます。死後その堡に廟塔が建てられ、普明の墓は塔の下にあります。すべて教えに帰する者はともに墓参りに来て、同教の許姓の者が自身の住居にてもてなすとのことです。
>
> 考えますに、普明は邪教を唱え立てた者であり、廟塔を建ててから今年まで久しく、その教えを奉じる者は今なお遠方より墓参りにきて、多くの金を寺に喜捨します。今犯罪事件はありませんが、根っこはまだ絶えておらず、姿を変えて伝染し、実に風習人心にとって大い

に影響があります。

　初冬に長城以北地方の道員玉神保が省城に到着し、私はその道員に廟塔の情況を調査し報告するよう言い渡しました。次いで報告によると、塔は膳房堡の西に二里ほどの碧天寺境内にあります。寺院は五層で、前方の三つはどれも仏像があり、一番後方の一つは高楼で、三清神像があり、高楼前の石塔は十三重で、これが李賓の墓です。李賓の号は普明といい、その妻の号は普光といい、一緒に塔へ埋葬され、人々は皆仏祖と称しています。

　廟に住む李継印は、僧侶でも道士でもありませんが、愚民を騙して誘惑するも足取りはつかめず、寺塔を一斉に取り壊すよう願い出たので、事を免れたとのことです。私に事情をさぐれとの命に従い、直に赴き調査して参りました。

　ただいま私は、張家口を通って膳房堡に赴きました。堡の西にある碧天寺は、四方が山に囲まれ、建物の土台はたいへん大きい。寺門には「祇園」の二字が刻まれ、一・二・三層には立仏坐仏などの像が祀られ、三層の東西両壁には李賓の生前の業績が描かれています。後方の層は高閣で、閣上の扁額は、中央は「先天都斗宮」と題され、東側面は「玉清殿」と題され、西側面は「斗牛宮」と題されています。高閣前の石塔は、一三層あり、高さ三丈六尺（一〇・五二メートル）、周囲一二歩（一九・二メートル）です。明光塔と呼ばれているのは、李賓は普明と号し、妻の王氏は普光と号したためです。

　高楼の麓の東から西まで二室分ある廟内は、煉瓦を重ねて囲い、洞穴型に築き、様々な怪しい像が描かれています。李継印の住居は三室分の家屋で、屋内に洞を囲い築き、きわめて奇異なことと感じました。ですが一つ一つ経文の刻本や抄本を調べると、卑俗な言葉があるだけです。

道員らの詳細な調査情況と一致しているため、また別に隠しているものがあるだろうと疑い、知県を通して下級武官とともに、李継印の住む囲い洞穴を掘り壊しました。すると、その隙間に果たして経文や秘文の字跡や木印が内部に隠されてありました。ただちに道員らと協同して取り調べると、いろいろな誤謬が出てきます。ここで初めて、以前起きた孫耀宗、田金台らの逆詞事件に言う「雲盤、都斗、龍華、収元、明祖、暗祖、頭行、引進」などの字句がみなこれらに基づいていると分かりました。でたらめな内容は大変反逆的であり、とても許しがたいことです。

私はただいま道、府、県などの町々を取り締まり、廟宇に住む李継印、蔚天海、匪党の杜孔智、劉七連、李文忠、および李賓の子孫である李遐年、李奉吉などを相次いで逮捕し出頭させました。かつまた各罪人の家内を再び捜査し、製造収集し伝播させた各々の情況を厳しく取り調べ、確かな供述を尋ね出し、別に上奏いたします。現在取り調べた経文の字跡のなかで、刻本ならびに長く卑俗な文言については、暫定的に封印しておく外に、反逆的ででたらめな字句のある字跡は四七枚、経文七冊ございます。謹んで別に奏呈し御覧願います。

……思いますに、邪教の残す災禍については、反逆な様はひどく、徹底的に取り調べ、ぜひ根こそぎにしなければ、頑迷な反逆者を懲らしめることはできません。皇上に欽差大臣を特別に派遣させ、時宜に合えば来ていただく様仰ぎ願います。協同して尋問を進め、法に依り処罰し、それにより国家の法典を明らかにします。そうすれば、噂の立つものに対して、愚民もまた皆警戒すべきものだと気づくでしょう（「直隷総督方観承為査獲碧天寺内黄天道教経巻事奏摺」乾隆二七年三月二七日、『歴史檔案』総三九期所収）。

かような長文でしたためた上奏文によって、万全県膳房堡にある碧天寺という廟宇（後の普仏寺を指す）が黄天道の発祥地であると王朝に知られたのである。直隷総督方観承による苛烈な取締りによって、寺の住持や黄天道信徒、黄天道の創始者普明の後裔である家族には厳しい沙汰が下された。黄天道自身が目立った反乱を起こしていないにもかかわらず、皇帝が恐れる〝反逆的〟な文言を含むような経巻を配り歩いている信徒の存在に、清朝が極めて強く警戒していたことが分かる。

3　万全県膳房堡で見つかったもの

中国の都市と農村における信仰の実態とはどのようなものか、一九四八年、カトリック聖母聖心会のベルギー人神父グロータースは華北地方の宣化県（今の宣化市）という人口一万五〇〇〇人の小さな都市の信仰の実態調査を行っているので、それを参照してみよう。

宣化県は、北京から西北に約一七五キロ離れた場所に位置している。長城沿いの要衝の一つであるこの県城は、城内を城壁で囲む伝統的な形式をとっており、現在も修復された城壁を目にすることができる。城内には東西と南北をつらぬく大通りと三つの城門、南の一つの関門が設けられ、中央には鐘城がおかれていたとされる。氏の報告によれば、宣化城内に設けられる単一の廟宇には孔廟、三皇廟、城隍廟、武廟といった官製の廟があったとする。また同じく城内には儒教、仏教、道教、民間信仰を祀る廟宇が存在し、信仰対象となる独立の神々（グロータースはそれらを〝宗教単位〟と呼ぶ）が四三四種もあったことを確認したという（グロータース 一九九三：二五）。また前年、一九四七年七月と八月に北平輔仁大学から派遣された李世瑜と張驥文という二人の中国人研究者とともにチャハル省万全県と宣化県郊外の農村における廟宇調査を行っている。その報告によれば、グロータース神父は次のように述べる。

Cu775（膳房堡を指す——引用者注）の廟は、我々が今まで見たなかで一番大きく、北平のどんな廟よりも大きい。建築の大きさに関して、少なくとも彼らの覆う地域の付近ではそうである。廟には五つもの大きな中庭があり、お互いが開けており、そこにある三つの主殿の像は、薬師、釈迦、弥勒である（Grootaers 1948: 281）。

万全県北部に位置する農村の一つである膳房堡には、県内五七〇カ所ある廟宇のなかで最も大きい造りの普仏寺があり、主殿のほかに陪殿として関帝、三皇、真武などが祀られていたという（Grootaers 1948: 281）。この調査によって、神父ら調査隊は当時膳房堡の普仏寺に残された普明についての伝承や、県南部の村々に伝えられた普明信仰を発見した。神父に同行した李世瑜は、インフォーマントの記録と地方志の記述から、膳房堡こそが黄天道の発祥地であることをつきとめ、収集した資料から黄天道の存在に光をあて、一九四八年に中国民間教派研究の代表的著書となる『現在華北秘密宗教』（増補版は、李 二〇〇七。日本語訳は、李 二〇一六）を出版することになる。

普仏寺の様子については、地方官署で刊行される地方志や文史資料（郷土資料の記録）といった官製資料のデータも役立つだろう。一九三三年に刊行された『万全県志』という地方志によれば、一九二八年の様子を記載して「寺の所有財産や田畑は甚だ多く、廟内の雇い人、牛馬、農具などが完備しており、あたかも一大農家のようである」と記載されている。また、張家口市に伝わる黄天道を紹介した一九九二年刊行の『張家口文史資料』は、次のように述べている。

> 黄天道、またの名を黄会、老会、黄老会。（中略）一九四〇年前後、万全県に一二の分会が建ち、六五の村落に渉って一八の廟宇、七四の仏堂があり、合わせて七八名の小道首、六六三名の信徒がいる。この外にも張北、懐安両県の一部の村落に渉っている。解放後、人民政府の取締りを受けてから、基本的に活動を停止した。

二〇世紀半ばまでの黄天道は、張家口一帯に多くの分会を有し、膳房堡に広大な所有地を占めて設備が整っていたことを想像させる。李世瑜は、普仏寺の修築費が膳房堡付近の一八の村々から集められており、黄天道の信仰が万全県北方の山を背にした膳房堡から南に広がる村落へ全面的に広がっていたと指摘している（李 二〇〇七：四三七）。万全県北隣の長城のそばにある張北県や南隣の懐安県にまで伝わっていることから、清代乾隆期の徹底的な弾圧を経てもなお、二〇世紀半ばまで華北の農村で広く信仰されていたことが分かる。

以上のような地方官署の史料やフィールドワークの報告書を読むと、やはり現実にどのようなところなのか、実際の様子を知りたくなるものである。二〇〇一年八月に、私は件の『万全県志』の一頁を複写したものを片手に、黄天道の聖地を見に行った。北京から長距離バスで張家口市に至り、さらに西の万全県へと向かうバスに乗り継ぎ、膳房堡にたどり着いた。広大なとうもろこし畑の向こうに見えたのは、レンガの低い垣根と、その奥に屋根の崩れかけた家屋が数棟たち並んだ寂しい風景であった。普仏寺跡は、膳房堡の村人の家屋が並ぶエリアから西南にやや離れた場所にあった【7−1】。訪問した当時、廟宇の姿は全くみえず、前庭から順に数棟の茶色いレンガでできた建物が並ぶ廃墟だけが残されていた。一九四七年時の普仏寺は六棟の廟があったとされるが、その後取り壊されたようである。ガラスのない壊れた窓と扉のない入口の廃屋には人が住んでおらず、参拝者や管理者もいないような様子であった。跡地の西側の空き地に残る石碑や、南側に残された古井戸の跡や、前庭に放置されていた彫刻の石片を見つけて、どうやら

【7－1】普仏寺跡

ここがかつての普仏寺であったと思わせた【7－2】【7－3】。

当時中国語もおぼつかない学生の私には現地の住民から聞き取ることもできず、これが限界であった。しかしながら、この調査によって、紙の史料に記された内容だけではわからない様々な情報——普仏寺跡を史料と見比べることができ、黄天道の現れた農村の様子をこの目で確認し、さらに都市から農村へと至るまでの長い道のり、都市との生活環境の違いを体感することができたのは、その後の研究にも少なからず役立ったと思われる。

中国の農村に「秘密宗教」の跡を見出す人類学的な実地調査——この困難かつ価値のある調査に先鞭をつけたのは、先述の李世瑜である。一九四〇年代後半から五〇年代にかけて、中国では国内の民衆宗教の諸教団の多くが厳しい摘発に遭うが、李氏はこうした困難な状況にあってもなお研究をつづけ、華北の黄天道だけではなく在理教、紅陽教、明明聖道といった教団文献を収集し、あるいは実地に訪問して、それらの歴史と教義を明らかにしようとした。

戦前には、吉岡義豊や酒井忠夫ら日本人研究者による現地調査も行われたものの、新中国成立後には政治状況ゆえに教団と直に接することは極めて難しくなった。黄天道について言えば、喩

【７－２】普仏寺の石碑

【７－３】建築物の石片

松青、澤田瑞穂、浅井紀、王見川ら国内外の研究者によって宗教経巻の分析が進められると同時に、馬西沙や韓秉方らによって明清時代の上奏文である檔案史料を用いた歴史考証が行われ、黄天道に関わる摘発事件や教義が解明されてきた。

そして近年、黄天道について長年研究してきた曹新宇は、黄天道の歴史についての新たな面貌を明らかにした。曹氏は、一九九〇年代より膳房堡を含む華北の農村で聞き取り調査を行い、黄天道の史料や多数の宗教経巻を新たに発掘し、「明清白蓮教社会の歴史」に新しい視点を提示した。すなわち、近代の都市においては、布教者の育成システムと階級制をもち都市のなかに拠点を有するような民衆宗教が発展していく一方で、明末の農村に現れた黄天道のような伝統的教派は、膳房堡とその周辺の十数の農村に勧捐（かんえん）（喜捨を募る）の分担を負わせる信仰圏を持つようになった。つまり黄天道は、「白蓮教」的民間教派として現れたのち、民間の自発的な巡礼組織である〝香会〟から信仰圏内の農村を護持する廟宇として機能する〝村社〟へ転化していったとされるのである（曹 二〇一六：七五―七八）。

4　普明一族と普仏寺を取り巻く香会ネットワーク

それでは、改めて膳房堡の黄天道と創始者普明の歴史像をまとめてみたい。主に曹新宇による新しい見解に基づき、先行研究と総合して描写してみると、その概略は次のようになろう。

黄天道の創始者である李賓（一五一四―六二年）は、明代の長城を防衛する軍戸の生まれである。

祖籍は、山西省太原府寿陽県北章徑村にある。洪武二五年（一三九二年）に故郷から北辺防衛の最前線にあたる万全左衛へ従軍した李姓一族の一員であった。一六世紀初め、正徳年間に李賓の曽祖父李昌が万全右衛膳房堡を守衛するため駐在し、父李運国の代にそこへ定住した。三兄弟のうち病弱な体であった李賓は、仏縁にすがった両親から九歳で出家させられ、万全左右衛内の三つの寺廟を巡り、三名の師から教えを授かった。一七歳で還俗し、帰郷して王氏と結婚。その後、膳房堡での従軍時に片目を失明したことから、黄天道では「虎眼禅師」とも呼ばれた。嘉靖三三年（一五五四年）に数え年四二歳で黄天道の教えを始め、自身を普明と称し、妻王氏を普光、二人の娘のうち長女を普浄、次女を普照と称した。李賓夫婦は、世を助け人を救うことに努め、宝巻を著し、在家で男女双修するような内丹修養法を教えた。このようにして、黄天道は、一六世紀半ばに農村から華北全体へと広まったのである。

嘉靖四一年（一五六二年）に五〇歳で李賓が亡くなると、妻の王氏は為答雲老師（周玄雲）を師として教えを授かり、黄天道の継承者と自称した。王氏の教権は、娘二人、さらに次女の娘米康氏すなわち普賢へと受け継がれた。これとは別に、黄天道の教えを受け継いだ鄭普静は、自立して円頓教を立て、南の江南へ伝わって長生教の創始者汪普善へと繋がっていく。

黄天道の教えが様々な教派に伝わって変容していくものの、膳房堡に残された〝正統〟な黄天道の権威は、香会のネットワークを通じて万全右衛、左衛、宣化、大同といった地域の農村で保たれたようである。米康氏の婿許言工は、「鉄心羅漢」あるいは「八公祖」と称し、一二〇ある黄天道の香会のうちの「北岸頭一会膳房堡会主」を務め、山西へ黄天道を伝えた。李賓の祖籍である山西省寿陽県と聖地である膳房堡は黄天道信徒にとってシンボリックな地域であったことから、許姓の一族は寿陽に移住したあとも膳房堡での黄天道の法会を行う「普明老会」を守り続けた。一九一六年に膳房堡に普仏寺と同名の家廟を建て、許姓一族で参拝客の接待にも従事した。

その一方で、李賓より五代下の侄孫（李賓の男兄弟の後裔）で清代康熙二九年（一六九〇年）の歳貢生（選抜された国子監の学生）李蔚は、廟宇と香会ネットワークの主導権を再び李賓の末裔の手に取り戻すことを目論んだ。黄天道の香会の会首を務め、自らを普慧と称し、再び李氏一族が黄天道を継承すると主張して積極的に黄天道の経巻を刊刻した。李蔚の死後、その会首の座は李蔚の弟李蕢一家、李蔚の嫡孫李遐年へと受け継がれた。

曹新宇の指摘によれば、民衆宗教の廟宇が一体仏教に属するのか道教に属するのかという問いはあまり意味をなさないようで、それらを分ける境界も曖昧であるようだ。清代の普仏寺は、乾隆年間までに道教の華山派の道士によって管理され、清末から一九三〇年代までは半仏半道の住持によって管理された。華山派住持李懐雨の徒弟李継印が住持になると、李遐年は廟宇の所有権をめぐり住持と争いを起こすが、黄天道信徒の仲介によって廟宇の資産は住持に譲られた。ところが、前述の通り、乾隆二八年（一七六三年）の摘発によって膳房堡の黄天道は徹底的に破壊される。住持は凌遅刑（切り刻みの刑）、経巻を家に隠した黄天道信徒と黄天道の経巻を書き写した信徒は斬刑、李遐年はウルムチへ流罪の刑に処された。普明、普光と娘たちの墓塔、そして歳貢生李蔚の墓は取り潰された。

散々破壊されつくしたにもかかわらず、摘発を易々と逃れた山西の黄天道は、光緒一九年（一八九三年）に山西省寿陽県から万全県へと再び伝わった。万全県南部の趙家梁に住む医者趙爾理は、膳房堡で法会を主催する許姓一族に大変な敬意を払うとともに、黄天道の多くの経巻を保管しつづけ、二〇世紀初頭に万全県、張家口一帯の農村を圏内とする一二の黄天道の会主を務めた。

膳房堡の黄天道の権威は、明代から続いてきた広域の香会ネットワークによって支持されているにもかかわらず、肝心の普仏寺のなかでは二つの異なる勢力が対立していた。一つは黄天道を奉じる伝統的な香会（老黄会）であり、その法会は山西の許姓一族が担った。もう一つは還源教（かんげんきょう）といい、黄天道の創始者李賓からの流れを汲むとともに、華北の大乗教から影響を受けた伝統的民間教派の一つである。黄天道の身内のような立場にあるため、境内に還源教の祖師を祀るための祭壇さえ有していた。光緒四年（一八七八年）に住持志明が亡くなると廟宇の経営が廃れ、一九二〇年代には二派の対立が止まず、一八の農村が一年ごとに廟宇の管理を担ったとされる。実に、農村の生活圏と一体化した黄天道の姿を知ることができよう。

5　語り継がれる救済神話

黄天道の代表的な宝巻の一つ『普明如来無為了義宝巻』は、極めて難解な経文のなかで、穢れなき本性を忘れて塵世の欲海に沈溺する人々、すなわち自分を失って貧しさや病に苦しむ人類に呼びかけ、本来の自分を取り戻すことを何度も訴えている。

皇極古仏はすなわち普明如来である。善財童子は文殊・普賢の二大菩薩にまみえる。文殊とはすなわち大地万物の真陽の父であり、普賢菩薩はすなわち諸仏祖の母である。もし人々が天性を悟り開き、衆生を救済して、渾身の口伝心印や無為祖のすぐれた教えの意を真経に転じんと誓願すれば、必ず心を清らかにさせて心の仏性を見ることができ、誰もが還源することができる。ともに悟りを修め、仏の説法を整えるのが善財童子なのである。……大地の衆生はみな失郷児女であり、どんな違いがあろうか。一父一母の生みたる子は誰もが内に天地を宿しており、三乗九品なぞ構わない。もし人々が家にたどり着いた時は必ずみな比べてまた復するのだ。このように四八願もて迷う人々を救わん（『普明如来無為了義宝巻』第三六）。

ここでは、李賓とその二人の娘が如来と文殊・普賢菩薩として喩えられ、信徒は善財童子に、人類は失郷児女という子供として描かれている。人類が失った本性を取り戻して無生老母の住まう故郷「真空家郷」へ戻るよう呼び掛ける救済神話は、その起源が一五世紀後半から一六世紀初めにあるとされ、明代中期に禅宗系の民間教派である羅教とは別個に形成されたことが明らかとなっている（浅井 二〇〇七）。黄天道もまたこの信仰を自己の教義に取り入れて独自に解釈したのだろうと思われる。明代後期には『古仏天真考証龍華宝経』という宝巻を通じて物語が整い、その後の多くの民衆宗教に伝わっていった。明清時代の中国において儒教秩序に基づく宗族という〈正しい〉父系家族に対して、母なる故郷を求める我々という〈虚構〉の家族が提示されたのである。

母なる神による人類救済神話は、清代の宝巻を通じて、複合的な信仰と地域社会とが結びつきながら語り継がれていったとみられる。過剰な人口増によって開拓地を求めて山地に住まい、科挙が受からず、宗族（父系大家族集団）を築けない移民は、長江中上流域の山地で無生老母信仰のもとに結集し、救世主弥勒仏を自称する指導者が終末を叫ぶ「白蓮教」となり、過酷な摘発を行う胥吏（しょり）に対して抵抗した（山田 一九九五）。またその一方で、河南省の農村では、一二の仙女を配して中央に無生老母像を祀る十二老母朝無生信仰が現れる。山下一夫によれば、明末の弘陽教信徒によって河南へ伝えられた無生老母信仰は、清代に河南と山西の省境山岳地帯で民間信仰化し、道教の洞天聖地王屋山（おうおくざん）での宗教権威が無生老母へ置き換わったとされる（山下 二〇一二）。また一九世紀初め、四川省の県城では、神降ろし（扶鸞（ふらん））による神の啓示と無生老母信仰が結びつき、救世主である関帝が降臨して太平天国に破壊されつつあった儒教の道徳と社会秩序を取り戻そうとする民間教派が現れた。そこでは主に扶鸞の文字文化を担う都市の知識人が神秘的な文章の担い手となっていった（小武海 二〇〇八）。

こうしてみると、明清時代における中国の民衆宗教は、儒教・仏教・道教の影響を受けただけではなく、救済思想を互いに吸収しあい、救済の物語を一種の権威として受け継いでいきながら、宗教経巻の経文を創作し、あるいは自在に改変しつつ、多様な形に発展していったと言えるかもしれない。中国に生きる人々が本来の自分と社会を、尊厳と安寧を取り戻したいという願いに応え、民衆宗教は都市や農村のなかで求められた姿形で救済を提供していたと言えよう。

参照文献

史資料

（清）顔元撰『四存編』民国一二年刊『顔李叢書』所収。

「乾隆二十八年万全県碧天寺黄天道教案」『歴史檔案』総三九期、一九九〇年。

『張家口文史資料』第二二輯、張家口市文史資料委員会編、一九九二年。

『普明如来無為了義宝巻』（明李陞官撰、万暦二七年刊本）王見川・林万傳主編『明清民間宗教経巻文献』第六冊、台北：新文豐出版公司、一九九九年所収。

研究文献

浅井紀（二〇〇七）「明代中期華北における民間宗教の形成」『東方宗教』一一〇、三七―五六頁。

太田出（二〇一九）『関羽と霊異伝説――清朝期のユーラシア世界と帝国版図』名古屋大学出版会。

カサノヴァ、ホセ（一九九七）『近代世界の公共宗教』（津城寛文訳）玉川大学出版部。

グロータース、W・A（一九九三）『中国の地方都市における信仰の実態――宣化市の宗教建造物全調査』（寺出道雄訳）五月書房。

小武海櫻子（二〇〇八）「清末四川の鸞堂と宗教結社――合川会善堂慈善会前史」『東方宗教』一一一、五〇

—七一頁。

山下一夫（二〇一二）「王屋山と無生老母信仰」『洞天福地研究』三、五五—六五頁。

山田賢（一九九五）『移住民の秩序——清代四川地域社会史研究』名古屋大学出版会。

曹新宇（二〇一六）『祖師的族譜——明清白蓮教社会歴史調査之二』台北：博揚文化。

馬西沙・韓秉方（一九九二）『中国民間宗教史』上海人民出版社。

李世瑜（二〇〇七）『現在華北秘密宗教』増補版、台北：蘭台出版社。

——（二〇一一）『李世瑜——回憶録：三親集』台北：蘭台出版社。

——（二〇一六）『中国近代の秘密宗教』（武内房司監訳）研文出版。

Grootaers, Willem A. (1948) "Temples and History of Wanch'uan: The Geographical Method Applied to Folklore," *Monumenta Serica* 13: 209-316.

第八章　中国の文書館

——上海市檔案館での史料調査体験

久保茉莉子

1　上海で史料を見るということ

筆者が初めて上海を訪れたのは一九九七年の夏である。大小様々な建物が立ち並び、朝から晩まで多くの人や車が行き交う活気に満ちた街の雰囲気に圧倒されたことを今でもよく覚えている。当時は、自分が将来研究の道を歩むことになるとは思ってもいなかったのだが、上海はとても魅力的な都市として印象に残った。

それから約一五年後、筆者は上海の復旦大学に留学することとなった。留学の第一の目的は、中国の大学で中国の学生とともに学ぶ経験をすること、そして第二の目的が、上海の文書館・図書館での史料調査であった。上海は、交通の利便性や史料の整理公開状況の良好さといった条件がそろっており、外国人研究者でも比較的容易に史料を収集できる都市の一つである。筆者も約一年間の留学期間中、ほとんど不自由を感じることなく多くの史料を閲覧することができた。

さて、ここまで筆者と上海との関わりについて述べてきたが、読者は上海についてどのようなイメージを持っているだろうか。今日の世界で非常に大きな影響力を持つに至った中国の経済発展の中心、海外から多くのヒトやモノが集まる国際都市といったところだろうか。実はこうした上海の姿は現代特有のものではない。一九世紀半ばに開港場として世界と密接に結びつくこととなった上海は、二〇世紀初年にはアジア有数の巨大な国際都市へと発展を遂げた。当時の上海について、古厩忠夫は「五十数カ国の国の人々が住まう国際都市上海では、誰もがコスモポリタンになることができた」「入ってくるものを飽くことなくどん欲に飲み込み、飲み込んだ素材を摺り合わせて、上海は新しいものを作り出していく」と表現している（古厩 二〇〇〇：六―七）。もちろん、こうした状況がそのまま今日まで続いてきたわけではない。南京国民政府の成立、日中戦争、戦後の国共内戦、そして中華人民共和国成立という時代の流れの中で、かつて上海の人々が謳歌していた自由は制限され、国家による社会統制の強化が進められ、多様性や国際性が失われるなど、上海の姿も変わっていく（髙綱・金野 二〇〇九：四―一九）。それでもやはり一九九七年に筆者の目に映った上海は巨大な国際都市であり、その中で人々が日々たくましく生きていた。そこには戦争や政変の影響を受けつつも根本的な部分は変わらない上海の力強い個性を見出せるように思われる。

このように上海は中国の中で独特な道を歩んできた都市である。では、そうした歴史を持つ上海の史料を見ることは、中国史を研究することにつながるのだろうか。実際のところ、筆者は

「上海は中国ではない」という言葉を何度も耳にしたことがある。特殊な地域である上海の史料を分析することは、あくまで「上海史」研究であって「中国史」研究とは言えない、という見方もあるだろう。筆者のように上海を史料調査の場として選んだ研究者は、このような見方に対して何らかの答えを返さなければならない。

確かに上海は、近現代中国の代表的な経済中心地、且つアジア有数の国際都市として発展し、他の地域よりも早い段階で新たな知識や文化が普及した。筆者が分析対象としてきた法や裁判という観点から見ても、二〇世紀前半の上海は、新式の裁判所や、法律家養成のための教育機関の整備が進み、「西洋近代的な法を制定し、運用する」という近代中国における重要な目標を一定程度達成できていた数少ない地域の一つであった。財源・人材不足のため新式の裁判所が設立されておらず、裁判官や検察官、弁護士などもいない農村地域が圧倒的に多かった当時、上海の状況はやはり特殊であったと言えよう。しかし上海と同様の状況が他の地域で全く見られなかったというわけでもない。近代都市として成長しつつあった北京や天津、南京などの地域においても新式の裁判所や学校の建設が進み、法律家が活動するなど、新たな法律を運用していくための土台が着実に形成されていた（久保 二〇二〇）。すなわち上海は、中国において有形・無形の新たなモノが普及していく際の端緒となる都市なのであり、その歴史は中国史を構成する重要な一部分として見るべきである。

以上のような上海観を基礎として、上海市檔案館（とうあん）という場所における筆者の「史料体験」を紹介していくこととしたい。

2　中国での史料調査と「檔案」

筆者は比較的自由に中国で史料調査を実施できた世代であり、その面ではかなり恵まれていた。中国での史料調査をめぐる状況が大きく変わったのは、「改革・開放」政策が推進されていくこととなる一九七〇年代末頃である。これ以降、中国大陸や台湾に所蔵される膨大な量の史料が公開されていく。新聞や雑誌、政府公報類がリプリント版やマイクロフィルム版などの形で容易に入手できるようになり、基本的史料集の刊行が続いたことに加え、各地の文書館が研究者に開放されるようになった。一九九〇年代には、中国近現代史研究のために文書館を利用することが一般的になった。また外国人研究者が中国に長期滞在できるようになったことで、史料収集が容易になり、中国社会の現実を実感しながら研究を進めていくことも可能になった（久保・江田 二〇〇六：二六五）。さらに今世紀に入ってからは、交通インフラの整備、史料情報の電子化、ソーシャルネットワークの普及が進むなど、中国史研究の領域におけるフィールドワークをめぐる環境は急速に変化している（佐藤 二〇二〇：五四—六〇）。もちろん全ての文書館が史料を公開しているわけではないし、利用するまでに煩雑な手続きが求められる場合も少なくない。また法改正や史料の電子化作業などを理由に、文書館の利用が制限されてしまうこともある。よって中国での史料調査は不確実性・不安定性を念頭に置き、中国以外で得られる史料も駆使しながら研究を進められるようにしておく必要がある。

現地に行くことで得られる貴重な史料の一つが「檔案」である。檔案は、主として中国の政府機関が政務運営のために発行し、保管してきた文書である。当時の行政に用いられた実際の書類であり、その点では何らかの事柄を後世に伝えることを意図して編纂された中国の多くの歴史文献に比べて史料的価値がすこぶる高いとされる。中央政府の各機関が作成した文書や地方高官の中央政府への報告書、地方行政の末端機関でやり取りされた文書などが含まれる（山本 二〇一九：一九七―一九九）。言うまでもなく中国史を研究する際には様々な種類の史料に向き合う必要があり、あくまで檔案はそうした膨大な史料群の中の一部に過ぎない。檔案を見なければ中国史研究ができないというわけではないし、逆に檔案を見たからといって論文が書けるわけでもない。それでも檔案が重要な史料であることに間違いはない。

中央政府が管轄する文書館としては、主に明清期の文書史料を整理公開している第一歴史檔案館（北京）、それに続く中華民国期（一九一二―四九年）の文書史料を整理公開している第二歴史檔案館（南京）、そして人民共和国期の政府党関係文書と中国共産党を中心とするいわゆる「革命史」に関わる文書を所蔵する中央檔案館（北京）などがある。その他、中国全土には二〇〇〇を超える数の省・市・県レベルの文書館が設立されており、それぞれ関連する文書を保存し閲覧に供している。中でも上海市檔案館の公開性と閲覧者に対して提供されている便宜は特筆に値するとされる。また台湾には国史館（新店・台北）、党史館（台北）、中央研究院近代史研究所付設檔案館（同前）、故宮博物院（同前）などがあり、文書史料の探索にとってきわめて重要な場になっている（久保・江田 二〇〇六：二八六—二八七）。

詳細は次節で述べるが、筆者の場合は上海市檔案館に所蔵される「江蘇上海地方法院檔案」という裁判所関連の文書群を主要史料として用いた。ある刑事事件をめぐり、裁判官、検察官、警察、被告人、被害者、その他様々な事件関係者たちの動向を詳細に知る上で、非常に興味深い史料であった。ちなみに中華民国期の法や裁判の歴史を研究してきた筆者の場合、檔案以外に見るべき史料はかなり多い。民国期の史料については西英昭による詳しい解説があるため（西 二〇一二：七三—七六）、ここでは割愛するが、例えば、政府が発行した公報類、司法機関の判決や法令についての解釈をまとめた判決例・解釈例、同時代に編集・発行された法令集や判例集、統計などが存在する。さらに当時刊行されていた法学専門雑誌や、法学者たちが執筆した概説書・専門書も史料として有用である。

3　開かれた文書館・上海市檔案館

前節で述べたように、上海市檔案館は、その公開性と閲覧者に提供される便宜の良さでよく知られている。筆者自身も利用時にそのことを強く感じた。しかし上海市檔案館が今日のような利便性の高い文書館になるまでには、約半世紀を要した。

上海市檔案館の歴史は中華人民共和国が成立した一九四九年に始まる。それ以前の上海では国民党政権の政府が文書管理を担っており、新たに上海を治めることとなった中国共産党政権は、当地の文書管理業務をあらためて整備する必要があったのである。

一九四九年、国共内戦で国民党政権が劣勢となる中、上海も中国共産党の統治下に置かれることとなり、五月二八日には上海市人民政府が成立した。これによって国民党政権期の上海市の政府機構及びその文書は接収され、人民政府秘書処の下に檔案関連業務をつかさどる機関（「檔案工作機構」）が設立された。その後、文書管理に関する制度や文書管理を担う機関の整備が進み、一九五七年二月には中国共産党上海市委員会辦公庁が正式に檔案処を設立し、そこに所属する機構の一つとして中国共産党上海市檔案館籌備処が置かれた。さらに一九五九年一二月三一日、中国共産党上海市委員会・上海市人民委員会は、中国共産党上海市委員会辦公庁檔案処と上海市人民委員会辦公庁檔案管理処を合併し、上海市檔案管理局を設立した。同時に、中国共産党上海市檔案館籌備処と上海市国家檔案館籌備処を合併して上海市檔案館を設立し、檔案館と檔案局が合同で業務を行うことを決定した。しかしその後、一〇年間にわたるプロレタリア文化大革命（文革）により上海市檔案館も正常な業務を行うことが困難となってしまう。そして文革終息後、一九七九年九月に上海市檔案館はようやく業務を再開することができた。

設立当初、四川中路二二〇号という場所にあった上海市檔案館は、一九九一年に仙霞路三二六号に移転した。また二〇〇四年には黄浦江に近く、租界時代の建物が立ち並ぶ中山東二路九号に設けられた上海市檔案館外灘新館が開館した。筆者が二〇一二年以来通ってきた上海市檔案館は、この外灘新館のことを指す。

中国を統治する政権そのものが時代とともに変遷した上、上海には外国勢力の拠点も置かれたため、上海市檔案館には実に様々な文書が存在する。具体的に言えば、国民政府期の各機関の文書、中華人民共和国成立前の中国共産党の地下組織やその指導下にあった各組織の文書、人民政府成立後の上海市の党政機関の文書、華東地区の行政機関（華東軍政委員会、華東行政委員会及びそれらに所属する各機構等）の文書があげられる。さらに上海に租界を置いたイギリスやフランスなどの諸外国や、上海を占領した日本及びその傀儡政権の各機関が作成した文書も残っている。その他、上海の商工業団体や社会団体が作成した文書、国際会議記録、写真や音声・映像資料等が所蔵されている（上海市檔案館 二〇〇九：一―四）。

筆者の場合は、国民政府期（一九二八―四九年）の上海における刑事裁判の実態を分析するため、主に「江蘇上海地方法院」というファイルに収められている檔案を閲覧した。江蘇上海地方法院は、北京政府期（一九一二―二八年）の上海で司法を担っていた上海地方審判庁・検察庁を前身とし、国民党政権の下、一九二七年一一月に成立した。そして一九三七年一一月に上海が日本軍に占領されて業務停止となるまで、上海地区（租界を除く）で発生した民事・刑事の各種事件の裁判を行い、その他司法行政に関わる様々な業務をつかさどった。収録文書は「司法行政類」「刑事類」「民事類」に分類されている（上海市檔案館 二〇〇九：五六）。江蘇上海地方法院檔案は、当時の中国において新式の裁判所がどのような役割を果たしていたのか、人々にとって訴訟とはいかなるものであったのか、新たに制定された西洋近代的な法律制度がどのように運用されていたのかを知る上で重要な史料である。

筆者は上海に留学した二〇一二年から博士論文執筆のために必要な史料の閲覧・収集を開始し、その作業がおおよそ完了したのは二〇一七年のことである。その時点では、上海市檔案館で全六三件の刑事事件を電子版で閲覧することができた。但し、事件の分類・文書の順番などは文書館の整理によるもので、実際に見ていくとかなり複雑である。例えば、関連する二件以上の訴訟が同一ファイルに収録されていたり、同一事件が二つのファイルに分けられていたりする。なお、ここに収録されている文書には、被疑者・被告人をはじめとする事件関係者の姓名や年齢、住所、職業などの個人情報が記載されているため、史料から得られる情報をそのまま論文に記載すると、過去の人物のみならずその子孫にあたる人々をも傷つける恐れがある。そこで筆者がこの史料を用いる際は、個人情報にあたる部分を極力記載しないように配慮した（久保 二〇二〇：一五、二四―二五）。

ちなみに筆者は「華界」、すなわち中国人が居住し、中国人が行政権を持つ区域の裁判所について研究したが、同時期の上海には外国人が行政権を持つ租界が依然として存在していたため、外国人が関わる事件や租界で発生した事件を扱う裁判所も設置されていた。共同租界（中国語では「公共租界」）の場合、一九二七年から一九三〇年までの間は「上海公共租界臨時法院兼上訴院」が領事裁判管轄の事件や租界内で起きた各種の事件を受理していた。臨時法院は一九三〇年四月に改組されて「上海特区地方法院」という名に変わり、さらに一九三一年八月には「上海第一特区地方法院」と改称された。そして「江蘇高等法院第二分院」（一九三〇年四月に成立）とともに、一九四一年まで共同租界内の事件を扱った。またフランス租界の場合、一九三一年から一九四一年まで、「上海第二特区地方法院」及び「江蘇高等法院第三分院」が租界内の事件を扱っていた。上海市檔案館にはこれらの裁判所で作成された文書も所蔵されている（上海市檔案館 二〇〇九：五七―六二）。

4 檔案館利用体験

筆者はそれほど多くの文書館を訪れたわけではないが、上海市檔案館は非常に使いやすい文書館の一つであると感じた。その理由は、主に三つある。第一に、立地条件の良さである。上海市の中心部にあり、地下鉄の駅から歩いて行くことができる。筆者の場合、留学先の復旦大学の最寄り駅、「五角城」駅から地下鉄一〇号線に乗って「南京東路」駅まで行き、そこから二〇分ほど歩いて檔案館に通っていた。南京東路から上海市檔案館に至るまでの道には百貨店や飲食店、書店をはじめ様々な店やオフィスビルなどが立ち並び、毎日たくさんの人や車が行き交っている。街の喧騒から離れたい時は広々とした遊歩道が設けられている黄浦江沿いを歩けばよいし、逆に活気あふれる雰囲気を感じたければ街中を歩けばよい。筆者はその日の気分に合わせて様々な顔を持つ上海の街並みを楽しみながら通っていた。

第二に、利用手続きが比較的簡単なことがあげられる。筆者が頻繁に利用していた二〇一二―一七年は、身分証明書（パスポート等）と中国の大学や研究機関の紹介状があれば利用することができた。上記書類を提出した後、利用者カード作成のための書類に必要事項を記入し、檔案館側の確認作業が終われば、そのまま史料を閲覧することができる。紹介状を得ることはやや難しそうに思われるかもしれないが、中国史を研究していれば何らかの形で必ず中国の大学や研究機関に所属する知人ができるはずなので、それほど困難なことではない。なお同時期に筆者が南京市檔案館を訪れた際には、身分証明書や紹介状を提出することに加え、三〇分程度の面接を受ける必要があった。面接担当者はとても優しく対応してくれたが、自分の研究内容や閲覧したい史料の詳細について説明を求められたので、個人的にはやや大変だったという記憶がある。

第三に、電子化の進展である。中国では史料の電子化が急速に進んでおり、全国各地の図書館・文書館に所蔵される大量の文献をインターネットを介して閲覧することが可能になっている。もちろん、世界のどこからでも、誰もが自由に全ての文献を閲覧できるというわけにはいかないが、文献の検索から閲覧に至るまでの手続きが相当便利になっている。（大澤 二〇一〇：一九五―一九八）。上海市檔案館の場合、一九九〇年代以降、特に二一世紀に入ってから、史料所蔵状況や目録に加え、史料そのものの電子化も進められてきた（上海市檔案館 二〇〇九：一二）。パソコンの画面で史料を検索し、煩雑な閲覧申請手続きを経ずに、見たいと思った史料を見ることができる。短時間で様々な史料を確認したい時は非常に便利である。また印刷する場合も、パソコンの画面上から申請することができる。但し、閲覧と異なり印刷の場合は枚数等に関してやや厳格な規定があり、申請用紙を提出する必要があった。また申請当日に印刷物を受け取れる場合もあるが、申請から三―五日後に受け取り可能ということも多く、数日間しか滞在できない来訪者は注意する必要があった。

なお電子化の進展は、史料調査の利便性を高め、史料の損傷を防ぐといった点で望ましいことなのは間違いないが、その一方で史料の原本を見られなくなるなどの負の側面もある。人によるとは思うが、筆者としてはやはり当時の人々が記した文字を、画面越しではなく生で見たいという気持ちがある。また文書作成当時にどのように綴じられていたかなど、保管状況もわかりにくくなってしまう。電子化により失われるものもあるということを忘れてはならない。

ちなみに檔案館の規則は時々変わるので、利用申請に必要な書類や印刷にかかる日数、費用、制限枚数等、檔案館のホームページを見たり、頻繁にその檔案館を利用している研究者に聞いたりして、事前に状況を確認しておくべきである。特に利用手続きについては入念に確認しておかないと門前払いを食らう可能性もあるので気をつけなければいけない。例えば、上述した通り、筆者が上海で史料調査を実施した二〇一〇年代は、檔案館の初回利用時には身分証明書と紹介状を提示することが求められたのだが、それ以前は紹介状の提示が必要でなかったため、規則変更を知らずに来てしまう利用者が時々見られた。ある日、年配の中国人が紹介状を持参せずに利用しようとしたところ、檔案館側の担当者は閲覧室への入室を許可しなかった。その後しばらく入室の可否をめぐり両者間で激しい言い争いが続いたが、結局檔案館側は一切妥協しなかった。この光景を目の当たりにした筆者は、檔案館側の厳格な姿勢と、決してあきらめようとしない利用者側の態度に驚いてしまった。

檔案館には様々な仕事があり、それぞれ専門の担当者がいる。例えば、史料の検索・閲覧を補助する仕事、史料の印刷を請け負う仕事、入館者の手荷物検査をはじめとする警備の仕事などがある。筆者が面白いと感じたのは、警備員が様々な面で利用者を助けてくれることである。例えば簡単なパソコン操作に関しては、見回りをしている警備員が助言してくれる。彼らは顔見知りになると笑顔で迎えてくれ、檔案館近辺にある美味しい麺料理店を筆者に紹介してくれたこともある。しかし、筆者に対していつも笑顔で優しく対応してくれた警備員たちも、史料の無断撮影など檔案館の規則に違反した利用者に対しては、非常に厳しい態度をとる。彼らが筆者に対して温かい態度であったのは、筆者が中国政府の規則ないしはそれに基づき上海市檔案館が制定した規則を守って行動していたからであろう。もし筆者が違反行為をすれば彼らの態度は俄然厳しくなったと予想される。それでもやはり彼らが人としての温かさを持っていたことは確かであり、筆者は彼らの笑顔に救われることが多かった。

以上、上海市檔案館での筆者の経験を述べてきた。国内外の文書館や図書館を訪れ、多くの史料を直接手にとって見ることは決して容易なことではない。そして膨大な量の史料群から自身の研究のために必要な史料を選択することもまた難しい作業である。文書館・図書館が史料に付した題名を見ただけでは必要か否かを判断できないことも多く、閲覧はしたものの、いざ論文を執筆する際には引用しなかったという史料のほうが多いかもしれない。それでも、実際に自分の足で現地に赴き、自分の目で史料を見ていく中で、予想外の発見をすることもある。「史料を足で探す努力を怠ってはならない。まして自分の足元に転がっている宝に目もくれずともかくも海外へ、という軽率な態度は嘲笑の的でしかない。書籍や史料についても、ただ知識として知っているのでは役に立たない。実際に手にとって見て、いざという時にすぐにアクセスできる状況においておかねば何の意味も無い」（西 二〇一二：七六）という厳しい言葉を忘れることなく、今後も史料に対する向き合い方を常に意識しながら、史料調査を楽しんでいきたい。

参照文献

大澤肇（二〇一〇）「デジタル化時代の中国研究」高田幸男・大澤肇編『新史料からみる中国現代史——口述（オーラル）・電子化（デジタル）・地方文献（ローカル）』東方書店、一九一—二一一頁。

久保亨・江田憲治（二〇〇六）「現代」礪波護・岸本美緒・杉山正明編『中国歴史研究入門』名古屋大学出版会、二六四—二八九頁。

久保茉莉子（二〇二〇）『中国の近代的刑事裁判——刑事司法改革からみる中国近代法史』東京大学出版会。

佐藤仁史（二〇二〇）「フィールドワークと地域社会史研究」飯島渉編『大国化する中国の歴史と向き合う』研文出版、四七—七四頁。

上海市檔案館編（二〇〇九）『上海市檔案館指南（上）』中国檔案出版社。

西英明（二〇一二）「法制史」岡本隆司・吉澤誠一郎編『近代中国研究入門』東京大学出版会、五七―八五頁。

高綱博文・金野純（二〇〇九）「総論　建国前後の上海――上海都市社会の歴史的位相」日本上海史研究会編『建国前後の上海』研文出版、一―二七頁。

古厩忠夫（二〇〇〇）「総説　上海――重層するネットワーク」日本上海史研究会編『上海――重層するネットワーク』汲古書院、三―二八頁。

山本英史（二〇一九）「清代檔案史料」山本英史編『中国近世法制史料読解ハンドブック』東洋文庫、一九七―二三七頁。

【8－1】上海市檔案館外灘新館のそばを流れる黄浦江と対岸にそびえる高層建築群（2013年9月、筆者撮影）。

【8－2】上海市檔案館外灘新館付近の光景。租界時代に建築された西洋風の建物が立ち並ぶ（2013年7月、筆者撮影）。

第九章　中東近代の自伝と書簡

――ミドハト・パシャとその家族をめぐって

佐々木　紳

1　端数の思い出

その本を手にしたのは、今から十数年前のことである。トルコ留学中のある日、先輩研究者に誘われ、なじみの古書店の倉庫（デポ）に行った。イスタンブルの町は、ボスフォラス海峡を挟んで西のヨーロッパ・サイドと東のアジア・サイドに分かれている。夕方、ヨーロッパ・サイドにある店舗で待ち合わせ、店主の車で大渋滞に巻き込まれながら海峡に架かる橋を渡り、すっかり日も暮れたころ、アジア・サイドの倉庫に着いた。アパートの一角に設えられた薄暗い倉庫のなかで、しばらく書棚を物色していると、二巻本のオスマン語（アラビア文字表記のトルコ語）の古書を見つけた。一九世紀のオスマン帝国の政治家、アフメト・シェフィク・ミドハト・パシャ（一八二二―一八八四年）の自伝である【9―1】。

支払いはあとでよいというので、その日は本だけ持ち帰り、翌日あらためて店を訪れた。二冊

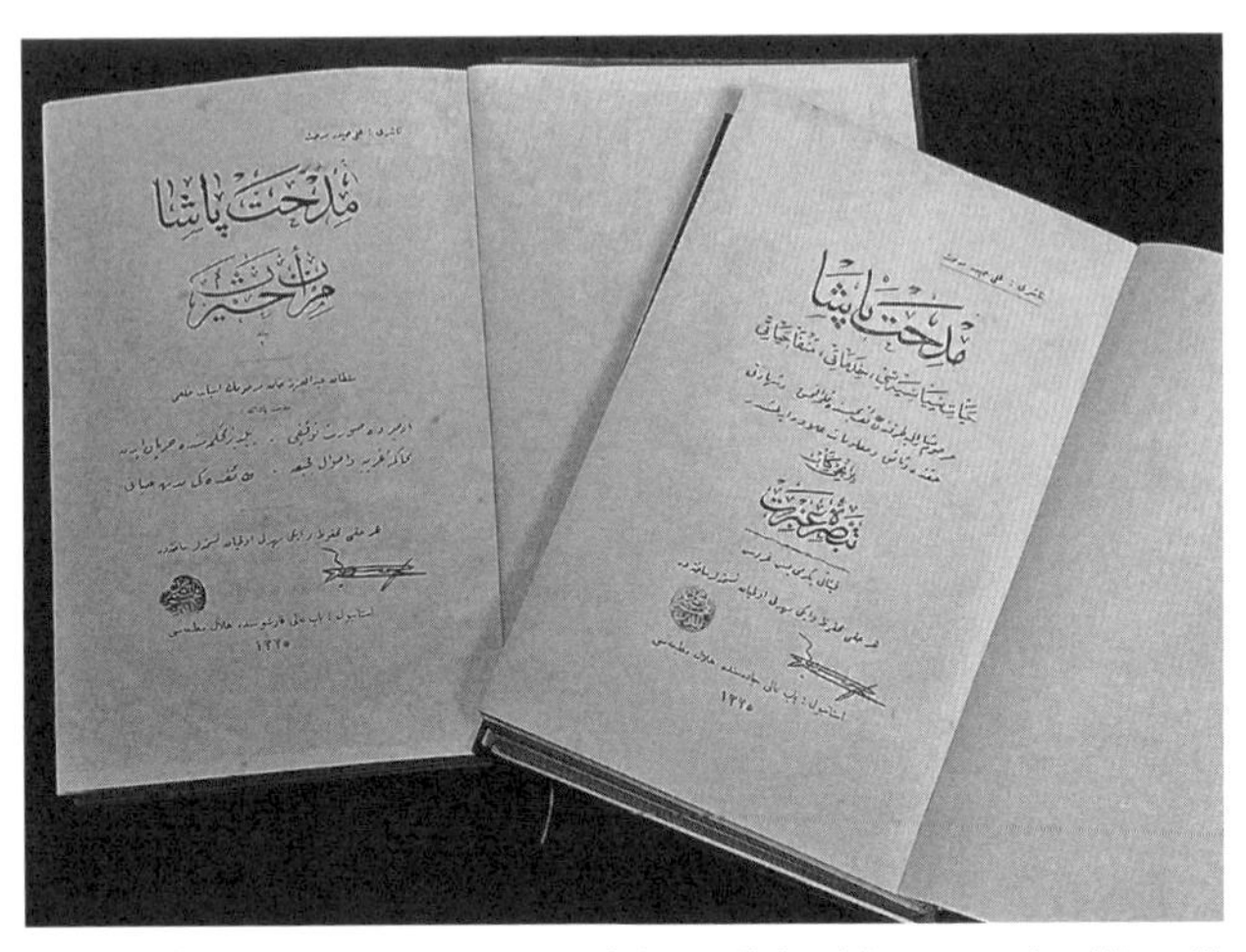

【9－1】ミドハト・パシャの自伝の刊本（向かって右が第1巻『訓戒』、左が第2巻『驚異の鏡鑑』。筆者撮影）

で二〇一リラだという。当時は一リラが八〇円ほどしたから、なかなかの買い物であるが、それだけの価値はある。解せないのは端数の「一リラ」であった。トルコの商慣習では、高額の支払いでわずかな端数が出た場合、売り手の厚意で切り捨てられることが多い。このときも負けてもらえるものとばかり思っていたが、その気配はない。いわれた額を支払いはしたものの、端数の謎は今も解けないままである。倉庫でごちそうになった宅配のラフマージュン（トルコ風の薄焼きピザ）の代金の一部だったのかもしれない。私とミドハトの自伝との出会いは、この一リラをめぐる今は亡き店主との思い出とともにある。

それから一〇年ほどして、ミドハトを中心に据えた文章を書く機会に恵まれた。むろん、史料は自伝である。ミドハトは、高校の世界史の教科書などでは一八七六年に発布された「ミドハト憲法」の起草者として紹介される。だが、自伝を通して見えてきたのは、机上で政策を練るだけでなく、現場で試行錯誤を繰り返しながら確たる成果を上げていく改革実践者としての姿であった。そこで、このように既存のイメージとはひと味ちがったミドハトの姿を伝えようと、いくつか文章を綴ったほか、当人の生涯と事績が見渡せる自伝の第一巻の全訳を試みた（佐々木 二〇一八：二〇二二：アフメト・シェフィク・ミドハト 二〇二三）。それまで、もっぱら新聞・雑誌などの定期刊行物史料を読んでいた私にとって、これは一人物の手になる叙述史料と本格的に格闘する初めての体験となった。

　ところで、この自伝には、刊行に尽力した息子アリ・ハイダル（一八七二―一九五〇年）が付した関連文書や書簡が収められている。わけてもミドハトが家族に宛てて記した手紙からは、政治家や行政官として改革実践に打ち込む姿とは趣を異にする、私人ないしは家庭人としての姿をうかがうことができる。本章では、ミドハトのさらなる一側面を追い求めて自伝と手紙の杜に分け入り、オスマン近代史の蹊の一つをたどることにしよう。

2　ミドハト・パシャとその家族

　ミドハト・パシャは、一八二二年にイスタンブルで生まれた【9―2】。書記官僚として頭角を現し、現在のセルビア南東部にあたるニシュ州の総督を皮切りに、ブルガリア北部のトゥナ州、イラクのバグダード州、ギリシア北東部のセラーニキ州、シリア・レバノン一帯のシリア州、ア

【9－2】ミドハト・パシャ（『訓戒』より）

ナトリア西部のアイドゥン州の知事として辣腕をふるった。当時のオスマン帝国では、タンズィマート（トルコ語で「再編」や「立て直し」の意）と呼ばれる近代化改革が進められていたが、ミドハトはその最前線で奮闘していたのである。

　地方統治の手腕を買われたミドハトは、帝国の最高官職たる大宰相を二度務めている。専制的傾向を強める君主アブデュルアズィズ（在位一八六一―七六年）を一八七六年五月に退位させ、同年一二月に「基本法（カーヌーヌ・エサースィー）」つまり憲法を発布したのは、二度目の大宰相在任時のことであった。ところが、憲政を厭うときの君主アブデュルハミト二世（在位一八七六―一九〇九年）に疎まれ、アイドゥン州知事在任中の八一年五月、廃帝アブデュルアズィズの弑逆（しぎゃく）を画策した疑いで逮捕され、同年六月にイスタンブルで裁判にかけられた。この裁判は、アブデュルハミト二世の居城ユルドゥズ宮殿の敷地内でおこなわれたため「ユルドゥズ裁判」と呼ばれる。ミドハトは、ほかの被告人十数名とともに有罪判決を受け、極刑こそ免れたものの、アラビア半島西部のターイフに流された。

　こうして始まった流刑生活のなかでひそかに執筆されたのが、前述の自伝にほかならない。ミドハトは一八八四年にターイフの要塞内の居房で落命するが、生前に自伝の原本の一部分をイズミルの家族に送っていた。また、念のため作成しておいた写しの一つが、同じ流刑囚の元侍従ファフリ・ベイ（一八五四―一九一八／一九年）を介してひそかに要塞外に持ち出され、ヒジャーズ州の文書課長補佐アリ・ヴァスフィなる人物により地中に秘匿されたという。それから四半世紀ほどして、アブデュルハミト二世の専制政治に終止符を打った青年トルコ人革命の翌年、つまり一九〇九年に息子アリ・ハイダルによって編集・刊行され、この自伝は文字どおり日の目を見ることになった。

『訓戒（タブスライ・イブレト）』と題する第一巻はミドハトの半生記であり、関連する文書や書簡が付されている。『驚異の鏡鑑（ミラート・ハイレト）』と題する第二巻はユルドゥズ裁判の回顧録であり、同時にターイフでの流刑生活の記録でもある。ミドハトの公人としての経歴や事績については『訓戒』で詳説され、前述のように日本語訳もあるので、そちらを参照してもらいたい。以下では、当人の私人としての側面に迫るが、その前に家族構成を確認しておこう【9―3】。

ミドハトの祖父ハジュ・アリと父メフメト・エシュレフは、ともにイスラーム法官（地域の裁判官兼行政官）であった。母や祖母の名は伝わっていない。妹にスッディーカ、弟にラーシトがいる。イスラーム教徒であったミドハトは、二人の妻と複婚（一夫多妻婚）関係にあった。イスラーム法官の娘であった第一夫人のナイーメとは一八四七／四八年に結婚し、一女メムドゥハをもうけている。メムドゥハの子供つまりミドハトの孫のうち、メフメト・レフィクはトルコ共和国成立後の一九三四年に制定された氏姓法を受けて「フェンメン」を姓とし、これを名乗る系統

【9－3】ミドハト・パシャ略系図

※ Uzunçarşılı (1992: 128) と Korkmaz (2019: 509-515) をもとに筆者作成。
〈　〉内は1934年の氏姓法施行後の姓。

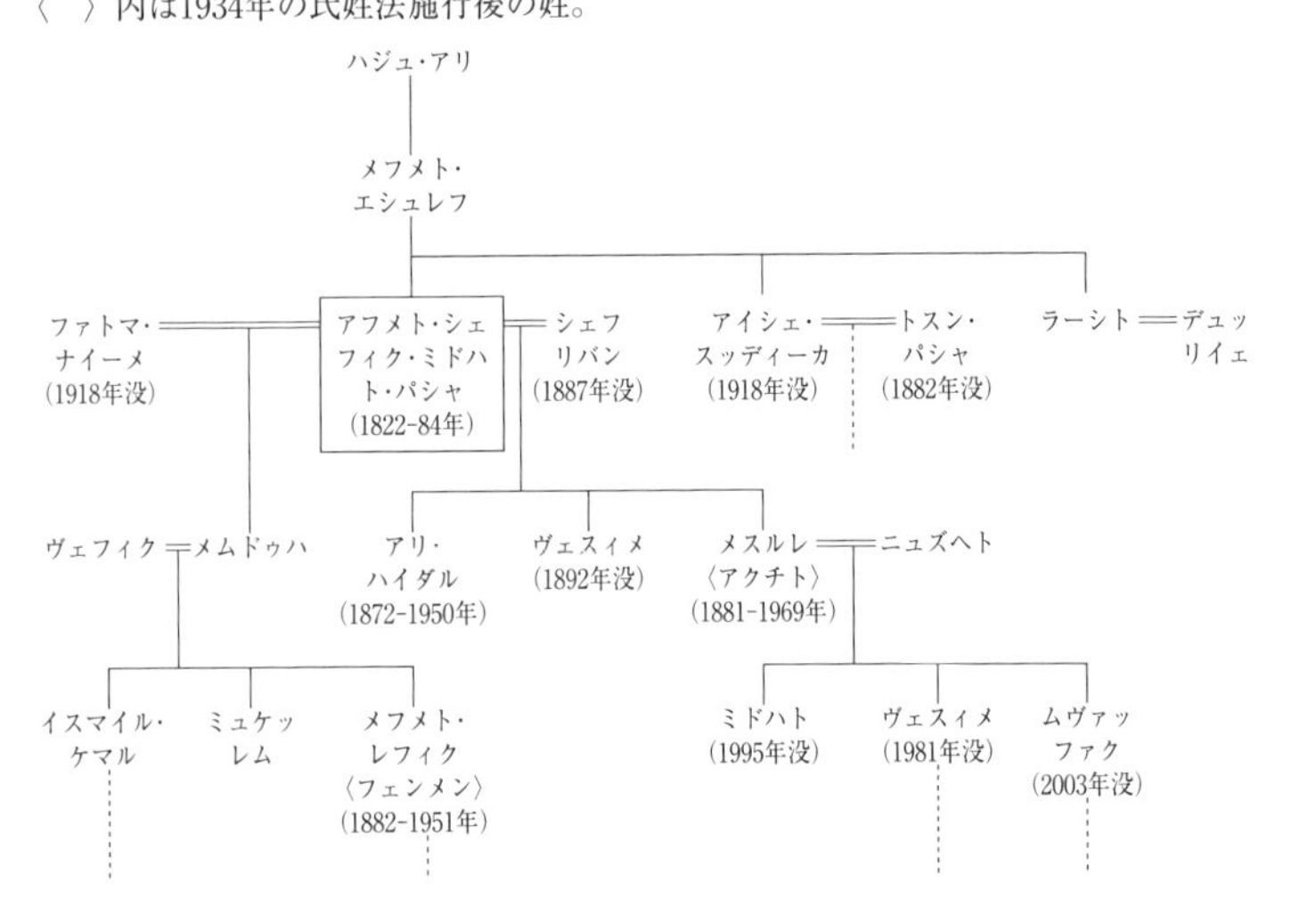

が現在まで続いている。

一方、男児を欲していたといわれるミドハトは、バグダード州知事在任中（一八六九－七二年）に第二夫人のシェフリバンと結婚した。彼女の孫にあたるミドハト・アクチトによれば、シェフリバンは一八六〇年代にオスマン帝国に来住したチェルケス人移民の娘であり、イスタンブルでしつけを受けた後、ミドハトの妹スッディーカに見込まれて、一七歳のときに「金貨二〇〇〇枚」で購入されたという（Davis 1986: 107）。つまり、シェフリバンは従婢（ジャーリイェ）としてミドハト一家に迎えられたのであった。従婢とは、金銭で売買され、主人に対して絶対的服従を強いられる「女奴隷」のことであるが、蓄財や結婚を許された。主人は従婢の健康や生活水準の維持に留意し、縁組を世話することもあった。主人が従婢を解放して自由身分とし、自分自身や子弟と結婚させる場合もあった。シェフリバンは、当初から主人と結婚することを前提に購入されたケースにあたる。

イスラームにおいてはクルアーン（コーラン）の記述に基づき、一人の男性は平等に遇することを条件に四人まで妻をもつことが許されているが、その歴史的実態は時代や地域に応じて多様であった。当時のオスマン帝国の都市部において、複婚の実践は経済力のある上流階級のごく一部に限られ、子供（とくに男児）に恵まれない場合におこなわれることが多かった（Duben and Behar 1991: 148–158）。シェフリバンとミドハトとのあいだには、ミドハト唯一の男児アリ・ハイダルのほか、ヴェスィメとメスルレ（後述のように当初はサービレと名づけられた）の二女が生まれている。シェフリバンはミドハトの死後しばらくして結核で亡くなり、ヴェスィメも同じく結核で早世した。末娘のメスルレは二〇世紀後半まで存命し、「アクチト」を姓とした。この姓を名乗る系統も現在まで続いている。

ナイーメとシェフリバンとの関係は、概して良好であったという。ミドハトがターイフに流された後、両者はイズミルで別々の家に住んだが、シェフリバンが亡くなると、遺されたアリ・ハイダル、ヴェスィメ、メスルレの兄妹はナイーメに引き取られ、「わが子のように」育てられた。アリ・ハイダルはミドハトの自伝に付した編注のなかで、養母ナイーメを「ミドハト・パシャのごとき実直にして献身的な人物の生涯の伴侶たるにあらゆる面でふさわしい」（アフメト・シェフィク・ミドハト 二〇二三：二四八）女性と称えている。

前出のミドハト・アクチトによれば、ナイーメとシェフリバンが初めて対面したとき、シェフリバンは腰をかがめてナイーメの手に表敬の口づけをしようとしたが、ナイーメは彼女を抱き起こし、両頬に口づけを交わしたという。古参のナイーメが新参のシェフリバンを対等な存在として迎え入れたことを示唆するエピソードではあるが、両者のあいだにかなりの年齢差があったこと、そして何よりシェフリバンが従婢の出であったことから、家政はおのずとナイーメが取りしきった（Davis 1986: 89–90）。以下に紹介する手紙のなかで、ナイーメがミドハトを「旦那様」や「あなた様」と呼びかけるのに対して、シェフリバンが「ご主人様（エフェンディム）」という言葉を選んでいることも、二人の妻のあいだに存在した暗黙の上下関係を物語っている。

3 公式ルートを通して交わされた手紙

ミドハト・パシャがアイドゥン州知事在任中に州都イズミルで逮捕され、ターイフに流されてからも、ナイーメとシェフリバンらはイズミルにとどまった。すでに結婚していた娘のメムドゥハのみ、夫ヴェフィクの赴任先のプレヴェザ（当時オスマン帝国領下にあったギリシア西部の港市）にいた。ミドハトの妹スッディーカや最も信頼されていた執事タイフルは、イスタンブルの本邸の留守を預かっていたようである。こうしてイズミルやイスタンブルにいた家族たちとミドハトとの手紙のやり取りは、二つの経路を通しておこなわれた。

一つは、メッカ太守として流刑囚の身柄を預かっていたアブドゥルムッタリブ（一七九四－一八八六年）の提案で設けられた公式ルートである。二〇世紀のオスマン史家イスマイル・ハック・ウズンチャルシュルによれば、ミドハトら流刑囚の手紙は、まずターイフ要塞の指揮官に差し出され、検閲を受け、写し二葉が作成された後、原本とともにメッカのヒジャーズ州政庁に送られた。そこでも検閲を受け、写し一葉が取り置かれた後、原本ともう一葉の写しがイスタンブルのユルドゥズ宮殿に送られた。ここで手紙の内容が適切と判断されれば、写しが宮廷に取り置かれ、原本が家族のもとに届けられた。不適切と判断されれば、原本も写しも宮廷に差し押さえられたという（Uzunçarşılı 1992: 178–179）。

したがって、伝存するユルドゥズ宮殿関連文書のなかに手紙の写しだけが残っていれば原本が家族に届き、原本と写しの両方が残っていれば家族に届かなかったと考えることができる。家族から流刑囚に宛てた手紙は、まず宮廷に差し出され、検閲を受けた後、以上とは逆の流れをたどってターイフに達したとみられる。ウズンチャルシュルは、こうしてミドハト、ナイーメ、シェフリバン、メムドゥハのあいだに交わされた計六通の手紙を紹介するが、それらの手紙の文面から、ほかにも手紙のやり取りがあったことがわかる。ターイフやメッカの現地当局によって握りつぶされたものも少なくなかったにちがいない。

さて、ミドハトがターイフに到着してから半月後のヒジュラ暦（イスラーム地域で用いられる太陰暦）一二九八年シャウワール月九日（西暦一八八一年九月四日）付で、早くもシェフリバンが手紙を送っている。この手紙のなかで、シェフリバンは種々の入用品を発送したことに触れつつ、夫の身を次のように案じている。

私めより謹んで申し上げます。日夜、真理者たるおかた〔神〕に向けて、ご主人様のことを天に祈り上げておりました。育て養い給うおかた〔神〕が、高貴なるあなた様のお身体を過ちや苦しみから遠ざけ、お守りくださいますように。あなた様のことをお祈りすることに忙しく、余事は私めの眼中にありません。私どもの身体に具合の悪いところはありません。アリ・〔ハイダル・〕ベイとヴェスィメとサービレ〔メスルレのこと〕は、神に讃えあれ、健やかに育っています。恩主様、ご署名入りで手ずからお書きになった高貴なるあなた様のお手紙を頂戴できれば、私めは新たな命を吹き込まれたようになりましょう（Uzunçarşılı 1992: 194）。

これは、シェフリバンから送られた現存する唯一の手紙である。ユルドゥズ宮殿関連文書には写しだけが残っているので、原本はミドハトのもとに達したと考えられる。彼女は読み書きを含む十分な教育を受けたといわれるが、その抒情的な文面からは年の離れた夫を日夜気遣うシェフリバンの憔悴ぶりがうかがえよう。

公式ルートでは二重三重の検閲がおこなわれたため、双方の手紙はしばしば行き違いになったり、不達に終わったりしたが、次に紹介するミドハトとナイーメとのやり取りは、そうした困難な状況下で意思疎通が成立したことがわかる数少ない事例として貴重である。まずはナイーメからミドハトに宛てて、ルーミー暦（オスマン帝国で財政年度に用いられたユリウス暦）一二九七年シュバト月一九日（一八八二年三月三日）付で手紙が送られた。その書き出しには、次のようにある。

わが恩主たる旦那様。幸運なるあなた様がイズミルをお発ちになってからも、こちらにとどまっています。神に讃えあれ、私ども一族郎党はみな無病息災にございます。アリ・ハイダル・ベイとヴェスィメ・ハヌムの教育としつけにも注意が払われています。アリ・〔ハイダル・〕ベイとサービレ・ハヌムとヴェスィメ・ハヌムが三人一緒になって撮ってもらった写真をお送りしました（Uzunçarşılı 1992: 180）。

ミドハトがイズミルで逮捕され、家族と別れてから一〇カ月ほどあとの日付をもつ手紙である。文面からは、ミドハト不在の一家をナイーメが懸命に差配する様子がうかがえる。実際、同じ手紙の後段では、所有する農園の管理や金銭の工面に不具合が生じていることに触れて夫に指示を仰いだり、同様に心配しているメムドゥハやスッディーカにも手紙を書いてやってほしいと気遣いを見せたりしている。

この手紙の日付から一カ月後のルーミー暦一二九八年マルト月二七日（一八八二年四月八日）付

【9－4】ナイーメへの手紙（1882年4月8日、Uzunçarşılı 1992: Lev. XII）

で、ミドハトからナイーメに返信があった【9－4】。冒頭には、ともに送られてきた入用品のことに触れつつ、次のようにある。

〔ルーミー暦〕一二九七年シュバト月一九日付のそなたからの手紙が届いた。箱のなかに詰めて寄こした品々も到着したため、州政府により検査を受けた後、私のもとに引き渡された。外出しないので、長靴やズボンのようなものは要らないが、タバコ、干しイチジク、ハンカチ、ズボン下、タオルのような品々は大いに必要なので、ありがたく思う。子供たちの写真を見た。少し痩せたようだが、背が伸びたのだろう。学校に通わせているのは、たいへん好ましく結構なことだ（Uzunçarşılı 1992:

182)。

イズミルを離れてから一一カ月が過ぎようとしていた。アリ・ハイダルは当時一〇歳、逮捕直前に生まれたサービレ〔メスルレ〕は一歳になるかならぬかのころである。写真にうつる子供たちの成長ぶりは、さぞかし時の流れの速さを感じさせたことだろう。史料の杜を歩いていると、このように史料と史料とがつながる瞬間、あるいは歴史の蹊同士が交わる瞬間に出会うことがある。それはまた、知られざる事実を解き明かす知的興奮の瞬間であり、史資料を残した人びとの喜怒哀楽に私たちが深く共感する瞬間でもある。

続いて、手紙はナイーメからの照会に答えて農園や財産に関する指示を与え、メムドゥハへの無沙汰を詫びた後、ターイフでの暮らしぶりを伝える。

私がイズミルを発ってからちょうど一年になるが、そのとき以来だれにも会わず、また、ターイフの兵営にいたまま一度も外出していないことは、たいへん辛く心苦しく思う。だが、真理者たるおかた〔神〕が精神的福音を通して〔その苦痛を〕和らげ、軽減なさるので、われわれ〔流刑囚〕は思ったほど困窮しているわけではない。神に讃えあれ、あらためてクルアーンを暗記しなおしたので、四―五日に一度は聖典を完誦し、また、聖なる癒し〔一三世紀の学者バイダーウィーの著書『クルアーン釈解』のこと〕、預言者伝、歴史などを熟読することにより、時は瞬く間に過ぎていく。心中はこうして広やかかつ穏やかであり、神に讃えあれ、体調も上々だ。もとより私には歯がなく、義歯もどれ一つとして合うものがないので、食事の点でたいへん難儀しており、それゆえにときどき胃を悪くしているが、それでも何とかしのいでいる。ときおりリウマチの痛みや風邪のような障りに見舞われるが、それも年のせいというものだろう（Uzunçarşılı 1992: 184）。

総入れ歯だったミドハトは、次節で取り上げる秘密ルートの手紙でも食事の苦労に再三触れており、新しい義歯を作らせるために必要な天然ゴムを送ってほしいと頼んでいるほどである（アフメト・シェフィク・ミドハト 二〇一三：二四七、二四九、二六〇）。

この手紙で興味深いのは、ミドハトが末娘について「サービレという名は誕生した年にあたるので選ばれたが、変えたほうがよいだろう」（Uzunçarşılı 1992: 184）と提案していることである。中東地域には文字ごとに特定の数価を割り当てるアブジャドと呼ばれる換算法があり、命名や占いなどに利用された。たとえば、サービレ（Sâbire/صابره）という語を構成する五つのアラビア文字に対応するアブジャドの数価は、ص（サード）が九〇、ا（アリフ）が一、ب（バー）が二、ر（ラー）が二〇〇、ه（ハー）が五であり、すべて足し合わせると二九八になる。これは、当人の生年たるヒジュラ暦一二九八年の下三桁に一致する。つまり、「忍耐強い女性」を意味するサービレという名は、アブジャドの数価を足し合わせて生年の下三桁になる文字列で構成された言葉のなかから選ばれたものなのである。ところが、この年は当人の父ミドハトが逮捕され、流刑に処された不穏な年でもあったため、あらためて「喜びにあふれた女性」を意味するメスルレ（Mesrûre）と名づけられたのであった（Uzunçarşılı 1992: 184, n. 2）。

なお、この手紙は原本がユルドゥズ宮殿関連文書のなかに残っているため、宮廷で差し押さえられ、家族のもとには届かなかったようである（Uzunçarşılı 1992: 182, n. 1）。おそらく、要塞内で流刑囚が不当に監禁されていることを示唆するくだりに不都合があると判断されたのだろう。だが、実際に末娘の改名がおこなわれていることから、この指示は次節で紹介する秘密ルートを用いた別便を通して家族に達したとみられる。ただし、残された手紙のやり取りから、ミドハトが末娘の新たな名を知ったのは落命直前だったことがわかる。「メスルレ」となった末娘と再会する機会が、ついにめぐってこなかったことはいうまでもない。

4　秘密ルートを通して送られた手紙

ミドハト・パシャがターイフから送った手紙のなかには、前節で紹介した公式ルートを用いたもののほかに、「紐（カイタン）」と呼ばれる数人の協力者を介して秘密裏に届けられたものがあり、その一部が自伝の第一巻『訓戒』に収載されている。アリ・ハイダルが付した編注によれば、流刑囚の手紙は、まずターイフの要塞内で医師トラブゾンル・サーリフや中隊長キュタヒヤル・アブデュルカーディルといった「紐」に託された。彼らによって要塞外に持ち出された手紙は、ヒジャーズ州の文書課長補佐アリ・ヴァスフィを介してメッカ在住の商人モースルル・ハサンに渡り、そこからイズミルに向けて送られたという（アフメト・シェフィク・ミドハト　二〇二三：二四一―二四二、二六三―二六四）。

このようにして送られた手紙には、流刑囚の暮らしぶりが詳細に綴られているほか、政治向きの話題が取り上げられることもあった。罪人とはいえ、一定の制約下で身体の自由を保障されていたはずの流刑囚が、要塞内の一角に禁錮同然のやり方で勾留され、外部との連絡を禁じられ、虐待や拷問を受けること自体が、尋常ならざる事態であった。こうした状況をリアルタイムで伝える秘密ルートの手紙は、ミドハトらが置かれた苦境を知る上で貴重な史料となっている。

『訓戒』には、秘密ルートを通して家族に届いた計七通の手紙が収載されているが、最も早い日付をもつ手紙は、ナイーメとシェフリバンの両人に宛てて送られたヒジュラ暦一二九八年ズー・アルヒッジャ月五日（一八八一年一〇月二九日）付のものである。自伝の編者アリ・ハイダルによれば、これは「配所〔ターイフ〕から初めて得られた手紙である」（アフメト・シェフィク・ミドハト　二〇二三：二四二―二四八）という。

この手紙の前半ではイズミルで逮捕されてからターイフに流されるまでの経緯が詳述され、後半では流刑生活の様子が綴られている。とくに前半部分には、ユルドゥズ裁判の判決を不服とし、「根も葉もないこと」あるいは「でっち上げられたもの」などと非難する記述が見える（アフメト・シェフィク・ミドハト　二〇二三：二四三）。ユルドゥズ裁判では、アブデュルアズィズ帝が退位直後の一八七六年六月初旬に急死した事件をめぐり、それが自身の手によるものか、それとも他者の手によるものかが最大の争点となった。結局、他殺説の線に沿って判決が下され、ミドハトらは廃帝弑逆を画策した罪で流刑に処された。事件の真相は今なお不明であるが、いずれにせよ公式ルートの手紙に記せるたぐいの話題ではない。

この手紙のあと、しばらくはメッカ太守アブドゥルムッタリブが設けた公式ルートでのやり取りが続くが、一八八二年の後半から秘密ルートが頻用されるようになる。ミドハトからナイーメに宛てて送られたヒジュラ暦一三〇〇年ムハッラム月五日（一八八二年一一月一六日）付の手紙には、同年八月末にアブドゥルムッタリブが謀叛の嫌疑で逮捕されたため、公式ルートが閉ざされてしまったが、「良心と憐憫の情の持ち主を一人見つけたので、〔その人物に託して〕急ぎ報せるべくこの手紙をしたためた」（アフメト・シェフィク・ミドハト 二〇二三：二五二）とあり、このころから秘密ルートに切り替えたことがわかる。試みに公式ルートと秘密ルートの手紙のうち伝存するものを時系列に沿って並べてみると、たしかに八二年の前半までは公式ルートの手紙が多くを占め、その後はすべて秘密ルートの手紙が占めている【9－5】。

さて、同じ手紙は、要塞守備隊の少将オメル・パシャや少佐ベキル・エフェンディが虐待の度を強め、毒殺の危険さえあることを伝えているが、一八八四年五月に入り、ついに大佐メフメト・リュトフィー・ベイが二度にわたりミドハトの殺害を企てた。一度目の試みはミドハトの下男アーリフの機転により未遂に終わったが、いよいよ死期が近いことを悟ったミドハトらは、家

【9－5】現存する手紙の時系列

※ Uzunçarşılı（1992）とアフメト・シェフィク・ミドハト（2023）をもとに筆者作成。右列の秘密ルートの手紙の送り手は、すべてミドハト・パシャである。

公式ルート	秘密ルート
①1881年9月4日付 シェフリバンからミドハトへ	①1881年10月29日付 ナイーメとシェフリバンへ（ターイフから届いた最初の手紙）
②1882年2月10日付 ミドハトからナイーメへ ③1882年3月3日付 ナイーメからミドハトへ ④1882年3月16日付 ナイーメからミドハトへ ⑤1882年3月19日付 メムドゥハからミドハトへ ⑥1882年4月8日付 ミドハトからナイーメへ	②1882年9月6日付 ナイーメとシェフリバンへ ③1882年9月13日付 ナイーメとシェフリバンへ ④1882年11月16日付 ナイーメへ
	⑤1883年1月3日付 ナイーメとシェフリバンへ
	⑥1884年4月5日付 ナイーメとシェフリバンへ ⑦1884年5月6日付 家族一同へ（最後の手紙）

族に宛てて急ぎ手紙を書き送ることにした。こうしてしたためられたとされるのが、落命の前日にあたるヒジュラ暦一三〇一年ラジャブ月一〇日（一八八四年五月六日）付の手紙である。

ナイーメ、シェフリバン、メムドゥハ、アリ・ハイダル、ヴェスィメ、メスルレ（サービレではないことに注意）に宛てて記されたこの手紙は、これが「おそらく最後の手紙になるだろう」（アフメト・シェフィク・ミドハト　二〇二三：二六〇）との悲壮な言葉で始まり、「この手紙が届く前に、そなたらは私の訃報を受け取ることになるだろう」（アフメト・シェフィク・ミドハト　二〇二三：二六二）として最期のときが目前に迫っていることを示唆しつつ、家族に別れを告げる内容になっている。『訓戒』に付されたアリ・ハイダルの解説によれば、この手紙をしたためた翌日の夜半、大佐メフメト・リュトフィー・ベイが二度目の実力行使を試み、ミドハトは居房に闖入した兵士たちによって扼殺された（アフメト・シェフィク・ミドハト　二〇二三：二八〇）。イズミルで家族と別れ、ターイフに流されてから三年目、六一歳の春のことであった。

ところで、ミドハトはこの「最後の手紙」とは別に正式な遺言状を残している。日付は記されていないが、文中に見える末娘の名がサービレとなっていることから、少なくとも「最後の手紙」をしたためる前に作成されたことがわかる。一九〇八年の青年トルコ人革命後に小冊子として公刊されたこの遺言状の冒頭で、ミドハトは一族のうちおもだった成人女性に向けて、幼い子供や孫たちの世話を託している。

さて、親愛にして清浄なるわが妻たちナイーメ・ハヌムとシェフリバン・ハヌム、わが娘メムドゥハ・ハヌム、わが妹スッディーカ・ハヌムよ。そなたらおよびわが子供たちアリ・ハイダルとヴェスィメとサービレ、わが孫たち〔メムドゥハの子供たち〕ケマルとミュケッレムを、みな真理者たるおかた〔神〕のご加護に委ねるとともに、幼子たちの養育をそなたらの絶えざる慈愛と尽力に任せることにする（『遺言状』一六頁）。

続いて、イズミルで不要になった家財や家畜を処分し、従婢や従僕に暇をやること、イスタンブルに引き上げて余人を交えず静穏に暮らすことなどを指示した後、子や孫の養育に話題を戻し、とくに長男アリ・ハイダルには商人の道を歩ませ、「決して官公庁に出仕させてはならない」（『遺言状』一七頁）と厳命する。アリ・ハイダルはこの言いつけを守り、青年トルコ人革命後に一時、代議院（下院）議員を務めはしたものの、一九二三年のトルコ共和国成立後はいっさい公職に就くことがなかった（Mithat 1947）。

遺言状は、財産の管理や遺産の分配についても詳細な指示を与え、親類縁者はもとより従婢や従僕の名まで一人ひとり挙げながら、各自の取り分をていねいに確認している。こうして分配したあとに余った金銭があれば、セラーニキ州、シリア州、バグダード州、アイドゥン州など、かつて知事を務めた諸州の善導院（ウスラーフハーネ）に寄付してほしいと指示している点は、いかにも地方統治に注力したミドハトらしい計らいである（『遺言状』二一頁）。善導院とは孤児の保護、養育、授産を目的として設けられた寄宿学校のことであるが、これは若き日のミドハトがニシュ州の総督に抜擢され、地方統治の大舞台に初めて立ったときに考案して好評を博した施設であった。それだけに、当人にとってはひときわ忘れがたく、思い入れの深い改革実践の所産だったにちがいない。

本章では、家族とのあいだに交わされた手紙の杜をかき分けながら、私人としてのミドハトが残した蹊をたどってきたが、遺言状からうかがえるのは、もはや公私の別を超えて、次代を担うオスマン帝国の子供たちに有形無形の遺産を託そうとする、ミドハトの高いこころざしであった。史料の杜を抜けて目に飛び込む景色は、ときに当初の予想を上回る美しさや爽快さを湛えていることがある。こうした眼福を得ることも、史資料を手に取り、読み、考え、感じること、すなわち史資料体験の醍醐味の一つといえよう。

参照文献

史資料

『訓戒』：'Alî Haydar Midhat ed.（1325a）*Midhat Paşa: Tabsıra-i 'İbret*. İstanbul: Hilâl Matba'ası.（アリ・ハイダル・ミドハト編『ミドハト・パシャ――訓戒』）
『驚異の鏡鑑』：'Alî Haydar Midhat ed.（1325b）*Midhat Paşa: Mir'ât-ı Hayret*. İstanbul: Hilâl Matba'ası.（アリ・ハイダル・ミドハト編『ミドハト・パシャ――驚異の鏡鑑』）
『遺言状』：Mehmed Rüşdî ed.（1325）*Midhat Paşa'nın Vasiyyetnâmesi ve Şahâdeti*. Der-sa'âdet [İstanbul]: Matba'a-i Kader.（メフメト・ルシュテュ編『ミドハト・パシャの遺言状と証言』）

研究文献

アフメト・シェフィク・ミドハト（二〇二三）『ミドハト・パシャ自伝――近代オスマン帝国改革実録』（アリ・ハイダル・ミドハト編、佐々木紳訳）東京大学出版会。

佐々木紳（二〇一八）「岐路に立つタンズィマート」小松久男編『一八六一年――改革と試練の時代』（歴史の転換期9）山川出版社、七四―一一七頁。

――（二〇二二）「近代オスマン帝国の改革実践者」村田雄二郎ほか『アジアのかたちの完成』（アジア人物史8）集英社、五一〇―五六八頁。

Davis, Fanny (1986) *The Ottoman Lady: A Social History from 1718 to 1918*. Westport: Greenwood Press.

Duben, Alan and Cem Behar (1991) *Istanbul Households: Marriage, Family and Fertility, 1880-1940*. Cambridge: Cambridge University Press.

Korkmaz, Adem (2019) *Midhat Paşa: İdari ve Siyasi Faaliyetleri*. Ankara: Türk Tarih Kurumu.（コルクマズ『ミドハト・パシャ――行政官と政治家としての活動』）

Mithat, Ali Haydar (1947) *Hâtıralarım 1872-1946*. İstanbul: Akçit Yayını.（アリ・ハイダル・ミドハト『わが回想、一八七二―一九四六年』）

Uzunçarşılı, İsmail Hakkı (1992) *Midhat Paşa ve Tâif Mahkûmları*. 3rd ed. Ankara: Türk Tarih Kurumu. [1st ed. 1950]（ウズンチャルシュル『ミドハト・パシャとターイフの拘囚たち』）

第一〇章　中央ユーラシアの新聞・雑誌史料

――時代の思潮を読む

小松久男

1　史料を求めて

一九七八年一一月から一年、博士課程の学生だった私はトルコのアンカラ大学言語・歴史・地理学部に留学した。私の研究分野は中央アジア、より具体的に言えば帝政ロシア支配下のトルキスタンの近代史で、ロシアが一九世紀後半にこの地域を征服してから一九一七年のロシア革命を経て新たな体制が成立するまでの激動の時代、この地域のムスリム（イスラーム教徒）知識人はどのような思想を育み、活動したのかに主な関心があった。ただし、当時の日本に関連史料はなきに等しく、まずは史料を入手することが第一の課題であった。留学先はなぜ中央アジアではなくトルコだったのか、と言えば、当時はまだソ連が健在であり、ソ連中央アジアに留学することは容易ではなく、たとえ行けたにしても、私の研究テーマは当時のソ連史学が是認するものではなかったので、あるはずの史料を閲覧する可能性がないことは自明であった。こうした史料の公開が始まるのはペレストロイカ期の一九八〇年代末からのことである。なお、本稿でいう中央ユーラシアとは、中央アジアにヴォルガ・ウラル地方やコーカサスを加えた、より広域のムスリム地域をさしている。

そこでトルコを留学先に選んだのには二つの理由があった。一つは、トルコ語はウズベク語やタタール語など中央ユーラシアの言語と同じくテュルク諸語に属しているので、トルコ語、さらに一九二八年以前はアラビア文字で表記されていたトルコ語、すなわちオスマン語の読解力を鍛えておけば、いずれテュルク諸語の史料を読むうえで役に立つにちがいないと考えたからである。ここで「いずれ」と書いたが、当時の私はソ連という大国がそれから一〇年あまりで解体するとは思ってもいなかった。もう一つの理由は、近代の中央アジアとオスマン帝国との間にはさまざまな交流があり、とりわけロシア革命後は中央アジアからオスマン帝国へ多くの人々が亡命したことから、トルコには貴重な史料が存在している可能性が高いと考えたからである。

この予想はまちがっていなかったようである。たとえば、学部のすぐそばには建国の父アタテュルクの創設したトルコ歴史協会があり、その図書館には革命前のロシアで刊行された中央アジア関係の書籍が少なからず所蔵されていた。中でも興味深かったのは、日露戦争の失敗で帝政が揺らいでいた一九〇六年にロシア領内のムスリム知識人有志がヴォルガ川上流のニージニ・ノヴゴロドで開催した第三回ロシア・ムスリム大会の議事録（カザン、一九〇六年）である。この大会は、立憲君主制、男女や宗教、民族の別なく法の前の平等、出版・集会・信教の自由、宗教・文化的な自治などを求めるムスリム連盟の綱領を採択した重要な大会であり、その議事録は同時代の政治・社会運動を理解するには不可欠の一次史料であった。これは是非とも持ち帰らねばと思ったが、一枚五リラのコピー料金は貧乏学生には高すぎた。五リラは一日分のパン代に相当したからである。そこで、ノートに全文書き取る作業を始めることになった。これは新しい奨学金が届くまで続いたが、アラビア文字表記のトルコ語に慣れるにはとても役に立ったと思う。ここの蔵書の中には、自身もロシア出身のタタール人でトルコ歴史協会の初代会長を務めたユースフ・アクチュラの自署が記されたものもあり、歴史を実感する機会にも恵まれた。

図書館での作業が終わると、アンカラの中心街クズライにあるトゥルハン書店によく通った。新刊書と古本の両方を扱う店主のトゥルハンは教養あふれる人物で、夕刻ともなるとアンカラ大学のなじみの教授たちがやって来て、店はさながら文化サロンの趣を呈していた。トゥルハンはトルコ語の未熟な私にも声をかけ、話し相手になってくれた。彼の明快なトルコ語のおかげで私の会話が上達したのはまちがいない。ある日来店すると、床に一山の古本が積んであった。手に取ってみると、ロシア東洋学の泰斗V・V・バルトリドの著作のほか、コミンテルンが一九二〇年九月に中央アジアやイラン、トルコ、コーカサス、インドなどの民族・革命運動の活動家をアゼルバイジャンのバクーに集めて開催した東方諸民族大会の議事録（ペトログラード、一九二〇年）など、見事なコレクションであることがわかった。このときに買い求めた貴重書は今も私の本棚にある。トゥルハンは、このコレクションの持ち主の名前を言わなかったが、本に記された自署からは、故A・N・クラト教授の蔵書とわかった。彼もロシア出身のタタール人で、一九二〇年代にソヴィエト政権下のロシアを離れ、トルコで学者としての地位を確立した碩学である。

図書館や書店とならんでアンカラでの史料収集でお世話になったのは、ロシアや中央アジアからの亡命・移住者の方々である。これには奇縁もあった。あるときアンカラ大学のテュルク学の先生の研究室で『ソヴィエト・タタルスタン――レーニンの民族政策の理論と実際』というロシア語の本を見た私は、その著者タムルベク・デヴレトシン氏と文通を始めた。タタール人の氏は名門カザン大学で民法の教授職にあったが、第二次世界大戦中の前線でドイツ軍の捕虜となり、戦後はソ連に帰らずドイツのミュンヘンで研究活動をされていた。氏がアンカラにいるならば是非会うようにと紹介してくださったのが、やはりタタール人のマフムト・ターヒル氏である。氏は満洲のハルビンに生まれ、中国革命後トルコに帰化して水利技師として働くかたわら、在外タタール人の文化活動、とりわけソ連外の各国に散在するアラビア文字タタール語文献の収集とカタログ化に尽力されていた。私家版の労作『アラビア文字表記によるタタール語文献目録』（アンカラ、一九七六年）は、駒込の東洋文庫にも寄贈してくださっている。

交流を重ねるうちに、蔵書家のターヒル氏はいくつもの貴重な文献を貸与してくださった。なかでも印象深いのは父親譲りの本だという、一九世紀のウラマー（イスラームの学識者）・歴史家メルジャーニーの筆になる『カザンとブルガールに関する情報の集成』（全二巻、カザン、一八八五―一九〇〇年）という歴史書である。それまで名前しか知らなかった名著にふれたときは、本当にうれしかったことを覚えている。しかも、カザン、ハルビン、アンカラとユーラシアを巡ってきた原書である。帰国後に腰を据えて読んでみると、これがどれほど重要な史料であるかが理解できた。本書はヴォルガ・ウラル地方のタタール人の民族史と言えるが、第二巻に見えるウラマー列伝からは、一六世紀以来ロシアの統治下にあったタタール人の間から一八世紀末―一九世紀半ばにかけて、中央アジアにおけるイスラーム教学の中心都市ブハラへの留学が盛んに行われたこと、そして大草原を越える隊商とともに往還した留学生の教育活動は、タタール人の文化的な復興ひいては民族的な覚醒をもたらしたことがわかったからである。この史料による研究成果は、一九八一年九月アンカラで開かれた第九回トルコ歴史学大会で報告し、後に論文（小松 一九八三）にまとめることができた。ターヒル氏からはこれ以外にも数々の史料を貸与していただいたが、こうした厚情のこもった史料は忘れることができず、これを読めば新しいことが書けるだろうという意味で、その後も私の研究意欲を支える源となった。

2　雑誌『シューラー』の収集と研究

私が研究を始めたころ、中央アジア近現代史の研究ではソ連を除くとフランスの研究者が先導的な役割を果たしていた。なかでも素晴らしいと思ったのはベニグセンとレメルシエ・ケルケジェの研究書（Bennigsen et Lemercier-Quelquejay 1964）である。これは一九二〇年以前にロシア・ムスリム地域で発行された新聞・雑誌を網羅的に解説し、そのソ連以外での所在状況も記した画

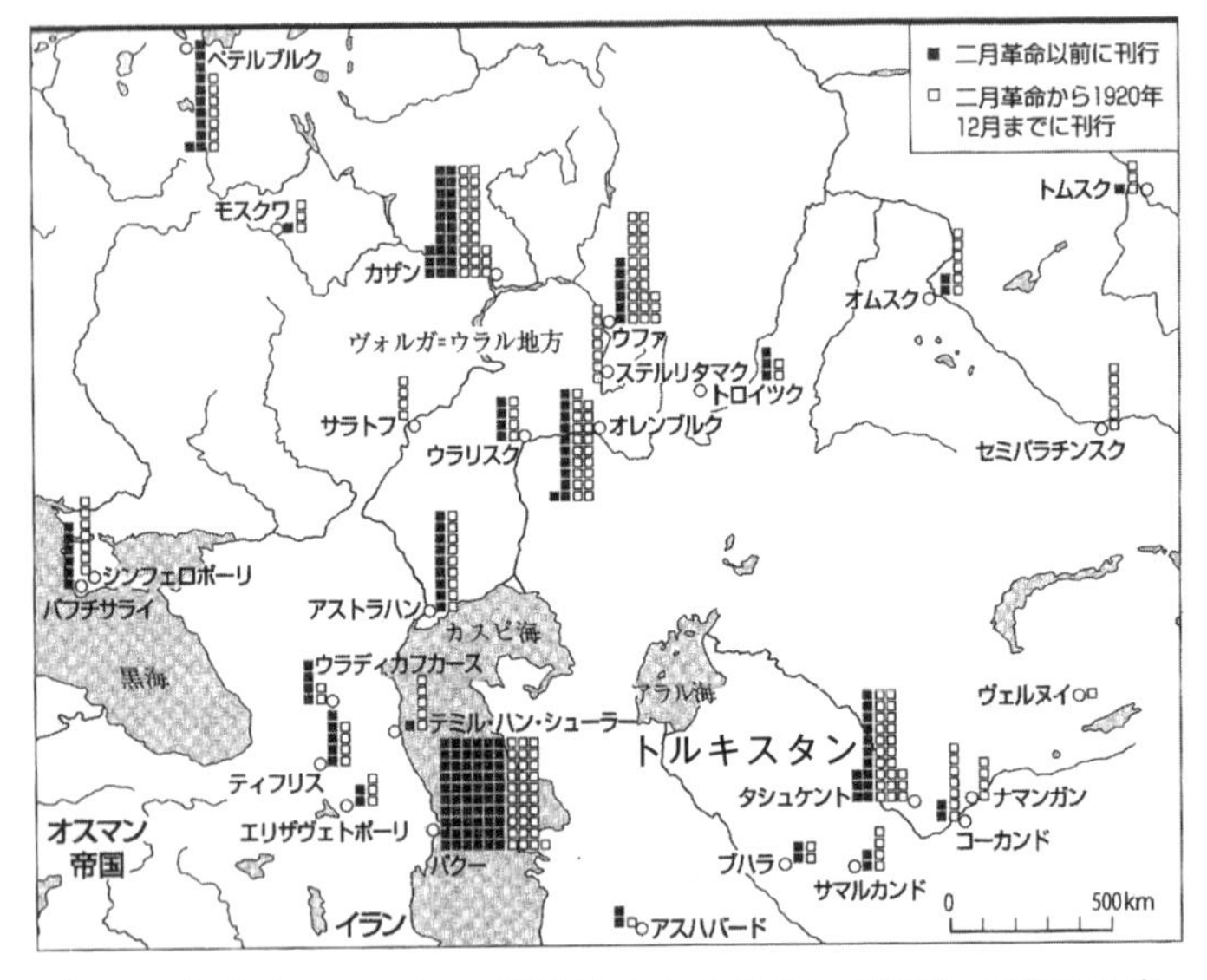

【10－1】中央ユーラシアで刊行されたムスリムの新聞・雑誌の分布
（Bennigsen et Lemercier-Quelquejay 1964: 216-217をもとに作成）

期的な研究である。これらの定期刊行物は当時のソ連では「ブルジョワ民族主義」「汎イスラーム主義」「汎トルコ主義」などの烙印をおされ、閲覧は忌避されていたが、西側では貴重な一次史料として評価されていた。しかし、これらは世界の各地に分散して所蔵されており、全巻・全号そろっているものはわずかにすぎなかった。それでも、ムスリム知識人の活動に関心をもっていた私にとって、これらの定期刊行物は垂涎の史料であった。そこで、一九八〇年代にふたたびトルコで研修が許されたのを機会に、その収集に努めることにした【10－1】。

最初の目標にしたのは、上記の研

究からトルコに多数所蔵されていることがわかった雑誌『シューラー（協議）』である。この雑誌は、オレンブルクで一九〇八－一九一八年の間、一五日に一度途切れることなく刊行され、ロシア・ムスリム地域の定期刊行物としては長寿を保ったグループに属する。言語はテュルク語と称しているが、実際にはオスマン語からヴォルガ・ウラル地方の口語タタール語に近いものまで多様な文章語が許容されていた。もっともアラビア文字で表記すると母音の細かな違いは隠れてしまうので、当時の教養人にはあまり苦労することなく読めたことだろう。本誌は、ロシア・ムスリム地域の全域さらには東トルキスタン（新疆）からも学術、文学、歴史、社会に関する論説の投稿を受付け、テュルク語圏のムスリム知識人のフォーラムの役割を果たしていた。帝政統治下であるため、政治的な発言は控えられたが、彼らは自分たちの社会の直面する諸問題について闊達な議論を展開している

مشهور آدملر واولوغ حادثه‌لر

سلیم‌گری مفتی توکیلوف

وفات بولووینه اوشبو ۱۹۱۵ نچی یل ۲ نچی غنوارده ۳۰ یل طولوب اوتدی. شول مناسبت برله «آثار»ده یازلغان ترجمهٔ حالینك، بر قسمی اوشبو اورنغه کوچرله‌در.

سلیم‌گری مفتی‌نك آتاسی شاهین‌گری بن یوسف بن قوتلوغ محمد بن مه‌مش بن دولت محمد بن اورازمحمد بن اورازعلی بن توکیل‌در.

انسابی: ویلیامینوف ـ زیرانوفنگ قاسم پادشاهلری وشاهزاده‌لری حقنده یازغان کتابنده سویله‌وینه کوره توکیلوف فامیلیه‌سینك شجره‌سی مشهور پوغاچوف واقعه‌سنده تلف بولمشدر. اوزلری، فامیلیه‌لرینی اوشبو یرده یازلغان روشده ترتیب ایتوب اورازلی (اورازعلی)گه طوتاشدره‌لر. صوکغی رسمی کاغدلر هم شوشی روشده یازلادر. قایسی اورودادن کیلگانلکلری و قایسی وقتلرده روسیه تبعه‌سی بولغانلقلری حقنده معلومات تابلمادی. اوشبو فامیلیه‌نگ بتونسی بولماسه‌ده کوبره‌گی، شاهقول فامیلیه‌سی قیلندن «قاسم» شهرنده طورمشلردر (۱).

توکیل: توزکیچه بولغان «کیل» برله «تو» (ته‌و) سوزلرندن مرکب بر جمله‌در. «کیل»، «کیلدی» سوزندن قسقارتلوب «تو» اول، برنچی مرتبه والك معنالرنده مستعملدر.

(۱) ویلیامینوف ـ زیرانوف. ج ۱ بیت ٦٤.

۱۸۹۱ نچی یل «اوفا»گه بارغانمزده «تو» (ته‌و) سوزینی برنچی دفعه ایشتدم (۱). توکیل، ظن ایتولکانگه کوره «قاسم» شهرنده حکومت سوروچی اورازمحمد آتاسی بولغان «اوندن» (اونده‌ن) طوغانی «توکای»‌در. (توکای برله توکیل برکشی بولالر). اوندن برله توکای‌نگ آتالری شغای خان ایدی.

توکیل اسمی ۱۰۰٦ هجری‌گه مصادف بولغان ۱۵۹۷-۱۵۹۸ میلادی یللرده ذکر قیلنه‌در. بو آدم اوزینه خان عنوانی بیروب «بخارا» خانی بولغان عبدالله برله صوغشدی وکوب عسکر جیوب «تاشکند»گه هجوم ایتدی. بخاراده بولغان عبدالمؤمن خان ابن عبدالله خانه اولدرلگان وقتده توکیل بخاراغه هجوم ایتوب شول وقتده بخاراده خالق ایتوجی پیرمحمد برله صوغشدی و مغلوب بولوب قایتوب بارغان وقتده «تاشکند» شهرنده وفات ایتدی. مؤرخلر، مونی قازاق خانلرندن صانیلر. توکیلوف فامیلیه‌سی اوشبو آدمگه منسوب بولسه کیره‌ك. فقط توکیل برله اورازعلی آراسنده دخی‌ده بابالر بارمی؟ بولسه‌لر اسملری نیچوك ایدی؟ بو طوغروده معلومات تابلمادی.

قوتلوغ محمد میرزا ممش اوغلی (روسچه اسمی آلیکسی ایوانوویچ)، ایمپراطور پیتر ویلیکی زماننده حکومتنگ باشرون

(۱) خیرالله آخوند هر وقت: «مین. مچکاره‌گه تو بارغان وقتده، اوفاگه توکیلگان چاقمده» دیب سویلیدر ایدی. بو سوزنی باشقه کشیلردن‌ده ایشتدم. «کیلدی» سوزینی اسملردن جز ایشو «اوفا» اطرافنده بیك شایعدر. بای کیلدی، قوناق کیلدی، قوتلی کیلدی، کیلدی بار وغیرلر.

【10－2】『シューラー』誌の題字

─2】。

さて、『シューラー』の収集では前記のトルコ歴史協会の図書館が大きな頼りになった。初期の四年分はほぼ完全にそろっていたからである。一九一一年分の一部はヘルシンキ大学図書館から入手した。フィンランドは帝政ロシア支配下に入って以来、ロシア皇帝がその大公を兼ねていたため、帝国内で刊行された書籍はヘルシンキの図書館にも収めることになっていた。その結果、この図書館はソ連時代も西側に開かれたロシア帝国刊行物の貴重な宝庫であった。さらにターヒル氏の紹介でアンカラ大学のアフメト・テミル教授から個人所有の数号を拝借することができた。テミル教授もロシア生まれのタタール人で、一九二〇年代末にソ連からトルコに亡命し、戦時中のベルリンで言語学の博士号を取得した後、トルコに戻って大学教授になったという経歴の持ち主である。以上に加えてお世話になったのは、イスタンブル大学付属のテュルク学研究所である。

　この研究所は、オスマン帝国時代のマドラサ（イスラーム高等学院）の建物を利用していたが、その蔵書の来歴も興味深い。それは一九一四年、第一次世界大戦の直前に購入されたロシアの東洋学者N・カタノフの蔵書約五〇〇〇冊が核となっている。カタノフはシベリアの少数民族ハカスの出身で、ロシアで刊行されたテュルク学や中央アジア関係文献の蔵書家としても知られていた。この蔵書の豊かさは圧倒的だった。自分の専門に近いところで、これほどの質と量を誇る図書館は見たことがなかったからである。図書はすべて開架で自由に手に取って見ることができた。まさに宝の山である。探していた『シューラー』の後半期分もかなりそろっていた。閲覧に来る者は少なく、何回か通ううちに司書のギュルブズ・ハヌムとはすっかり懇意になった。そこで、特別に許可を得て数号ずつ外に持ち出してはコピーして返却するという作業が始まった。ところが、こうした持ち出しがやがて上司の知るところとなったらしい。ある日のこと、上司とおぼしき人物からこの件を直接尋ねられることになった。私はむずかしい立場に立たされたが、ギュルブズ・ハヌムが助け船を出してくれた。この日本人はうちに欠けている号のコピーを寄贈してくれている、と。ありがたいことに、これで事は一件落着となった。

こうした作業の結果、一九八四年の時点ではほぼ全号に近いコレクションをコピーでそろえることができた。これをもとに、同年の東洋史研究会（京都大学文学部）で「雑誌『シューラー』（一九〇八―一九一八）について――ロシア・ムスリム近代史に関する一史料」と題する報告を行い、その史料的な価値を指摘する機会をえた。その後は本誌を精読するはずだったが、他の仕事に追われて本誌の研究はしばらく中断することになった。

その間に世界では巨大な変化が起こっていた。ペレストロイカに続く一九九一年のソ連の解体である。ウズベキスタンやカザフスタンなど中央アジア諸国は独立を果たし、旧ソ連の各地で近現代史の見直し、換言すればマルクス・レーニン主義に基づくソ連史学との決別が進んだ。研究環境も激変し、外国の研究者も各国の文書館でアルヒーフ（歴史的な公文書）を閲覧することができるようになった。『シューラー』などの定期刊行物の利用も自由となり、おもな新聞・雑誌はマイクロフィルムで流通するようになった。さらにデジタル技術の進展によって、史料の媒体は手間のかかるマイクロフィルムからCDへと移行した。二〇〇〇年代に入ってCD版の『シューラー』を見たときには、アンカラやイスタンブルでの作業を思い出して感慨にとらわれたものである。ただし、CD版も完全ではなく、その欠号は手持ちのコピーで補って私家版のCDを作ることができた。もっとも、大学の退職にともない、かつてトゥルハンの協力を得て製本した、何巻にも及ぶ『シューラー』のコピー版は手放さざるをえなかった。わが家にはこれを置くスペースがなかったからである。そして何十枚ものCDの情報は、いまや小さなUSB一本に収まっている。

『シューラー』に回帰したのは、ここ数年のことである。読んでいくとさまざまなテーマが浮かび上がってくるが、ここではサルトという民族名称の是非をめぐる議論を紹介しておこう。一九世紀末に中央アジアの南部地域を征服したロシアは、このトルキスタンに住むテュルク系の定住民をサルトと呼んだ。しかし、トルキスタンのムスリム知識人の間に民族的な覚醒が進むとともに、この名称に対する反発が生まれるようになった。彼らは、ロシア人やタタール人、とりわけ北部の草原で遊牧生活を送るカザフ人が用いるサルトという名称には侮蔑的な意味が込められていると指摘し、自分たちはサルトではなく、テュルク、ウズベク、あるいはトルキスタン人でありこうした正しい呼称で呼ばれるべきだと主張したのである。サマルカンドの改革主義者ベフブーディーらが、一九一一年から『シューラー』誌上でサルトの不当性を訴えると、編集部はこの問題提起を受けて、読者に多様な意見の投稿をよびかけた。これに対して、トルキスタン各地からはもとより、クリミアやモスクワ、オレンブルクなどに住むムスリム知識人からも少なからぬ意見が寄せられた。中にはサルトというタームの語源と歴史的な用法に照らして、本来侮蔑的な意味はないとする意見もあったが、編集部はベフブーディーらの主張を是とした。しかし、この議論が一九一三年からトルキスタン現地の定期刊行物に移ると、形勢は逆転する。とりわけロシア当局の管理下にあった『トルキスタン地方新聞』は、こうした問題提起は社会の秩序を乱し、民族の別を問わないイスラームの教義にも反するとしてベフブーディーらの議論を封殺したのである。ときはちょうど第一次世界大戦の前夜であり、ロシア当局が中央アジアにおける民族主義の動向を警戒していたことは想像に難くない（小松 二〇二二）。

しかし、サルト論争はトルキスタンの歴史への関心を高める契機となり、初等教育の充実のために民族史の教科書を作成するべきという論調を生み出したことも注目に値する。たとえば、サルト論争でも論陣を張ったサマルカンドの知識人ハジ・ムイーンは、雑誌『アーイナ（鏡）』でこう書いている。

> 民族史についてはわがタタール人の兄弟たちが取り組んで第一歩をしるした。われわれが民族史を知ろうと第一歩を踏み出す時はいまだ来たらずとはいえ、少なくともこの道を歩むための準備を整えなければならない。もしわれわれトルキスタン人がまさに今日からわれらが民族史の重要性を認め、研究と探求に取り組むならば、やがて立派な著作が現れることだろう。

そのときわれわれもはれて自分たちの民族史を初等、中等学校の生徒たちに教えることができるのだ（Hājī Muʿīn 1915: 258–259）。

このようにいくつもの新聞・雑誌を組み合わせて読んでゆくと、同時代の思潮や空気、さらには対立や矛盾を含んだ社会の様相がみえてくる。ここに新聞・雑誌史料の有効性がある。

3 『モッラー・ナスレッディン』誌の風刺画

この間、さまざまな新聞・雑誌と出会うことになったが、その中でも印象深いのが『モッラー・ナスレッディン』誌である。これは一九〇六年からロシア革命期にかけて南コーカサスのティフリス（現ジョージアの首都トビリシ）で刊行されたテュルク語（アゼルバイジャン語）の週刊雑誌で、本文の記事に加えて多彩な風刺画をしばしばカラー版で掲載したことで知られている。識字率がまだ低い環境にあって、当意即妙の風刺画は文章によらずに人々にメッセージを伝えることができた。誌名のモッラー・ナスレッディンは、西アジアから中央アジアに及ぶテュルク語・ペルシア語圏で古くから頓知や滑稽話の主人公として有名なキャラクターである。和訳すれば「ナスレッディン和尚」、トルコ語ではナスレッディン・ホジャといい、この説話集には護雅夫の名訳（護 一九六五）がある。さて、本誌は革新派の作家ジェリル・メンメトグルザーデらによって創刊され、風刺画の作成はティフリスの美術学校で教師をしていたドイツ人画家が担当した。宗教や民族の別を越えた協力関係の下で発行された本誌は、旺盛な批判精神を発揮し、そのためしばしば当局の検閲による削除を余儀なくされながら、ロシア・ムスリム地域のみならず、南接するイランやオスマン帝国でも広く読まれていた。幸いにして本誌の初期の号（一九〇六－一九〇七年）は東京外国語大学アジア・アフリカ言語文化研究所に所蔵されている。二〇世紀初頭のモッラー・ナスレッディンは、世界と社会をどう見ていたのか、以下、同研究所の所蔵する風刺画の実例を示しながら紹介していくことにしよう。

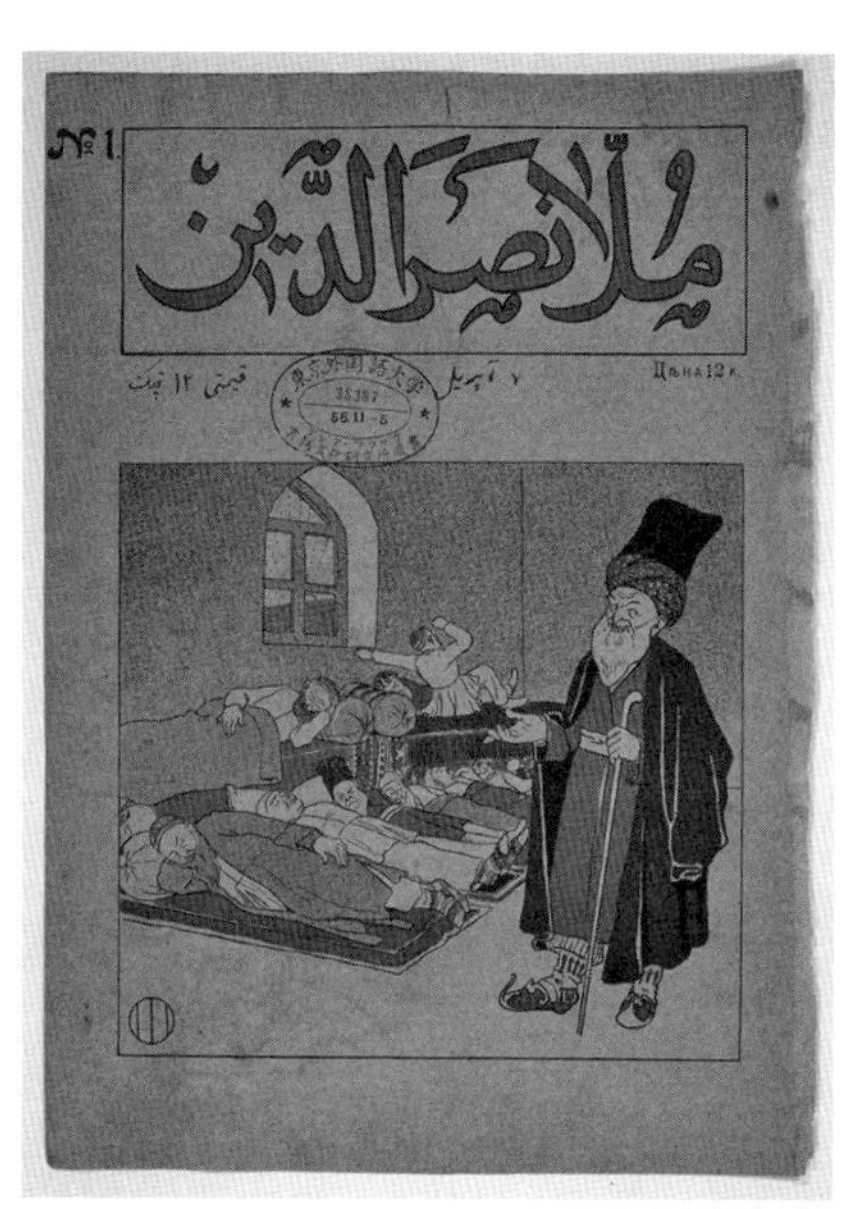

【10－3】第1号、1頁（1906年4月7日）

【10－3】は、『モッラー・ナスレッディン』創刊号の表紙である。説明はないが、この画の意図を読み解く鍵は、窓の外の風景にある。太陽はすでに上がっているのに、室内のムスリムは、一人が寝ぼけて伸びをしているだけで、みな枕を並べて熟睡したままである。すなわち世界の諸民族は進歩や革新に向けて努力しているのに、わがムスリムたちは惰眠を貪るばかり、これでよいのか。

【10－4】第40号、1頁（1907年10月26日）

右手に立つモッラー・ナスレッディンは読者にこう語っているかのようである。この批判的なメッセージは、本誌の出発を飾るにふさわしい。

しかし、革新の旗を掲げる『モッラー・ナスレッディン』には敵も多かった。本誌と真っ向から対立したのがムスリム保守派の『宗教と生活』誌（オレンブルク、一九〇六―一九一七年）であった。「考古遺物――ノアの時代の遺物」と題された【10－4】は、改革の象徴ともいえる近代的な学校（ロシア語でシュコーラと書かれている）と近代文明の象徴である汽車に向かって、太古の預言者ノアの時代さながらの装束で粗野な攻撃を加える『宗教と生活』誌の論者たちを揶揄している。列車後方の屋根にはモッラー・ナスレッディンが乗っているのがみえる。この画の目的は、ロシア・ムスリム連盟のような政治的な活動はシャリーア（イスラーム法）に反すると論難する『宗教と生活』誌の時代錯誤ぶりを際立たせることにあった。

『モッラー・ナスレッディン』の眼は、二〇世紀初頭の国際関係も的確にとらえていた。「イギリスと日本の連合」と題する【10－5】は、イギリス人の頭に乗ったいかにも小柄な日本人が、おいしい果実にたとえられた新しい勢力圏や権益を手にしようとする姿を描いている。日本人が手を伸ばしているのは、左から、「太平洋」、「アジアにおける覇権」、「フィリピン諸島」、「シベリア」であり、イギリス人がすでに帽子に収めているのは、「インド」、「朝鮮」、「中国における覇権」である。このような日英の合作に「けしからん、俺の権益はどうなる」といった風でやってくるのがアメリカ人であり、全体として日露戦争後のアジアにおける日英同

【10－5】第9号、4頁（1907年3月3日）

【10－6】第25号、8頁（1907年7月8日）

盟の構図が巧みに描かれている。

【10−6】の画には「虫の捕獲——ヨーロッパ列強の東方政策」とある。左から、パイプをくゆらすイギリス人はインド、葉巻を吸うフランス人はアルジェリア、ビールを飲むドイツ人はザンジバルの、それぞれ虫にたとえられた現地民をとらえ、これら植民地をどう「料理」するかを考えている。ここでいうザンジバルとは、ドイツが一八八五年に海軍力による威嚇と英仏との協議の上で獲得した東アフリカ植民地のことである。羽のついた虫たちは自由を奪われ、西欧列強のなすがままだという帝国主義の時代相を描いて秀逸である。

【10−7】第22号、4—5頁（1907年6月2日）

それではイスラーム世界の現状はどうか。【10−7】は、イスラーム世界の歴史をわずか三コマで描いている。上から順に、正統カリフの時代はイスラームの共同体は一つで、ムスリムはこの架空の動物にたとえられた共同体の恵み（ミルク）を仲よく享受していた。しかし、それから

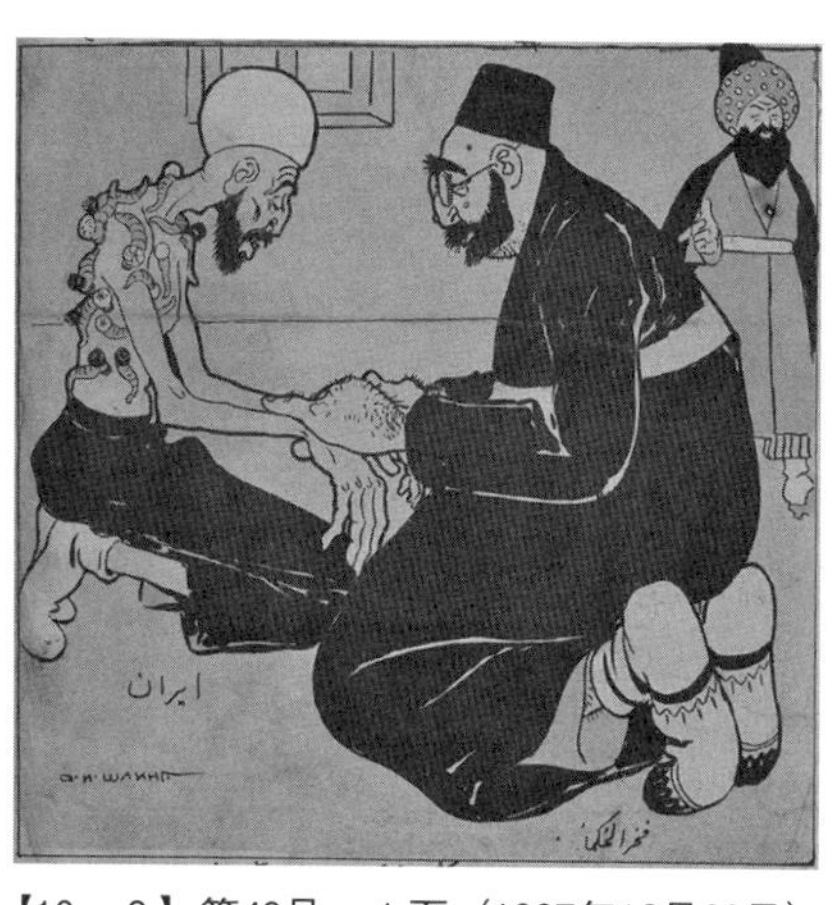

【10－8】第49号、1頁（1907年12月30日）

一二〇〇年も経つと、共同体はハナフィー派やシャーフィイー派などいくつもの法学派に分裂してしまった。そして最後の「今世紀」、分裂した共同体の断片は、獰猛な野獣すなわち列強によって各個に喰われている。イスラーム世界が衰退した要因はその分裂にあるというメッセージである。

こうした中にあってイランではガージャール朝の専制と列強への従属に反対するウラマーや都市民の運動が盛り上がっていた。議会の開設や憲法の制定を求めた彼らの運動は立憲革命（一九〇五―一一年）とよばれる。これはロシアの軍事介入によって制圧されるのだが、『モッラー・ナスレッディン』はたえず革命の動きを追い、これを支持した。【10―8】は、病人にたとえられたイランと治療にあたる名医を描いている。蛭（ひる）を使った瀉血療法を受けている病人が「先生、こんなに吸ってもらったら、もう十分。死んじゃいますよ」と言うと、名医は答える。「いやいや十分ではありませんな。あんたの血にはご禁制の血、立憲制の血を入れて、すっかりきれいにしなければなりませんぞ」と。

ロシア領内のムスリム社会に眼を向けるとどうだ

【10－9】第13号、8頁（1907年3月31日）

ったのか。アゼルバイジャンとアルメニアは、ソ連の解体以来いまもナゴルノカラバフの領有を巡って対立しているが、この民族間対立は根深く、一九〇五年の革命期にも大規模な民族衝突が起こっていた。しかし、その背景には革命運動から人々の目をそらすために民族衝突を煽った帝政の策謀があった。【10－9】の解説にはこうある。「昔々世界にはアッラーのほか誰もいなかった。しかし、一人の愚かなアルメニア人と同じく愚かなムスリムがおり、そのほかに悪魔がいた。ある日、この悪魔にも居場所はなくなった」と。紛争当事者が抗争の無益さを悟って和合すると、煽動者の悪魔も退散するという論理である。

本誌にはムスリムの初等教育の不備を批判する論調も顕著である。【10－10】は学校に通う一二歳のユダヤ人の少女と学校に行かせてもらえない一二歳のムスリムの少女とが対照的に描かれている。女子に教育はいらないというのが当時の通念であったが、本誌はこれに異論を唱えるのである。しかし、この画にはもう一つの主張があった。ムスリムの少女は老人の孫ではなく、二人は夫婦なのである。本誌は当時あたりまえのように行われていた少女の幼年婚に対しても反対していたことがわかる。男尊女卑をはじめとするジェンダーの問題は、モッラー・ナスレッディンの主要な関心事の一つであった。

こうしてムスリム社会の旧弊を告発する本誌は、宗教的な権威を誇示して信徒たちに服従と寄進（献金や贈与）をしいるスーフィー教団の尊師にも鋭い目を向けている。【10－11】は、ある尊師の言葉を紹介している。「一、尊師の犬の尻尾あるいは足のほこりをなめた者の口は、地獄の業火も焼くことはない。二、尊師の犬の毛をパンやチーズの酵母に加えた家の幸福は七万倍に増す」と。モッラー・ナスレッディンは、尊師の教えの荒唐無稽さと信徒の盲従とをともに批判するのである。

【10－10】第17号、8頁（1907年4月28日）

　このように『モッラー・ナスレッディン』の風刺画は、同時代のムスリム知識人の問題意識と世界観を鮮明に表現している。これは現代の読み手にも新たな発想を喚起する興味深い史料と言えるだろう。

【10－11】第36号、１頁（1907年９月24日）

思えば、中央ユーラシアの新聞・雑誌史料との付き合いは四〇年あまりとなる。思い入れのある史料を読むときには、思わず力が入る。その魅力は読み手を一世紀も前の現場にいざなってくれるところにある。論説・記事や風刺画はもとより、広告もまた社会史の貴重な史料となりえる。書店の在庫目録もどんな本が読まれていたのかを知る上で興味深い。近年、中央ユーラシア近代史の研究では、かつてロシア当局が蓄積したアルヒーフ史料を利用することが一般化している。たしかにアルヒーフは同時代の一次史料である。しかし、その統治下にあった社会の生の声を伝えるという意味で、新聞・雑誌史料はかけがえのない価値を有している。この両者のバランスのとれた吟味によって歴史像を明らかにすることが今後の課題ではないだろうか。

参照文献

史資料

『モッラー・ナスレッディン』紙デジタルアーカイブ（アジア・アフリカ言語文化研究所オンラインリソースポータル　https://online-resources.aa-ken.jp/resources/detail/IOR000095、二〇二三年一〇月三〇日閲覧）

Hājī Muʻīn Shukr Allāh（1915）"Millī taʼrīkh haqqinda," *Āyina*, no. 10, pp. 258–260.（ハジ・ムイーン「民族史について」）

研究文献

小松久男（一九八三）「ブハラとカザン」護雅夫編『内陸アジア・西アジアの社会と文化』山川出版社、四八一－五〇〇頁。

――――（二〇二二）「サルト人とはだれか――近代中央アジアの民族名論争」『西南アジア研究』九四、五九－九二頁。

護雅夫訳（一九六五）『ナスレッディン・ホジャ物語――トルコの知恵ばなし』平凡社。

Bennigsen, A. et Ch. Lemercier-Quelquejay（1964）*La presse et le movement national chez les musulmans de Russie avant 1920*. Paris-La Haye：Mouton & Co.（ベニグセン・レメルシエ－ケルケジェ『一九二〇年以前のロシア・ムスリムの新聞雑誌と民族運動』）

第一一章　テルミドールにおける「ロベスピエール＝王」という噂をめぐって

――手稿史料との出会い

松浦義弘

1　テルミドールの噂

本日、月曜日午後、ロベスピエールとその共謀者二一人は革命裁判所に連行され、有罪判決を確認された。というのも、法の保護の外におかれた以上、彼らの裁判はすべて済んでいるからである。彼らは、ルイ一五世広場、現在の革命広場で処刑されることが決定された。彼らはサン＝トノレ通りを通って革命広場に連行されたが、いたるところで、彼らに騙されていたことを知って憤慨した民衆によって罵倒された。そして、夜の七時に首をはねられた。事件勃発後二四時間でけりがついたのだ。パリで六万の人々を虐殺しようとしていた彼らにしてみれば、みずからの死がかくも早く訪れようとはほとんど予期していなかったことだったろうが。極悪人たちがその計画を実行する瞬間に自滅するのは、神の思し召しなのである。

ロベスピエールは、彼を補佐するもうひとりの極悪人クゥトンとともに、陰謀の首謀者であった。噂によれば、ロベスピエールは、リヨンや他の県で自分を王として認めさせ、カペの娘と結婚しようとしていたという。……一介の個人が、かくも大それた考えを抱くとは！野心を抱いた極悪人よ、これがおまえの傲慢が行きついたところだ。陰謀の首謀者である彼が死んだので、すべてが終わった（ギタール 一九八〇：二四九―二五〇、一部改訳）。

これは、フランス革命期のパリの一市民セレスタン・ギタールが共和暦二年テルミドール九日（一七九四年七月二七日）から翌一〇日にかけて起こった事件、いわゆる「テルミドール九日のクーデタ」について記した日記の一節である。そこには、ロベスピエール（一七五八―九四年）がみずから王であると宣言し、タンプル塔に監禁されていたルイ一六世（在位一七七四―九二年）の娘と結婚することさえ考えていたという噂がパリに流れていたことが記されている【11―1】。

ロベスピエールがルイ一六世の跡を継ごうとしていたとするこのテルミドールの噂は、フランス革命史家に知られていないわけではなかった。だがあまりにも荒唐無稽な作り話だという理由で、これまで研究対象としてはほとんど無視されてきたのである。この一見ばかげた噂に関するギタールの記述に瞠目し、その噂がテルミドール九日のクーデタの進行に無視しえない影響を与えたことを示そうとしたのが、国際的に著名な社会思想史家ブロニスラフ・バチコであった。バチコによれば、「ロベスピエール＝王」という噂に注目するのは、この噂の妥当性を検証するためではなく、逆にその噂が明らかに誤っているからなのである。誤った事実は社会的事実であり、その発生と流布が可能となる条件やその噂を事実として受容した人々の精神状態や想像世界を知りうる手がかりを与えてくれるからというのである。こうしてバチコは、「ロベスピエール＝王」という噂にかかわる印刷史料を渉猟し、それに必要な検討を加えることによって、テルミドールの九日のクーデタの渦中でその噂がどのようにつくりだされ、どのような意味をもったのかを興味深く解き明かしてゆく。バチコの言うところを聞いてみよう（Baczko 1989: 16-56）。

【11－1】テルミドール９日の国民公会におけるロベスピエールを描いたスケッチ。松浦（2018：100）より。

「ロベスピエール＝王」という噂には、もちろん噂ということがらの性質上、さまざまなヴァリアント（変種）が存在した。たとえば、ロベスピエールの家やパリ市庁舎でフランス王家の象徴であるユリの花の印章が見つかったとか、二人の個人がタンプル塔から「若きカペ」を解放しようとしたとか、五人の「極悪人」がロベスピエールを王と宣言しようとしていたとか、ロベスピエールはカペの娘と結婚しようとし、結婚契約書がすでに署名された、といったヴァリアントがあった。あるいはまた、国民公会の公安・保安両委員会と

「王政派」、さらには「外国の党」とのあいだの共謀の噂も流れた。けれども、ロベスピエールが王になることをもくろむ「王政派」であり、とうとうロベスピエールの仮面が剥がされた、という点は、これらのヴァリアントに共通する、ほぼ不変の要素であった。

ところで、問題の噂が最初に流れたのは、国民公会の議場においてではなかった。そこでは、テルミドール九日の午前、ロベスピエールを「暴君」と非難することばは吐かれたものの、ロベスピエールが王政を復活させようとしている、さらには王になろうとしているといった非難は見られなかった。またコミューン総評議会においても、噂の最初の痕跡は見られない。

「ロベスピエール＝王」という噂が最初に流れたのは、街頭、とりわけ市庁舎前のグレーヴ広場とパリのセクション（選挙・行政単位であると同時に民衆運動の動員の枠組）においてであった。そこでは、テルミドール九日午後一〇時半に、国民公会がロベスピエールたちを「法の保護の外におく」（裁判なしで処刑する）という決定を下したときには、その噂がすでに伝わっていたのである。こうしていったん噂が流れると、それはまたたくまに流布し、テルミドール一〇日の夜明けにはそのピークに達する。この段階になると、国民公会においても、何人かの議員がユリの花で縁取られた印章を見たと叫び、議員のあいだで、ロベスピエールはルイ一六世の娘との結婚を考えていた、といった話が交わされ、その話が多くの議員の心をとらえるにいたっている。そして、ロベスピエールが処刑場にむかうときに群衆から投げかけられた悪罵にも、噂の痕跡は明白であった。「これはこれは、けっこうな王じゃないか」、「陛下、陛下が苦しんでいるぞ」、「よくもだましてくれたな、極悪人め」。

以上のように、テルミドール九日から一〇日にかけて流布した「ロベスピエール＝王」という噂は、ひとりギタールのみが信じたのではなく、国民公会の議員もふくめてパリ市民のかなり幅広い支持を獲得したのである。そしてとりわけ、テルミドール九日の午後一〇時半の時点で、パリのセクションと、コミューン支持の兵士たちが集結していたグレーヴ広場に問題の噂が流れたことは、その後のセクションの態度決定やグレーヴ広場の兵士たちの動向に少なからざる影響をあたえ、国民公会側の勝利を確実なものとするのに一定の役割をはたしたと想定されるのである。

2　噂の誕生のメカニズム

ではいったい、問題の噂はどのようにして生じたのだろうか。

事のはじまりは，テルミドール九日の夜にあった。パリの四八セクションに蜂起を呼びかけるコミューンの反乱、セクションの国民衛兵や砲兵の動員、逮捕されたロベスピエールらと国民衛兵総司令官アンリオの解放、といった憂慮すべきニュースが刻々と伝わって国民公会がパニックに陥ったとき、最初の一歩が踏み出されたのである。保安委員会の一員であったヴァディエが事件から二〇年後に亡命先のブリュッセルで述べたところによれば、そのとき「首をはねられる危険」を感じて思いついたのが、ロベスピエールを王政派と思わせるためのユリの花の印章であったという（Buchez et Roux 1837: 59）。ともかく確かなことは、「ロベスピエール＝王」という噂は、パリの四八セクションやその軍隊のためらいをとりのぞき、それらを国民公会の味方に引き入れるために、国民公会の委員会、とくに保安委員会によって「上から」つくりだされ、流された、ということであった。議員のなかで唯一の軍人で、国民公会によってパリの国民衛兵総司令官に任命されたバラースは、噂を流した人々のもくろみについて、『回想録』においてこう述べている。

民衆は、ロベスピエールを旧王政の観念と結びつけることなくしては、彼が暴君であった、と確信することができなかった。彼らの目には、旧王政のみが理解可能な犯罪体だったのだ。民衆には、その感覚に具体的に訴えて理解できるものが必要なのである。ところで、毎日彼らに過度の称賛をおくり、人民主権と自由と平等について彼らに語りかけ、彼らの擁護者を自称していて、いまやその殉教者にみえる人物、この人物がじつは、こんにち自由の敵、圧政者、暴君と呼ばれるものであったなどということを、どうして民衆が納得できよう。それはややこしい話であり、民衆が想像力によってそれをただちに理解しうるためには、この暴君は裏切ったのであり、彼は共和国の敵やかつての国王、あるいは王家の人々と共謀していたのであり、したがって下劣な暴君であった、ということをひとしく民衆に強調しなくてはならないのだ。凶悪な行為に裏切りということばが付け加えられてはじめて、すべてが理解され、すべてが説明されるのだ。そして、民衆を味方につけることが期待できるのであり、民衆に裏切り者として示され、彼らがそうと認めた人びとに対して、彼らがただちに背をむけることが期待できるのである（Barras 1895: 200–201）。

「ロベスピエール＝王」という噂についてのバラースのコメントは、さまざまなことを教えてくれているといえよう。テルミドール九日のクーデタをおこなった議員集団であるテルミドール派にとっては、民衆を味方につけることがクーデタの成功には不可欠だと考えられていたこと。だがこの民衆は、ロベスピエールがたえず称賛しその権利について好意的に語りかけていた当の対象であり、テルミドール派からはロベスピエールの味方であると考えられていたらしいこと。民衆がロベスピエールに背をむけて国民公会の味方となるようにするには、彼らの感覚や想像力に訴えることが必要であると考えられていたこと。そのためには、恐怖政治をおこなったロベスピエールを旧王政の観念と結びつけ、彼を民衆に裏切り者として示す必要があったこと……。バラースのコメントが「事実」に合致していたかどうかは、ここではさしあたり問わない。しかしそれが、テルミドール九日以前の政治空間のありようにたいするクーデタ当事者のイメージをゆたかに示していることだけは、たしかであろう。そして、テルミドールの噂が、このイメージの産物であったことも。

ところで、いったいなぜ、テルミドールの噂はロベスピエールを中心として組み立てられていたのだろうか。またどうして、ロベスピエールは断頭台の露と消えねばならなかったのだろうか。

それは、ひとえに、テルミドール九日以前の政治空間においてロベスピエールが占めていた位置にかかわっていた、といえよう。すなわち、恐怖政治が支配するこの政治空間においてはロベスピエールが扇のかなめの位置を占めていた、あるいはそうイメージされていたのであり、したがってその空間から抜け出そうとするあらゆる行為は、ロベスピエールを経由せざるをえなかったのである。そして、恐怖政治が支配するこの政治空間を解体するためには、恐怖政治をロベスピエールの裏切りと結びつけ、彼を葬りさることが必要だったのである。ちょうど、革命家たちが王政に対して挑戦し、みずから権力を掌握するためには、王政の中心的シンボルであったルイ一六世を裁判にかけ、革命広場（現在のコンコルド広場）において公開の処刑という形式をとることが必要であったように（ハント 二〇二〇：一一四）。モンターニュ派（山岳派）の国民公会議員で、事件の観察者であるとともにその当事者でもあったマルク＝アントワーヌ・ボドも、こう述べている。

多くの脅迫と殺人をおこなったことで、彼ら〔ロベスピエールとサン＝ジュスト〕はすべての反対勢力と恨みをもつ人々を武装させるまでにいたった。彼らはもはや教義のために闘うのではなく、自分たちの命のために闘わなければならなかった。だから、テルミドール九日の闘争においては、主義主張が問題だったのではなく、〔ロベスピエールを〕殺害することが問題だったのである。ロベスピエールの死は不可避なものとなっていたのだ。……テルミドール九日以前に共和国が置かれていた錯綜した血みどろの状態においては、ロベスピエールの死や排斥によってしか、この恐ろしい情況から抜け出すことはできなかったのである（Baudot 1893: 125, 148）。

以上、バチコの言うところをときには敷衍しながら、ときには私見も交えながら辿ってきた。「ロベスピエール＝王」という噂は、ロベスピエールを王政と結びついた「裏切り者」として民衆に示し彼らを味方につけるために、「上から」つくりだされ、流布された。そして実際、この噂がテルミドール九日の夜にパリのセクションとグレーヴ広場に流れ、国民公会側の勝利を確実にしたというのである。このバチコの見解はテルミドール九日のクーデタの読み直しにもつながりうるものであり、私はその鋭い洞察に魅了されたことを覚えている。しかも、わが国で手にしうる刊行史料集や印刷史料を参照するかぎり、バチコの見解への反証となるデータも存在しないように思われた。ただひとつ心に引っかかったのは、「ロベスピエール＝王」という噂がテルミドール九日の夜にグレーヴ広場とセクションに流れ、国民公会側の勝利を確実にした、という主張について明確な史料的根拠が示されていないことだった。この心の引っかかりが解消されるためには、学外研修による手稿史料との出会いが必要であった。

3　手稿史料との出会い

バチコの見解を見直す転機になったのは、かつての本務校である成蹊大学で一九九九年度に学外研修の機会を与えられたことであった。私はそのとき四〇代半ばをすぎていたが、大学院時代をふくめてフランスに留学した経験が一度もなかった。そこで、この機会に現地でしかできない研究をおこなおうと考え、学外研修のテーマとして「ロベスピエールとパリの世論」というテーマを設定した。それまでのロベスピエール研究はほぼすべて、ロベスピエールの著作だけを根拠にロベスピエールを論じており、ロベスピエールの権力掌握と失墜をパリ民衆の世論＝言説という観点から検討した研究は皆無であったからである。このテーマの設定には、ロジェ・シャルチエ『フランス革命の文化的起源』を翻訳するなかで、フランス革命期には「世論」の支持が権力の掌握・維持の要件となっていたことに考え及んだこととも関係していたが、「ロベスピエール＝王」という噂に関するバチコの見解も念頭にあった。

一九九九年四月はじめにパリに到着後、滞在初期の煩瑣な手続きとカルチャーショックに苦しみながらも、国立文書館の参考図書室で一週間あまり目録調査をおこない、「ロベスピエールとパリの世論」の究明に役立ちそうなカルトン（箱）の手稿史料を読み始めた。しかしこの作業は難渋をきわめた。手書きの史料だから当然だが、史料がなんとか読めるようになるまで数日かかった。しかも、ロベスピエールに民衆が言及している史料などにそうそう簡単に遭遇するはずもなかった。「ロベスピエールとパリの世論」は無謀なテーマだったかもしれないとなかば反省しながらも、しだいに史料を読むスピードが上がって、手稿史料を読むことそのものが面白くなっていった。だが六月なかば頃だったろうか。フランスでは当時はめずらしくなかったが、国立文書館がストライキのために閉鎖されることになったのである。おおいに戸惑ったことはいうまでもない。

しかし何が幸いするかわからないものである。国立文書館がストライキで利用できないということで、仕方なくフランス国立図書館に作業の場を移し、「パリの世論」にかかわる刊行史料集を読んでみることにした。ピエール・カロン編『恐怖政治期のパリ――内務大臣密偵報告』（Caron 1910-1978）である。この史料集はじつに興味ぶかいものだった。恐怖政治期のパリの民衆が何をどう語ったのかが手にとるように分かり、彼らの感性のありかたも理解できるような気がした。興に乗じて、史料集をすみからすみまで読んだ。その過程で、それまで当然視していた「ジェルミナルのドラマ」に関するソブールの見解（共和暦二年ジェルミナルの革命政府によるエベール派と民衆組織の粛清は、サン＝キュロット〔パリ民衆〕の革命政府からの離反を招いたとする見解）が奇妙であることに気づくことになったのである。

こうして私は、約三ヶ月におよぶストライキが終了後、「ロベスピエールとパリの世論」にかかわる史料を渉猟する作業を継続する一方、その作業の一環としてソブールの見解を再検証するために、「ジェルミナルのドラマ」や「テルミドール九日のクーデタ」にかかわる史料を読み解いていった。この作業は一年間の学外研修では完了しなかった。このため、その後も、夏期休暇などを利用して渡仏し、パリの国立文書館やパリ警視庁文書室などで手稿史料を読み、その内容をパソコンに記録することが、私にとって年中行事になった。

そのような作業を続ける過程で、パリの四八セクションの文民組織（総会、民事委員会、革命委員会）のテルミドール八日―一〇日の議事録や、クーデタに関して各セクションの文民組織の議長・委員長や国民衛兵司令官などが提出した報告書などの手稿史料を網羅的に読むことができた。議事録の大部分は、一八七一年五月のパリ・コミューンの際の火災で焼失してしまっていたが、それでもまだ膨大な量の議事録が国立文書館、パリ警視庁文書室、パリ市歴史図書館、フランス国立図書館手稿部に残存していた。こうして、パリの四八セクションの文民組織と軍人組織、あわせて計二四〇組織がもたらしてくれた手稿史料の読解が、「ロベスピエール＝王」という噂に関するバチコの見解への疑念を解消してくれることになるのである。

4　手稿史料によるバチコの見解の再検討

まず、「ロベスピエール＝王」という噂をめぐるバチコの見解をもう一度より厳密に確認しておこう。

バチコによれば、「ロベスピエール＝王」という噂は、ロベスピエールたちを「法の保護の外におく」という国民公会の決定が執達吏によって街頭で宣言された際に言いふらされ、また国民衛兵総司令官に任命されたバラースを補佐する一二人の議員の一部によっても流布された。さらに他の議員も、サン＝タントワーヌ街の躊躇するいくつかのセクションを説得するために、ロベスピエールの家で見つかったユリの花の印章について語った。こうしてテルミドール九日―一〇日の夜の一〇時半には、街頭とくにグレーヴ広場と、民衆地区であるサン＝タントワーヌ街とサン＝マルセル街のセクションも含めて少なくとも一五のセクションに「ロベスピエール＝王」という噂が流れ、国民公会側の勝利を確実にしたというのである。

さらにバチコは、このみずからの見解の具体的根拠として、コミューンと国民公会のどちらを支持するか態度を決めかねていたアンディヴィジビリテ・セクションの総会が、「ロンバール・セクションのメッセージ」を受けとり、国民公会支持を決定したことをあげている。ここで言及されている「ロンバール・セクションのメッセージ」とは、「あきらかにコミューンの仲間であり、『自分たちのもくろみに好都合と判断した状況を利用しようとしてカペの息子を宣言した五人の悪党』をロンバール・セクションの革命委員会が逮捕させたことを知らせるメッセージ」ということであった。そしてロンバール・セクションは、約二〇の他のセクションに代表を派遣することによって「兄弟としての交歓をおこなった」のだから、これらの代表がいたるところで問題の噂を間違いなく伝えたと想定するのが合理的である、しかも国民公会を支持するセクションは相互に連絡を取り合ったので、問題の噂をめぐる密度の濃い流通網が形成されることになった、と主張している（Baczko 1989: 20–22）。

以上のバチコの見解をどう考えればよいのだろうか。実のところ、パリの四八セクションの文民・軍人組織の議事録や報告書からは、バチコの見解を裏付ける情報は得られない。もちろん、すでに指摘したように、保安委員会のメンバーであるヴァディエが、自分の首がとぶかもしれな

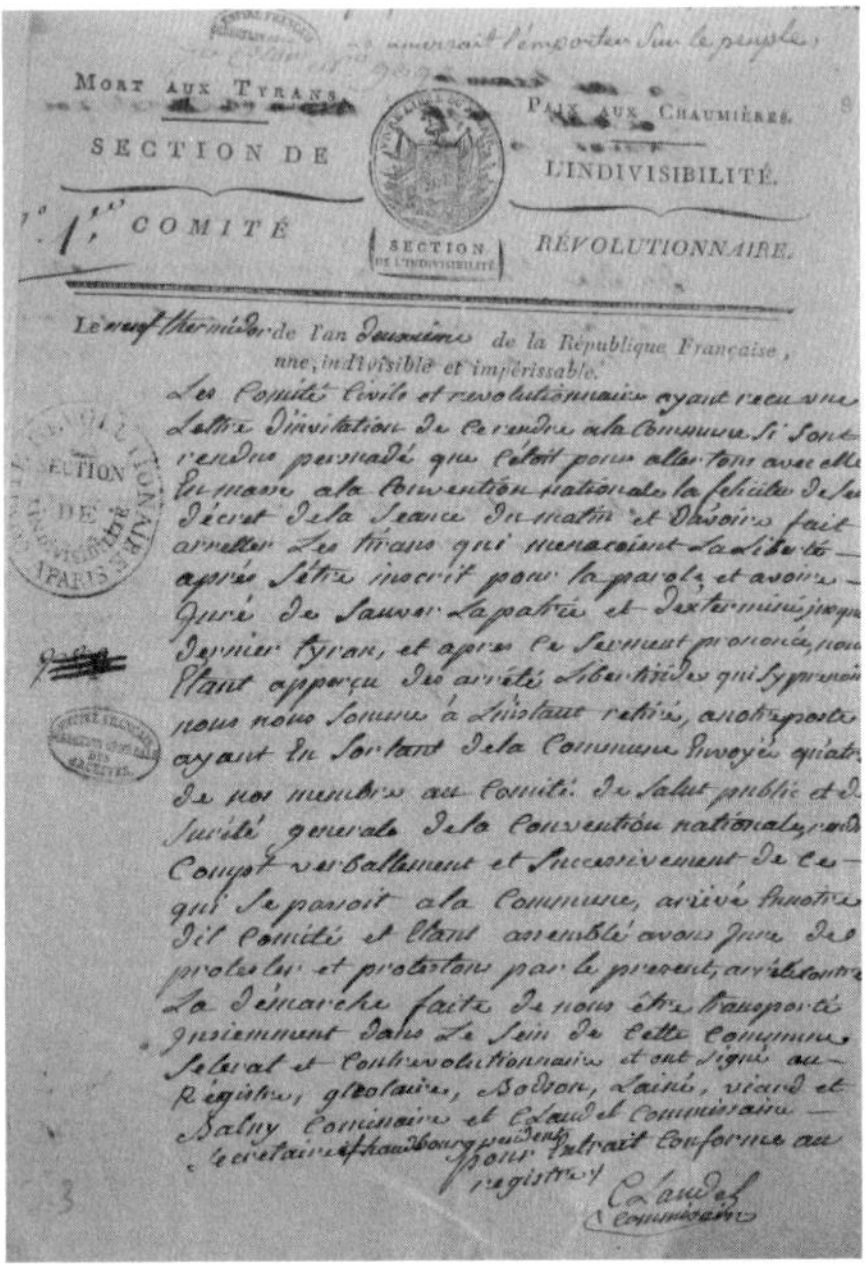

MORT AUX TYRANS　　PAIX AUX CHAUMIÈRES.

SECTION DE L'INDIVISIBILITÉ.

1.re COMITÉ RÉVOLUTIONNAIRE.

Le neuf thermidor de l'an deuxième de la République Française, une, indivisible et impérissable.

【11－2】アンディヴィジビリテ・セクションの革命委員会（民事委員会と合同）のテルミドール９日の議事録の抜粋

いという切迫した状況のなかで、ロベスピエールを王と結びつける噂を流したことを告白しており、テルミドール一〇日の午前中には、その噂がパリの一般の人々のあいだにも流布していたことは確認される。しかし、テルミドール九日午後一〇時半の時点で「ロベスピエール＝王」という噂がグレーヴ広場やセクションに流れたことをうかがわせる情報は、四八セクションの議事録や報告書には存在しない。

　バチコは、みずからの見解の具体的根拠として、アンディヴィジビリテ・セクションの総会が「ロンバール・セクションのメッセージ」を受けとって国民公会支持を決定したこと、そしてロンバール・セクションが約二〇のセクションに代表を派遣して問題の噂を伝えたこと、をあげている。ここでは、両セクションの議事録を用いて、バチコがあげている具体的根拠の妥当性を検証することにしよう【11－2】【11－3】。

たしかに、アンディヴィジビリテ・セクションの総会の議事録には、「自分たちのもくろみに好都合と判断した状況を利用しようとして、カペの息子を宣言した五人の悪党をロンバール・セクションが逮捕させたことをプチが報告する」という記述がある。しかしこの記述は、バチコの見解の根拠とはなりえない。というのも、その記述は、アルシ、オム＝アルメ、ボヌ＝ヌゥヴェル、フォンテーヌ・ドゥ・グルネル、オプセルヴァトワール、ギヨーム＝テル、メゾン・コミューヌ、ブリュチュス、フォブール・デュ・ノール、タンプル、キャンズ＝ヴァン、モン＝ブラン、フラテルニテ、マラ、パンテオン・フランセ、ドゥロワ・ドゥ・ロム、ポワソニエール、ボンディ、レヴォリュショネール、シテ、シャリエ、アンヴァリド、ピク、ユニテ、ポパンクールという計二五のセクションの代表がアンディヴィジビリテ・セクションの総会にやってきて国民公会支持を表明したという記述のかなり後に記載されている記述であるからである。しかも、内部に分裂を抱え、かなり長時間コミューン支持の立場をとり続けたオプセルヴァトワール・セクションの代表までが総会にやってきて国民公会支持を表明している事実を考慮すれば、その記述内容は、テルミドール一〇日の明け方に近い時間にもたらされた情報である可能性がきわめて高い。したがって、バチコが示唆するように、「ロンバール・セクションのメッセージ」を受けとったために、アンディヴィジビリテ・セクションの総会が国民公会支持に転じたわけではなかったのである。実際、このセクションの総会が国民公会支持を鮮明にしたのは夜半すぎ、当初総会に参加していなかった革命委員会委員長オドゥブールが国民公会に対するコミューンの「公然たる反乱」を批判したことがきっかけだった。議事録においても、このオドゥブールの発言と総会の国民公会支持の宣言は、先の二五セクションの代表に関する記述よりも前に記載されている。

また、先の総会議事録の引用からも明らかなように、「ロンバール・セクションのメッセージ」は、ロンバール・セクションによってもたらされたものではなく、コミューンが「法の保護の外

テルミドール9日の時点でのパリの48セクションの名称（下線を付した18と33は、本文で言及したセクション）

1	チュイルリ	17	マルシェ	33	アンディヴィジビリテ
2	シャンゼリゼ	18	ロンバール	34	アルスナル
3	レピュブリク	19	アルシ	35	フラテルニテ
4	モンターニュ	20	フォブール＝モンマルトル	36	シテ
5	ピク	21	ポワソニエール	37	レヴォリュショネール
6	ルペルチエ	22	ボンディ	38	アンヴァリド
7	モン＝ブラン	23	タンプル	39	フォンテーヌ・ドゥ・グルネル
8	ミュゼオム	24	ポパンクール	40	ユニテ
9	ガルド＝フランセーズ	25	モントルイーユ	41	マラ
10	アール・オ・ブレ	26	キャンズ＝ヴァン	42	ボネ＝ルージュ
11	コントラ＝ソシアル	27	グラヴィリエ	43	ミュチュス・セヴォラ
12	ギヨーム＝テル	28	フォブール・デュ・ノール	44	シャリエ
13	ブリュチュス	29	レユニオン	45	パンテオン・フランセ
14	ボヌ＝ヌゥヴェル	30	オム＝アルメ	46	オブゼルヴァトワール
15	アミ・ド・ラ・パトリ	31	ドゥロワ・ドゥ・ロム	47	サン＝キュロット
16	ボン＝コンセイユ	32	メゾン・コミューヌ	48	フィニステール

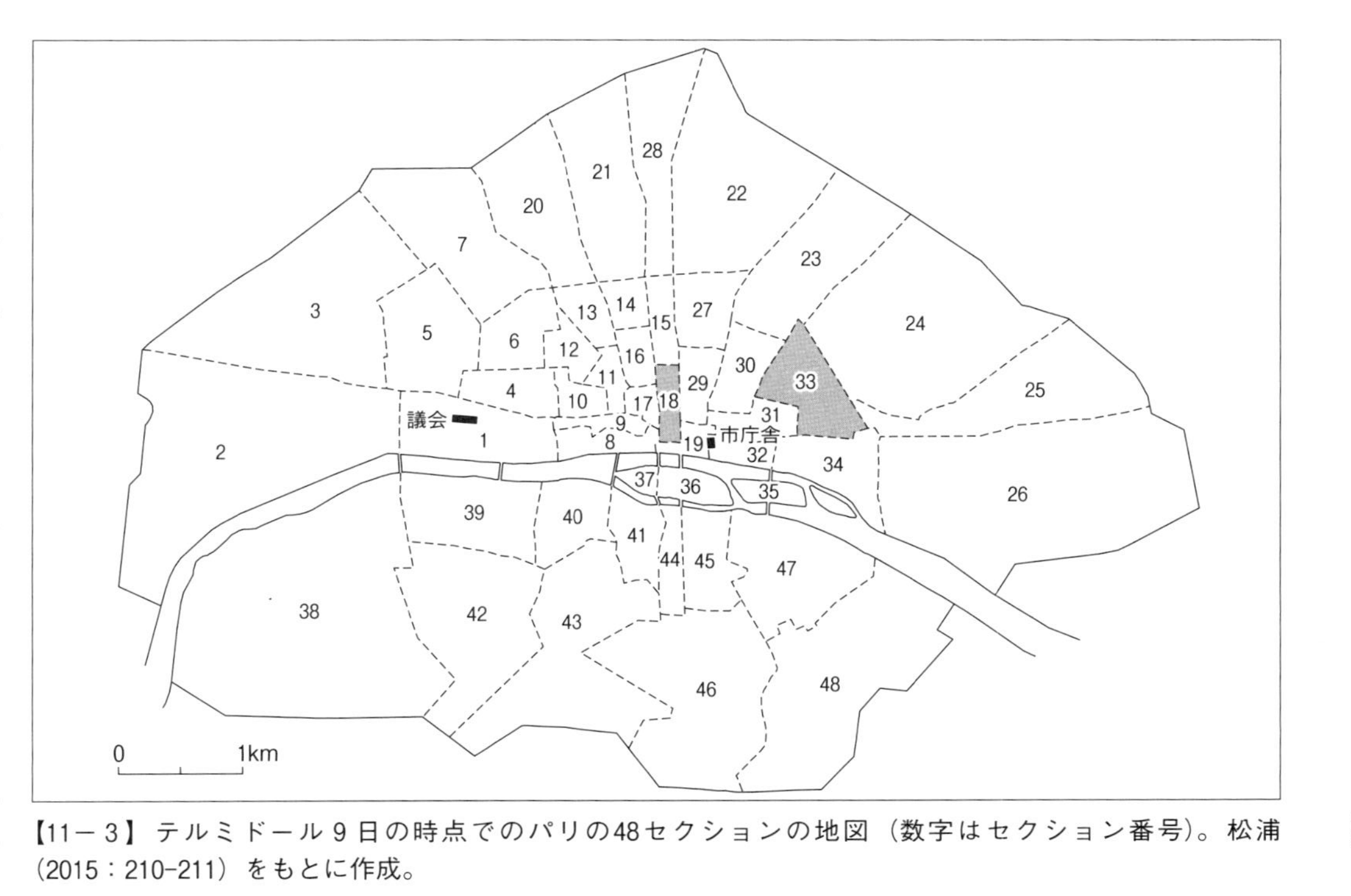

【11－3】テルミドール9日の時点でのパリの48セクションの地図（数字はセクション番号）。松浦（2015：210–211）をもとに作成。

におかれた」かどうかを確認するためにアンディヴィジビリテ・セクションの総会がコミューンに派遣した六人の委員のひとりプチによるものだった。したがって、「自分たちのもくろみに好都合と判断した状況を利用しようとして、カペの息子を宣言した五人の悪党をロンバール・セクションが逮捕させた」という総会議事録の記述内容はあいまいであり、この記述内容が「ロベスピエール＝王」という現実に流布した噂として受けとられたのかどうか、「五人の悪党」が「あきらかにコミューンの仲間」と考えられたのかどうか、きわめて疑わしい。記述内容には「ロベスピエール」という固有名詞も、「ロベスピエール＝王」という噂に共通する要素も見られないからである。議事録にも、この情報に対する議場の反応はまったく記載されていない。バチコが主張するように、「ロンバール・セクションのメッセージ」の内容を、「ロベスピエール＝王」という噂と同一視することはきわめて困難なように思われる（AN F[7] 4432 plaq. 7. p. 6-8）。

他方、最初から国民公会に忠実であったロンバール・セクションでは、テルミドール九日には総会そのものが開催されていない（当然ながら議事録もない）。というのも、テルミドール九日の夜の八時半にコミューンから総会招集指令が届いたとき、このセクションの民事委員会は、共和暦二年フリメール一四日（一七九四年一二月四日）の法令（国民公会を革命政府の中心に位置づけるとともに、公安・保安両委員会に強力な行政権限を付与した法令）を根拠にコミューンの総会招集指令を拒否し、その部署にとどまることを全会一致で決定したからである。したがって、ロンバール・セクションの総会がテルミドール九日に約二〇の他のセクションに代表を派遣することは、そもそも不可能だった。このセクションの革命委員会も、テルミドール九日の午後五時に国民衛兵総司令官の側から委員会のメンバーをコミューン総評議会に派遣するようにとの勧告があったとき、「公安・保安両委員会の命令」しか認めないと返答し、その部署にとどまり続けた（AN F^7 4432 plaq. 6, p. 23, 29）。

当然のことながら、ロンバール・セクションの民事委員会も革命委員会も、公安・保安両委員会とは連絡をとっているが、他のセクションに委員を派遣した形跡はうかがえない。たしかに、革命委員会の議事録には、約二〇（実際は一九）の他のセクションの代表がやってきて国民公会しか認めないと表明したという記述がある（この議事録は、ジェラール・ワルテルの著作〔Waltel 1974〕において復元されている）。バチコもこの記述と「兄弟としての交歓」を根拠に、ロンバール・セクションの革命委員会も約二〇の他のセクションに委員を派遣したはずだと考えたのかもしれない。だがそうではない。ロンバール・セクションに代表を派遣した一九セクションのうち、シテ・セクションとポワソニエール・セクションの総会には、それぞれ二四セクションと一二セクションの代表が来訪していることがそれぞれのセクションの総会議事録から確認されるが、そこにロンバール・セクションの名前はないからである（AN F^7 4432 plaq. 7, p. 33; plaq. 4, p. 29）。さらに、すでにみたアンディヴィジビリテ・セクションの総会には二五セクションの代表、マルシェ・セクションの総会には二九セクションの代表、シャンゼリゼ・セクションの民事委員会には二一セクションの代表がやってきて国民公会支持を表明しているが、そのいずれの議事録にもロンバール・セクションの名前は見当たらない（AN F[7] 4432 plaq. 5, p. 3; plaq. 3, p. 3）。セクションの文民組織の議事録には欠落もあり、また来訪したセクションの具体名が議事録にかならず記載されているとは限らない。そしてなにより、私自身の見落しや記録もれも大いにありうる。したがってもちろん断言することはできないが、来訪したセクション名が確認しうるセクションの議事録から判断するかぎり、ロンバール・セクションの革命委員会が他のセクションに委員を派遣した可能性は限りなく低いと思われる。ちなみに、アンディヴィジビリテ・セクションの総会議事録では、ロンバール・セクションの革命委員会が「五人の悪党」を逮捕させたという記述があったが、当の革命委員会の議事録では「五人の悪党」にかかわる記述は確認されない（AN F[7] 4432 plaq. 6, p. 29）。

以上のように、テルミドール九日の午後一〇時半の時点で「ロベスピエール＝王」という噂がグレーヴ広場や少なくとも一五のセクションに流れたことを示す明示的な言及は、四八セクションの文民組織の議事録にも、グレーヴ広場に出動した国民衛兵司令官などの報告書にも、まったく存在しないのである。バチコの見解を前提とするかぎり、これはまことに不可解であろう。

唯一、ブリュチュス・セクションの総会のテルミドール九日から一〇日にかけての議事録に、国民公会からもどったクラソンが、パリ市庁舎の机の上に「ユリの花の印章」が見つかったことなどを報告した、とする記述が見られる。しかしこのクラソンの報告は、「コミューン総評議会のメンバーはすべて逮捕されたか殺害された」という言及をともなっており、国民公会側の国民衛兵部隊が市庁舎に押し入ってロベスピエールらを逮捕したテルミドール一〇日午前二時以後の事態に関して国民公会で入手した情報の報告であるにすぎない（AN F[7] 4432 plaq. 4, p. 8）。そして実際、国民公会においては、テルミドール一〇日の午前二時以降にクラソンの報告に照応する事態が展開していた。グラヴィリエ・セクションの治安判事が、市庁舎の机の上で発見されたユリの花の印章が押された条例と、ルバの死体の上にあった衣類を国民公会にもってきたという事態である。だがこれも、ユリの花の印章が国民公会側の部隊が市庁舎に突入して事件が決着したあとの産物であったことを示している（AP 1982: 576）。

それればかりではない。複数の新聞は、事件当日の事態について「市庁舎を占拠した人民の代表たちは、……コミューンの議事録と、ユリの花がまったくあらたに彫られた陰謀家たちの印章をもってきた。この印章は市庁舎の机の上にあった」と報道しており、この事態に対して、タリヤンが「これは真に王政派的な陰謀が存在したことを示している」と述べ、しかも「タリヤンはジャーナリストたちにそのことを書き落とさないように促した」というのである（AP 1982: 594–595）。

現在参照しうる史料から判断するかぎり、「ユリの花の印章」への言及はすべてテルミドール一〇日午前二時ごろのロベスピエール派逮捕以後のものであり、同時に、「ユリの花の印章」によってロベスピエール派を王政の再建をめざす陰謀家集団と思わせようとしたタリヤンやヴァディエの作為も明白であろう。したがって、「ロベスピエール＝王」という噂がテルミドール九日午後一〇時半にはグレーヴ広場と少くとも一五のセクションに流れ、国民公会側の勝利を決定的にしたというバチコの見解は、史料上の根拠を欠いているとみなさざるをえまい。「ロベスピエール＝王」という噂が流れたことによって国民公会の勝利が確実になったわけではなく、それ以前に国民公会側の勝利は確定していたのである。つまり、四八セクションの文民組織のほとんどは、ロベスピエールたちを「法の保護の外におく」という決定や国民公会への団結を訴えた「国民公会の宣言」などの国民公会側の指令が届いた時点で、あるいはコミューンの「反乱」が判明した時点で国民公会支持を鮮明にしたのである。そして、コミューンの指令に応じてグレーヴ広場に出動した四八セクションの国民衛兵や砲兵のほとんども、コミューンでの経験をとおしてコミューン認識を変え、国民公会支持に転じたのである（松浦 二〇一五：一九四―三五三）。もちろん、「ロベスピエール＝王」という噂が流れたことはまったく無意味だったわけではなく、ロベスピエール派の処刑を正当化するのに大いに役だった。ロベスピエールの処刑の瞬間、それを見まもる群衆からは、「これはこれは、けっこうな王じゃないか」といった叫びが発せられたのだから。

5　フランス革命の史料

手稿史料との出会いは、私にとって貴重な経験となった。これまで述べてきたように、「ロベスピエール＝王」という噂をめぐるバチコの見解についての疑念を解消してくれたことも、そのひとつであった。しかしそれ以上に貴重だったのは、国立文書館やパリ警視庁文書室などで目録やカタログの調査をおこない、手稿史料を実際に判読することをとおして、フランス革命の史料全体における手稿史料の位置や意味について考える機会が持てたことだった。

現在、フランス革命期の史料のうち重要な史料の一部は刊行史料集として利用できるようになっている。代表的なものには、『議会議事録』、『モニトゥール』、ジャコバン・クラブの議事録（全六巻）、公安委員会の文書集成（全二八巻）、立法議会と国民公会の公教育委員会議事録（全七巻）などがある。とくにフランス革命二〇〇周年の際に国際共同企画として刊行された『フランス革命研究コレクション』は、フランス国立図書館に所蔵されている一〇〇万ページ以上に及ぶ革命期の印刷史料と三万点以上の図像史料をマイクロフィッシュ化した史料コレクションであり、フランス革命研究者にとっては不可欠の基本史料集となっている。

以上のように、フランス革命にかかわる史料は、刊行史料集や印刷史料に限っても一〇〇万ページ以上とすでに膨大であるが、国立文書館などでの目録・カタログ調査から推定されるのは、国立文書館、県文書館、市町村文書館などには刊行史料集や印刷史料の分量の何倍、いや何十倍もの手稿史料が所蔵されているのではないかということであった。そして思いいたったのは、このように膨大な史料を生み出したフランス革命は、きわめて特異な歴史的現象であったということであった。

つまりこういうことである。フランス革命においては、一七八九年八月の「封建制」の廃止の法令と人権宣言によって伝統的な価値体系が根本的に転倒され、主権者である「国民」を構成すると考えられた都市や農村の民衆の政治参加が急速に拡大した。そして次から次へと政治的事件が発生した。その結果、フランス革命期には、個人や集団の政治行動によって世の中が変わるという感覚がはじめて広範な人びとのあいだで共有されるにいたった。こうして、政治家や活動家だけでなく、もっとも下層の人びとでさえも、眼前で展開する歴史的変化の主人公になろうとして政治と革命を論じ、戦闘的態度で革命政治に参加したのである。このような態度がフランス革命の急進化の一要素となったことは言うまでもない。と同時に、そのような態度が、革命期の政治や社会に対する革命期の人々の意見＝言説の氾濫をもたらしたことも確かであった。フランス革命期に印刷史料だけでなく手稿史料が驚くほど大量に生み出された理由も、おそらくそこにあった。その意味で、革命期の手稿史料にも、通常よりもはるかに濃密で意味ある時間を生きているという革命期の人々の特異な歴史意識が表現されているといえよう。

とはいえ、手稿史料の読解は、印刷史料のそれに比して、はるかに多大な時間とエネルギーを要する。また、まとまった量の手稿史料をやみくもに読んでも、その成果がほとんど得られないこともしばしばである。そういった点では、手稿史料を読むことは必ずしも効率的ではない。しかし、文書館の目録調査やカタログ調査を丹念におこなった上で、網羅的・包括的に手稿史料を読めば、刊行史料集や印刷史料を参照するだけでは解決しえない疑問が解消されることもありうるのである。「ロベスピエール＝王」という噂に関するバチコの見解の妥当性を手稿史料の読解によって検証し得たことは、その一例であった。

参照文献

史資料

ギタール、セレスタン（一九八〇）『フランス革命下の一市民の日記』（河盛好蔵監訳、中公文庫）中央公論社。

AN: Archives Nationales

AP (1982) *Archives parlementaires*, première série, tome 93, du 21 messidor au 12 thermidor An II (9 juillet au 30 juillet 1794), Paris: Éditions du CNRS.

Barras (1895) *Mémoires de Barras*, t. 1 (Ancien Régime-Révolution), Paris.

Baudot, Marc-Antoine (1893) *Notes historiques sur la Convention nationale, le Directoire, l'Empire et l'exil des votants*, Paris.

Buchez, P.-J.-B. et P.-C. Roux (1837) *Histoire parlementaire de la Révolution française*, t. 34, Paris.

Caron, Pierre (pub. par) (1910–1978) *Paris pendant la Terreur: Rapports des agents secrets du ministre de l'intérieur*, 7 vols., Paris.

研究文献

ハント、リン（二〇二〇）『フランス革命の政治文化』（松浦義弘訳、ちくま学芸文庫）筑摩書房。

松浦義弘（二〇一五）『フランス革命とパリの民衆――「世論」から「革命政府」を問い直す』山川出版社。

――（二〇一八）『ロベスピエール――世論を支配した革命家』山川出版社。

Baczko, Bronislaw (1989) *Comment sortir de la Terreur: Thermidor et la révolution*, Paris: Gallimard.

Walter, Gérard (1974) *La conjuration du neuf Thermidor*, Paris: Gallimard.

第一二章　幕末維新期のフランス留学と日本人
——徳川昭武と前田正名

寺本敬子

1　日本人のフランス留学のはじまり

二〇〇年あまり続いた鎖国時代を経て、日本人の海外渡航、留学、通商が正式に認められるようになったのは、一八五三年のペリー来航から一三年後、六六年五月二二日（慶応二年四月八日）に幕府が発した布告による（文部省 一九七二：第七巻、六六二）。現在のパスポート（旅券）に相当する「御免の印章」の発行もこの布告で定められた。これは、一六三五年に江戸幕府が日本人の海外渡航と国外にいる日本人の帰国を全面的に禁止して以来の大変革であった。

本章は、この一八六六年の海外渡航の解禁後、最初期にフランスに留学した二人の日本人、徳川昭武（あきたけ）（一八五三―一九一〇年）と前田正名（まさな）（一八五〇―一九二一年）に焦点を当て、彼らがどのような経緯でフランスに留学し、その留学経験は後の彼らの活動および日仏交流にいかに作用したのかを見る。とりわけ二人が残した日記、書簡、自叙伝を取り上げて考察したい。

2　徳川昭武のフランス留学

徳川昭武【12-1】は、一八五三年一〇月二六日、水戸藩主徳川斉昭（一八〇〇―六〇年）の一八男として生まれた。最後の将軍徳川慶喜（一八三七―一九一三年）は一六歳年上の異母兄にあたる。昭武は、生涯に二回のフランス留学を経験した。第一回は六七―六八年のまさに江戸から明治への転換期であり、第二回は七六―八一年の約四年半の長期にわたった。以下で二回のフランス留学の概要を確認しよう（寺本 二〇〇九：二〇一五：二〇一七）。

（1）第一次フランス留学（一八六七―六八年）

一八六七年一月三日、昭武はフランスで二回目の開催となる六七年パリ万国博覧会への派遣を命じられるとともに、御三卿のひとつ清水徳川家を継承した。このとき満一三歳の昭武は「将軍名代」、つまり兄の将軍慶喜の代理という立場で、パリ万博に参列することとなる。万博は、参加各国の最先端の機械類や製品の展示だけでなく、各国の代表者が集う社交の場としても重視されていた。幕府は、駐日フランス公使レオン・ロッシュ（Léon Roches, 一八〇九―一九〇一年）の要請を受け、すでに六五年八月にパリ万博への参加・出品を表明していたが、さらに将軍名代として昭武を参列させることで日本の主権が幕府にあることを諸外国に示し、フランスとの親交を深めていっそうの援助を得ることを目論んだ。

慶喜は、このとき昭武に対してパリ万博への参列に加え、条約締結国へ巡歴して各国との友好を深めること、各国巡歴後はフランスにおいて三年から五年、さらに長期にわたって留学することを命じた。慶喜が昭武に携帯させたフランス皇帝ナポレオン三世（在位一八五二―七〇年）宛の国書においても、フランスへの友好を表明するために弟を派遣したことを明示するとともに、「私の意向は、皇帝の庇護のもと、〔昭武が〕フランスにとどまり学識を身につけることである」としている。以上のように慶喜は、昭武を派遣することで、フランスとの親交を深め、さらにフランス留学を通して昭武に近代知識を習得させることを重視した（寺本 二〇一七：一一〇）。

【12－1】徳川昭武（1868年パリ、松戸市戸定歴史館所蔵）

なお、この幕府使節には、全権使節の向山一履（かずふみ）（一八二六―九七年、勘定奉行格外国奉行、後の漢詩人）を筆頭に、山高信離（のぶあきら）（一八四二―一九〇七年、昭武傅役（ふやく）、作事奉行格小姓頭取、後の帝国博物館長）、田辺太一（一八三一―一九一五年、外国奉行支配組頭、後の外務省大書記官）、杉浦譲（一八三五―七七年、外国奉行支配調役、後の内務省地理局長）、渋沢栄一（一八四〇―一九三一年、勘定格陸軍附調役、後の大蔵大丞）など、明治期の各界で活躍する人物が随行したことも特筆すべきだろう。

幕府使節は一八六七年二月一五日に横浜を出発し、昭武はこの船中からフランス語の勉強を始めた。パリに到着したのは、四月一〇日のことであった。当時のフランスは第二帝政期である。昭武が初めて皇帝ナポレオン三世に謁見したのは、パリに到着して間もない四月二八日であった。昭武の日記によると、この謁見の機会に、前述の将軍慶喜の国書を皇帝に献上している（宮地 一九九七：一九）。またこれ以降、昭武は、皇后ウジェニー（一八二六―一九二〇年）と皇太子からも招待を受けるなど、皇帝一家と親しく交際を重ねていくこととなる。

昭武のフランス留学については、まずフランス人の教育掛の選考から始められた。一八六七年六月に全権使節の向山一履は、フランス外務省宛に昭武の教育掛の選考を要請している。その後、当時陸軍中佐であったレオポルド・ヴィレット（Léopold Villette, 一八二二―一九〇七年）が教育掛に任じられた。ヴィレットは妻と子供たちとともに、パリ（一六区）のペルゴレーズ通りに構えられた昭武の邸宅に移り住み、六七年八月から翌六八年一〇月まで、昭武の教育掛の任務にあたった。この最初の出会いが、生涯続く二人の親交の原点となる。

昭武のパリでの留学生活が本格化したのは、巡歴先のイギリスからパリに戻った一八六七年一二月以降である。昭武は、ヴィレットが選任した教師陣のもとで、主にフランス語、馬術、射撃、絵画、水泳、体操に取り組んだ。その様子は、渋沢栄一の回想録に次のように言及されている。

公子〔昭武〕の修学課程といふは、毎朝七時から乗馬の稽古に往かれて、九時に帰館になつて朝飯を仕舞はれると、九時半に教師が来る。それから午後三時まで語学や文法などの稽古をして、三時に課程が済むと、又翌日の下夕読(したよみ)、作文、暗誦などいふ、都合で、なかなか余暇はありませなんだ（渋沢青淵記念財団竜門社 一九五五：第一巻、六〇三）。

ただしこの留学生活は短期間で終了する。一八六八年一月二七日には昭武のもとに大政奉還の知らせ、七月四日には新政府から帰国命令書が届いたのだ。こうして翌五日に昭武は留学を中断して帰国を決断した。それから出航まで、昭武はヴィレットとともにフランス国内を旅行し、旅行の初日からフランス語で日記を付けている。この日記には、昭武一行が、パリからビアリッツへ赴き、ナポレオン三世の離宮で「皇帝、皇后、皇太子に深い感謝の辞を述べた」ことも記されている（宮地 一九九七：一〇一）。六八年一〇月一九日、マルセイユ出航日に、昭武は「ヴィレット中佐に心からのお礼とお別れの言葉を述べ」、帰国の途についた（宮地 一九九七：一〇二）。なお、昭武はこの船中においてもフランス語で日記を書き続け、横浜に到着すると「やっと一一月一六日夕方五時頃、懐かしい故国に帰ってきました」とヴィレット宛の書簡の下書きを日記に残しているが、実際にこの書簡がヴィレットに送られたかは不明である（宮地 一九九七：一一四）。

(2) 第二次フランス留学（一八七六—八一年）

帰国後、病死した兄慶篤の跡を継いで、昭武は一八六九年一月に水戸第一一代藩主に就任した。

その後六九年の版籍奉還によって政府から水戸藩知事に任命されるものの、七一年の廃藩置県によって知事を免じられた。以降、昭武は水戸徳川家の当主というだけの身分となる。その後、七四年九月二五日付で陸軍少尉となり、陸軍兵学寮戸山学校付を務めた。ここでは、第二次フランス軍事顧問団の団長を務めたミュニエ中佐（一八二六―九一年）をはじめ、来日したフランス将校たちと交際する機会をもったようである。

昭武のパリ万博の経験はその後も生かされた。一八七六年二月二三日、昭武はアメリカで開催されるフィラデルフィア万博の御用掛に任じられ、横浜から出帆した。昭武は、万博の閉会（同年一一月）までフィラデルフィアに滞在した。その後、一一月一三日にフランス渡航の願書を提出し、一二月二日にパリに到着した。一八六七年のときは将軍名代として公的な立場であったが、今回は一私人としての渡仏だった。昭武はパリに到着して間もなくオルレアンを訪ね、約一〇年ぶりに元教育掛のヴィレットと再会した。またヴィレットの世話でパリの学校（エコール・モンジュ）への入学手続きをとり、同校に七八年から八〇年七月まで一年半在学して幾何学等を勉強した。

ただし、第二次留学については、第一次留学に比べると資料が不足し、詳細について分からない点が多い。昭武は、第二次留学時も日記を残しているものの、内容は簡素で、後年になるとその記録は数行にしか満たない。とはいえ、日記には、前述のヴィレットに加え、昭武がパリで関わった日本人の名前が挙げられている。まずパリの日本公使館の初代公使を務めた鮫島尚信（一八四四―八〇年)、中野健明(一八四四―九八年)、前田正名といった日本公使館の職員の名が記されている。また、昭武と同様にフランスに留学した甥の徳川篤敬(一八五五―九八年)、弟の松平喜徳(一八五五―九一年)、ロンドンに留学した徳川家達(一八六三―一九四〇年)など、徳川家からの留学生の名も挙げられている。他にも、当時のフランスでの日本人留学生の総代を務めた入江文郎(一八三四―七八年)、将来首相に就任し、日仏の政治・外交に役割を果たすこととなる西園寺公望(一八四九―一九四〇年)とも交際していたようである。七八年にはパリ万博の日本副総裁として来仏した松方正義(一八三五―一九二四年)についても触れられている。昭武は、これらの日本人たちとも交友関係を築きながら、留学生活を送っていたのである。

一八八一年六月に第二次フランス留学から帰国した昭武は、同年一一月に麝香間祗候(明治天皇の諮問役、名誉職)に任じられた。また八三年五月に甥の徳川篤敬に水戸徳川家の家督を譲って隠居した。

3　徳川昭武の日仏交流

さて、昭武の二回のフランス留学経験は、その後の活動および日仏交流にいかに作用したのだろうか。ここで注目したいのが松戸徳川家資料として松戸市戸定歴史館(千葉県)に所蔵され、徳川昭武宛の「外国人差し出し」として整理されるフランス語の書簡である。昭武とフランスの接点は、二回のフランス留学経験に限定されたものではなく、その後も継続的に保持されていたのである。

昭武宛にこれらの手紙を送った「差し出し人」はいかなる人物だったのか、以下で確認しよう（寺本 二〇〇九：二〇一五）。まず、書簡の分量として最も多いのは、全一〇五通の書簡を送ったヴィレットである。次に多いのは、明治政府の招聘で第二次フランス軍事顧問団の団長として来日したシャルル・アントワーヌ・マルクリ（Charles Antoine Marquerie, 一八二四―九四年）である（全一七通）。マルクリは、昭武の第二次留学時に勉学を指導した。また、同じく明治政府の招聘で来日した法学者ギュスターヴ・エミール・ボワソナード・ド・フォンタラビー（Gustave Emile Boissonade de Fontarabie, 一八二五―一九一〇年）の書簡三通、その妻ジュリー・アンリエット（Julie Henriette Boissonade de Fontarabie, 一八二六―一九〇六年）の書簡一〇通、娘ルイズ・アンリエット（Louise Henriette Boissonade de Fontarabie, 一八五〇―一九三五年）書簡一通もある。ボワソナード家との交際は、昭武の第二次フランス留学時から始まり、帰国後も継続された。昭武とボワソナードは、八六年に東京で創設された日仏の学術組織「仏学会」の名誉会員として、共に同時代の日仏交流を支えた。この他に、日本学者として高名なフィリップ・フランツ・バルタザール・フォン・シーボルト（Philipp Franz Balthasar von Siebold, 一七九六―一八六六年）の四男で、外交官を務めたハインリッヒ・フォン・シーボルト（Heinrich von Siebold, 一八五二―一九〇八年）の書簡八通も確認できる。以上のように昭武の文通相手を見ていくと、彼らは軍事や法学という、主として初期日仏交流の要となった分野で日本の近代化に役割を果たした人々だった。

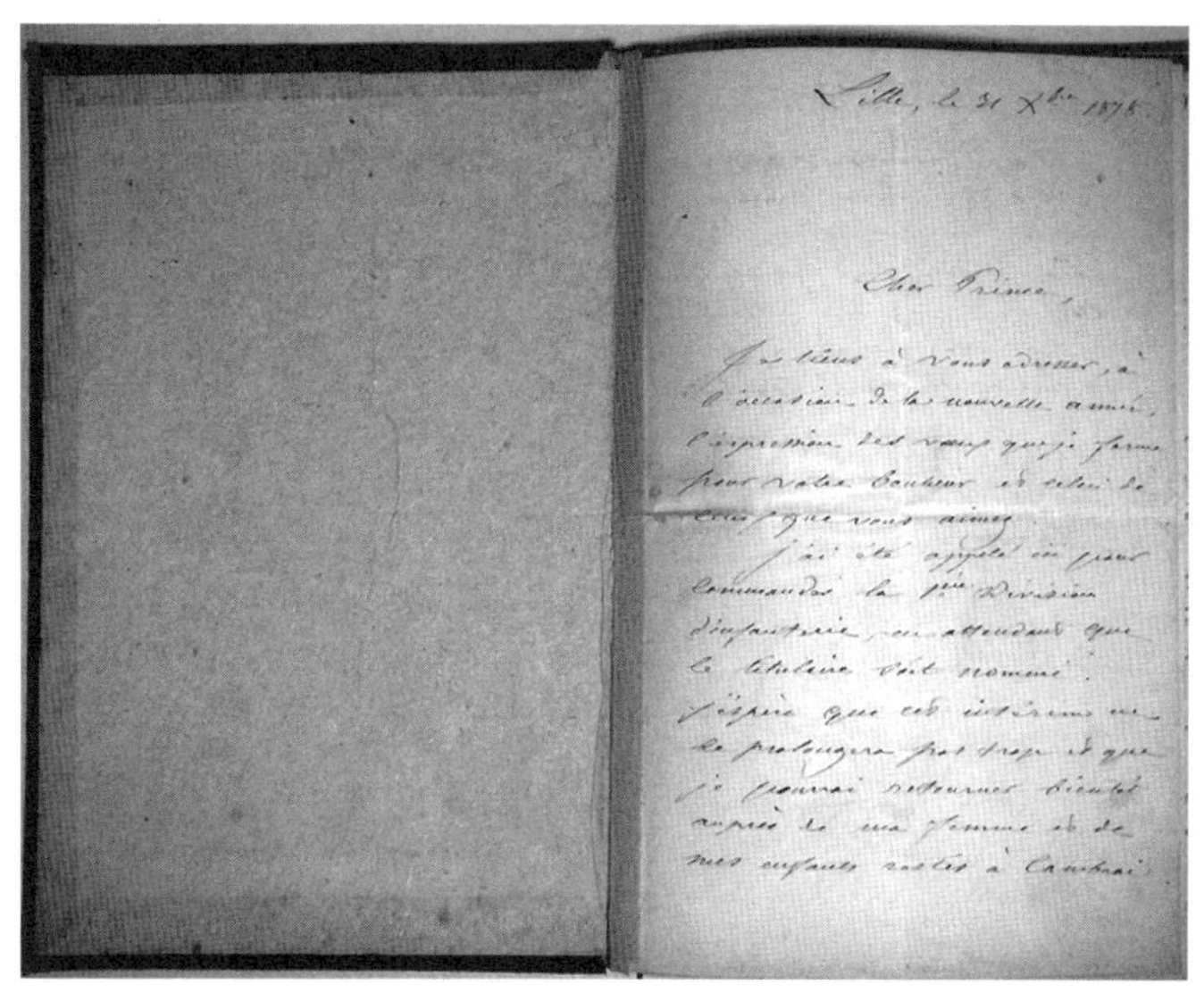

Lille, le 31 Xbre 1878.

Cher Prince,

J'ai tenu à vous adresser, à l'occasion de la nouvelle année, l'expression des vœux que je forme pour votre bonheur et celui de ceux que vous aimez.

J'ai été appelé ici pour commander la 1re Division d'infanterie, en attendant que le titulaire soit nommé.

J'espère que cet intérim ne se prolongera pas trop et que je pourrai retourner bientôt auprès de ma femme et de mes enfants restés à Cambrai.

【12－２】徳川昭武に宛てたヴィレットの書簡（1878年12月31日、松戸市戸定歴史館所蔵）

筆者は、博士後期課程在籍時に松戸市戸定歴史館の研究員として、これらの徳川昭武宛の「外国人差し出し」の書簡を調査する機会を得た。また二〇〇六年夏から二〇〇九年春まで、約二年半の留学生活をパリで過ごした。この留学生活では、とりわけ昭武とヴィレットゆかりの場所を現地調査する機会に恵まれた。ヴィレットのご子孫を訪ね、ヴィレットが住んでいた邸宅やヴィレット家の墓所をご案内いただいた。週末にはご自宅にお招きいただき、ヴィレットの書簡について昼夜議論を重ね、多くのことをご教示いただいた。その調査の成果として、全文フランス語資料の翻刻・校訂、およびその日本語訳を公刊した（寺本 二〇〇九）。

ヴィレットが昭武に宛てた書簡【12−2】は、昭武の第二次留学中の一八七八年一二月三一日の書簡から始まり、ヴィレットが亡くなる前年の一九〇六年九月一七日付の書簡まで、およそ三〇年にわたった。これに対して、昭武も逐一返信をヴィレットに宛てて送っていたことは確実であるものの、昭武からの書簡として現在確認されるのは、残念ながら、ヴィレットの訃報を受けヴィレット夫人に宛てたお悔やみ状のみである。

ヴィレット書簡の話題は多方面にわたる。一九世紀末から二〇世紀初頭にかけての両国の主要な出来事はほとんど全て書簡のなかで話題となっている。フランスに関しては、清仏戦争、ドレフュス事件、露仏同盟、日本に関しては帝国憲法発布、帝国議会、日清戦争、日露戦争など、他の国際情勢も含めて取り上げられている。しかし全体を通じて特徴的な主題は、ヴィレット自身の家族に関する頻繁な言及、昭武とその家族全体へ向けられた深い愛情である。また、ヴィレットは、現役時代はそれぞれの派遣先から書簡を送り、自らの軍務について必ず言及している。同様に軍人としての道を進んだ息子マックス・アンドレについても逐一報告していた。他方、昭武自身も家族について、ヴィレットに報告していたことは明らかである。ヴィレット書簡では、昭武の結婚、妻盛子の死、娘昭子、甥の徳川篤敬、また兄で最後の将軍であった徳川慶喜との兄弟間の交流など、明治期の水戸徳川家の動向に触れられている。

これらのヴィレット書簡から現れるのは、一八六七年の遣欧使節にかかわる日本側の記録とは全く異なる人物像である。たとえば六七年パリ万博に随行した渋沢栄一の談話によると、ヴィレットは「名誉あるしかも短気な人で、我が言は天下の至言と云う様な顔してナポレヲンをかさに着て、さすが民部様〔昭武〕へ失礼はなかつたものの、御附き人の私たちは頤で使ひ廻して、わるく云へば奴隷あつかいだから、常々小面憎くつてならなかつた」とある（渋沢青淵記念財団竜門社　一九五五：第一巻、六〇七）。また同じく随行し、昭武傅役を務めた山高信離とは「極不和にて日々議論不絶、所謂始終いぢり合又は愚弄致候」とさまざまな軋轢があったこと、またそうしたなかで「公子もコロネルを御疎略被為在候」と、昭武自身もヴィレットと距離を置くようになっていた時期があったことが伝えられている（日本史籍協会　一九七〇：三二〇）。しかし本書簡を通じて浮かび上がるヴィレット像は、昭武に対する親愛の情にあふれた姿であり、また両者が互いに六七年以来、親交関係を築いていた様子がうかがえるのである。

　また渋沢栄一の一九〇二年の欧米旅行では、渋沢が一八六七年以来、二回目のフランス訪問を果たし、ヴェルサイユに住むヴィレット宅を訪ねているが、この両者の再会の機縁となったのは昭武であったと推測される。このヴェルサイユ訪問については、渋沢の『欧米紀行』で触れられているが（渋沢　一九八九：三四〇—三四二）、訪問を受けたヴィレットは昭武宛の書簡で「共に過ごしたあまりに短い日々のことをお話し、どれほど嬉しく感じたことか、いくら申し上げてもきりがありません！」と喜びを表している（寺本　二〇〇九：下巻、二三八）。この他にも一九〇〇年パリ万博で事務官を務めた平山成信（一八五四—一九二九年）が昭武の仲介でヴィレットを訪問するなど、両者の間には周りの友人たちを含めた交流が行われ、日仏間の人的ネットワークの具体的な様相を読み取ることができる。

以上のように、昭武は、明治期に政治の表舞台で活躍することはなかったが、二回のフランス留学を通じて、日仏間の人的ネットワークのなかに生涯にわたって身をおき、日仏交流の結節点をなす象徴的存在となった。とりわけ八六年に創設された日仏の学術組織「仏学会」において、昭武は同学会の名誉会員として、前述のボワソナードや平山成信らとともに明治期の日仏交流を支えた。この仏学会は一九〇九年に日仏協会に改名し、一二四年（大正一三年）には日仏の学術交流の場として現在に続く日仏会館の設立にいたる。同会館の設立に尽力したのは渋沢栄一であり、昭武の日仏交流は多分野において継承されていったのである。

4　前田正名のフランス留学

次に焦点を当てたいのは、昭武が参加した一八六七年パリ万博に続く七八年パリ万博で日本事務官長として中心的な役割を担った前田正名【12－3】である。前田は、明治二年の一八六九年から七七年に帰国するまで約七年の長期にわたってフランスに留学した。

ただし、このように前田のフランス留学は長期におよぶものの、その内容を知る手がかりは「前田正名自叙伝」（以下、自叙伝と表記）にほとんど限られている。この「自叙伝」は、息子の前田三介によって雑誌『社会及国家』（一九三七年二月号、三月号、四月号）に掲載されたものだが、前田の全生涯を対象にしたものではなく、その前半生、すなわち薩摩藩士の時代から一八七八年パリ万博までの記述にとどまる。つまりこれは「未完の自叙伝」であり、パリ万博を終えた前田が、大蔵省・農商務省に入省し、日本の殖産興業の推進に携わった後半生は含まれていない。ここではまず彼の「自叙伝」の記述に沿い、フランス留学について見て行こう（祖田 一九八七：寺本 二〇一七）。

前田正名は一八五〇年四月二三日に薩摩藩士の家に生まれ、開成所（薩摩藩の洋学校）で学んだ。新政府成立後の六九年六月、前田は一九歳のときにフランス人モンブラン（Charles de Montblanc, 一八三三―九四年）に同行して横浜を出帆し、初めてフランスに渡った。モンブランは、六七年パリ万博において、薩摩藩の出品を統轄する事務官長を務め、薩摩藩の存在を喧伝するうえで大きな役割を果たした人物である。薩摩藩使節とともに六七年一〇月に来日したモンブランは、新政府の成立にともない、その外交顧問として日本で活躍した。モンブランは六九年一一月に明治政府よりフランス駐在の「大日本公務弁理職」（総領事）に任命され、前田はその「外国御用掛」としてフランスに

【12－3】前田正名（1878年パリ万博にて、鹿児島県歴史・美術センター黎明館所蔵）

同行することが命じられた。

これは前田にとって念願の海外渡航であった。前田は、薩摩藩が一八六五年にイギリスへ留学生を派遣する際に、これに加わることを希望していたが、当時はまだ一五歳の少年であり、また上級士族の子弟が優先的に選出されたために参加できなかった。とはいえ、前田の意欲を評価した薩摩藩は、藩費による長崎遊学を認め、ここで前田は英語を学んだ。前田は海外留学の資金を得るために『和訳英辞書』の編纂に携わり、これを六九年に出版した。この辞書は、大久保利通（一八三〇―七八年）と大隈重信（一八三八―一九二二年）のはからいで政府による買い上げが実現し、これが直接の契機となって前田のフランス行きが決定した。大久保との関係は、このときに始まったと考えられる。

「自叙伝」によると、前田はパリにおいてモンブランの邸宅に住み込み、モンブランとともに外交事務に携わるとともに、学校に通った。ただし七〇年九月に初代駐仏日本代理公使として鮫島尚信のフランス派遣が決定したことによって、モンブランはわずか一年足らずで公務弁理職の職務を解かれ、これにともない前田も外交事務から一旦離れることとなった。前田はその後もパリにとどまり、学校にも通ったようだが、「風聞に耳を傾け、談話を聴くことを努め、事物を実見することにのみ専心」した。とはいえ、「空しく巴里(パリ)の一年は経過せり」という言葉にもあらわれるように、最初の一年は暗澹とした気持ちで過ごしたようである。とりわけ、フランスおよびヨーロッパの文明の高さに衝撃を受け、そうした文明を築くことは「亜細亜人たる吾人日本人

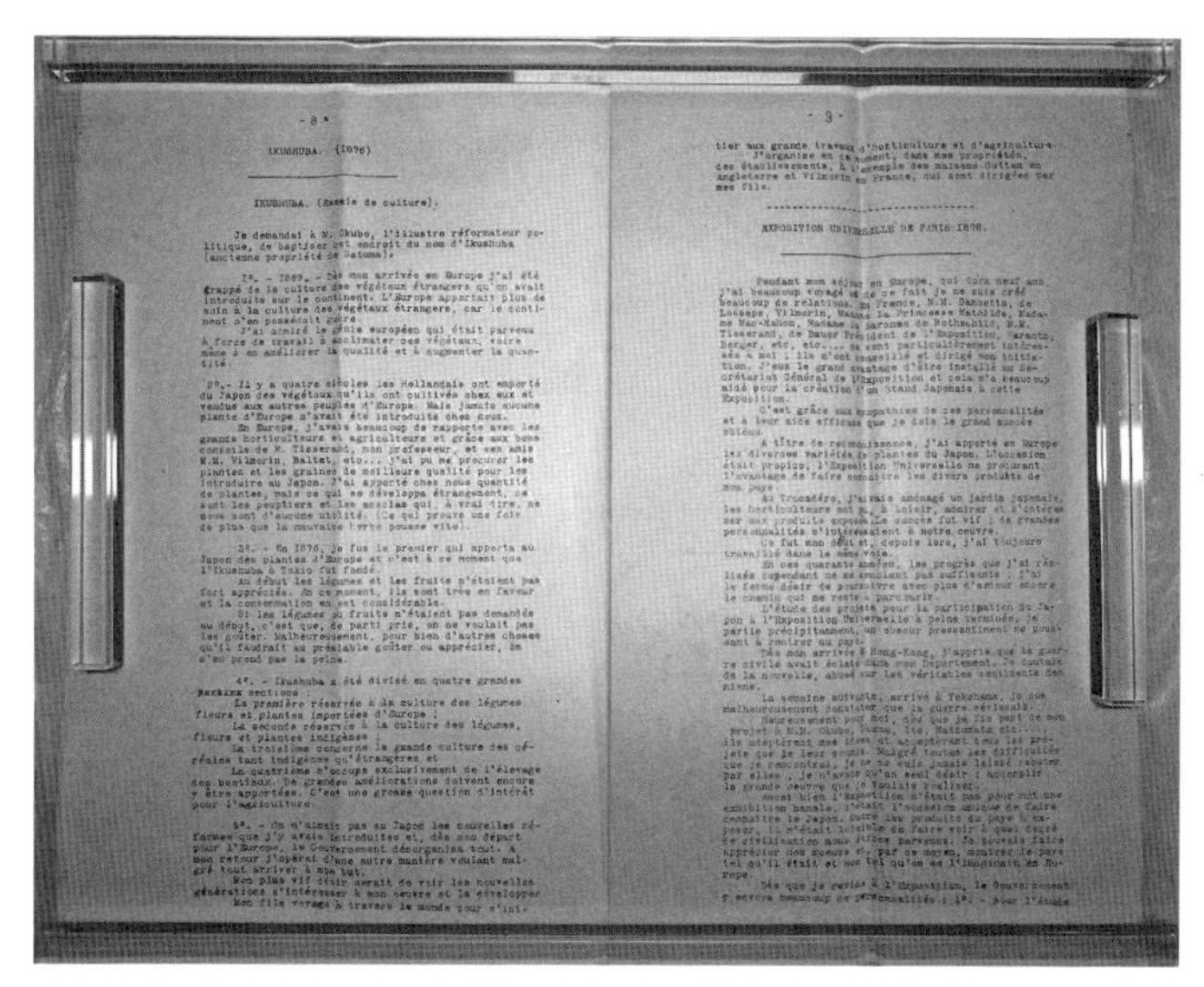

\- 8 -

IKUSHUBA. (1876)

IKUSHUBA. (Essais de culture).

Je demandai à M. Okubo, l'illustre réformateur politique, de baptiser cet endroit du nom d'Ikushuba (ancienne propriété de Satuma).

1°. - 1869. - Dès mon arrivée en Europe j'ai été frappé de la culture des végétaux étrangers qu'on avait introduite sur le continent. L'Europe apportait plus de soin à la culture des végétaux étrangers, car le continent n'en possédait guère.

J'ai admiré le génie européen qui était parvenu à force de travail à acclimater ces végétaux, voire même à en améliorer la qualité et à augmenter la quantité.

2°. - Il y a quatre siècles les Hollandais ont emporté du Japon des végétaux qu'ils ont cultivés chez eux et vendus aux autres peuples d'Europe. Mais jamais aucune plante d'Europe n'avait été introduite chez nous.

En Europe, j'avais beaucoup de rapports avec les grands horticulteurs et agriculteurs et grâce aux bons conseils de M. Tisserand, mon professeur, et ses amis M.M. Vilmorin, Baltet, etc... j'ai pu me procurer les plantes et les graines de meilleure qualité pour les introduire au Japon. J'ai apporté chez nous quantité de plantes, mais ce qui se développa étrangement, ce sont les peupliers et les acacias qui, à vrai dire, ne nous sont d'aucune utilité. (Ce qui prouve une fois de plus que la mauvaise herbe pousse vite).

3°. - En 1876, je fus le premier qui apporta au Japon des plantes d'Europe et c'est à ce moment que l'Ikushuba à Tokio fut fondé.

Au début les légumes et les fruits n'étaient pas fort appréciés. En ce moment, ils sont très en faveur et la consommation en est considérable.

Si les légumes ou fruits n'étaient pas demandés au début, c'est que, de parti pris, on ne voulait pas les goûter. Malheureusement, pour bien d'autres choses qu'il faudrait au préalable goûter ou apprécier, on n'en prend pas la peine.

4°. - Ikushuba a été divisé en quatre grandes sections :

La première réservée à la culture des légumes fleurs et plantes importées d'Europe ;

La seconde réservée à la culture des légumes, fleurs et plantes indigènes ;

La troisième concerne la grande culture des céréales tant indigènes qu'étrangères et

La quatrième s'occupe exclusivement de l'élevage des bestiaux. De grandes améliorations doivent encore y être apportées. C'est une grosse question d'intérêt pour l'agriculture.

5°. - On n'aimait pas au Japon les nouvelles réformes que j'y avais introduites et, dès mon départ pour l'Europe, le Gouvernement désorganisa tout. A mon retour j'opérai d'une autre manière voulant malgré tout arriver à mon but.

Mon plus vif désir serait de voir les nouvelles générations s'intéresser à mon oeuvre et la développer.

Mon fils voyage à travers le monde pour s'ini-

\- 9 -

tier aux grands travaux d'horticulture et d'agriculture.

J'organise en ce moment, dans mes propriétés, des établissements, à l'exemple des maisons Sutton en Angleterre et Vilmorin en France, qui sont dirigées par mes fils.

EXPOSITION UNIVERSELLE DE PARIS 1878.

Pendant mon séjour en Europe, qui dura neuf ans j'ai beaucoup voyagé et de ce fait je me suis créé beaucoup de relations. En France, M.M. Gambetta, de Lesseps, Vilmorin, Madame la Princesse Mathilde, Madame Mac-Mahon, Madame la Baronne de Rothschild, M.M. Tisserand, de Bauer Président de l'Exposition, Varantz, Berger, etc, etc... se sont particulièrement intéressés à moi ; ils m'ont conseillé et dirigé mon initiation. J'eus le grand avantage d'être installé au Secrétariat Général de l'Exposition et cela m'a beaucoup aidé pour la création d'un Stand Japonais à cette Exposition.

C'est grâce aux sympathies de ces personnalités et à leur aide efficace que je dois le grand succès obtenu.

A titre de reconnaissance, j'ai apporté en Europe les diverses variétés de plantes du Japon. L'occasion était propice, l'Exposition Universelle me procurant l'avantage de faire connaître les divers produits de mon pays.

Au Trocadéro, j'avais aménagé un jardin japonais, les horticulteurs ont pu, à loisir, admirer et s'intéresser aux produits exposés. Le succès fut vif ; de grandes personnalités s'intéressaient à notre oeuvre.

Ce fut mon début et, depuis lors, j'ai toujours travaillé dans la même voie.

En ces quarante années, les progrès que j'ai réalisés cependant ne me semblent pas suffisants ; j'ai le ferme désir de poursuivre avec plus d'ardeur encore le chemin qui me reste à parcourir.

L'étude des projets pour la participation du Japon à l'Exposition Universelle à peine terminée, je partis précipitamment, un obscur pressentiment me poussant à rentrer au pays.

Dès mon arrivée à Hong-Kong, j'appris que la guerre civile avait éclaté dans mon Département. Je doutais de la nouvelle, abusé sur les véritables sentiments des miens.

La semaine suivante, arrivé à Yokohama, je dus malheureusement constater que la guerre sévissait.

Heureusement pour moi, dès que je fis part de mon projet à M.M. Okubo, Sanjo, Ito, Matsukata etc..., ils adoptèrent mes idées et acceptèrent tous les projets que je leur soumis. Malgré toutes les difficultés que je rencontrai, je ne me suis jamais laissé rebuter par elles ; je n'avais qu'un seul désir : accomplir la grande oeuvre que je voulais réaliser.

Aussi bien l'Exposition n'était pas pour moi une exhibition banale, c'était l'occasion unique de faire connaître le Japon. Outre les produits du pays à exposer, il m'était loisible de faire voir à quel degré de civilisation nous étions parvenus. Je pouvais faire apprécier nos moeurs et, par ce moyen, montrer le pays tel qu'il était et non tel qu'on se l'imaginait en Europe.

Dès que je revins à l'Exposition, le Gouvernement y envoya beaucoup de personnalités : 1°. - pour l'étude

【12－4】前田正名「1878年パリ万博」（Maéda 1919: 9, 鹿児島県歴史・美術センター黎明館所蔵）

の為し難き所なり」と考え、日本人はヨーロッパ人に到底追いつくことはできない「人種」であると悲嘆に暮れたことがその原因であったとしている（前田 一九三七：下九二―九三）。

しかし当初の悲観的な思いに大きな変化をもたらしたのは、一八七〇年に勃発した普仏戦争であった。前田は「戦争の実地検分に身を委ね」、戦場近くまで毎日出かけ、戦争の経過を見守った。前田は、普仏戦争において、それまでまさに「驚嘆」の対象であったフランスの軍隊組織や武器が役に立たず、形式のみ立派でも、兵士の士気が低かった故にフランスは敗退したと分析し、またこの戦争によって、「全欧洲を風靡せる仏人」も荒廃し、フランス社会は混乱を極めたという。ここで前田は初めて「数種の文明あることを悟り、その物質的文明の誇るに足らざるを解しぬ」と「自叙伝」に記している（前田 一九三七：下九三―九五）。こうして前田は、普仏戦争の経験を通じ、日本がヨーロッパ文明に努力して追いつくことができると考えるようになる。

ここで紹介したいのは、前田正名が一九一九年（大正八年）に生涯で最後となるヨーロッパ訪問を果たした際、前田がフランス語でまとめた冊子である（Maéda 1919）**【12―4】**。この冊子はフランス語で書かれたものだが、前田が構想していた「自叙伝」の続編とも言える内容であり、ここにフランス留学および一八七八年パリ万博に関わる記述を確認することができる。フランス留学では、とりわけ普仏戦争後にパリを舞台に繰り広げられた「パリ包囲戦（Le Siège de Paris）」と呼ばれる事態について取り上げられており、最も印象深い経験だったことが分かる。以下に引用しよう（Maéda 1919: 7）。

パリ包囲戦

1　パリ包囲戦を体験する前の私からすると、私がヨーロッパで見てきたような進歩を日本人が実現しうるなどとは思いもよらなかった。私が思っていたのは、われわれがこうした進歩の段階に到達することを希望しうるのは何世代も経てからだろうということだった。

2　〔中略〕

3　パリ包囲戦のあいだ、私は農業、商業、産業に関するあらゆることを理解した。これまで私が知らなかったものが示されると、私は問いを発し、自分が何を理解していなかったのかを自分で説明しようとしてきた。この〔普仏〕戦争および包囲戦のおかげで、ヨーロッパ人がどれほどの忍耐と労力を払って、自分の国に他国の産物を驚異的に取り入れてきたのかを知ることができた。

その日以来、私は日本もまた同じような進歩を実現できることを会得したのだ。

4　〔中略〕

5　ある国ないし人物をよりよく知り、評価するためには、それが不幸のなかに置かれている状態を見る必要がある。そういうわけで、〔普仏〕戦争および包囲戦のあいだ、私はフランスの特徴を評価することができ、彼らがいかなる実践をしているのか、どのような道徳や教育を持っているのかを知ることができたし、多くの忍耐がその特徴となっていることにも驚かされた。

こうして前田は「自叙伝」においても同様に言及するように、ヨーロッパ文明の絶対的優位性という呪縛から解放され、先進国・後進国の相違は人種の劣等、社会の高低によるものではなく、偶然に一方が文明的技術を先取りしているにすぎず、「欧洲今日の富強は、悉く印度其の他〔植民地〕に於ける財源の力によることをも悟りぬ」とするにいたる。さらに普仏戦争に敗退したフランス社会の荒廃ぶりを目の当たりにし、「到底彼等は吾人の上に立つべき人間に非ざるなり」とまで記す。こうして前田は「欧洲文明企及の確信」をしたと述べ、フランス人と日本人の間に優劣はなく、日本人もヨーロッパ文明に努力して追いつくことができるという確信にいたったのである（前田 一九三七：下九四―九五）。

5 前田正名と一八七八年パリ万博

さて、前田の「自叙伝」は一八七〇年の普仏戦争の記述から、すぐさま七五年の記述に移るため、その間に空白期間がある。ただしこの空白期間に、前田が殖産興業を志す決定的な転機となる出来事があった。この出来事を含め、前田正名が七八年パリ万博の日本参加に従事するにいたる経緯を次に見て行こう（祖田 一九八七：寺本 二〇一七）。

一八七三年三月に、岩倉使節団に随行した大久保利通がフランスへ立ち寄った際に、薩摩藩出身の留学生が集合して「鹿児島県人の郷友会」が開かれ、その場に同席した前田は大久保と再会した。『大久保利通伝』には、「明治七年〔一八七四年〕、政府は経費節減を行ひ、一時海外留学生をも召還せしが、前田正名を特に仏国公使館書記生に任じ、勧業寮御用掛を兼ねしめ、専ら殖産工業の調査に従事せしめたり」とある（勝田 一九一一：下五二八）。このように大久保のはからいで、前田は七五年六月一八日付で日本公使館書記生に正式に任命された。こうして前田はパリにとどまり、フランス農商務省の次官を務めたウジェーヌ・ティスラン（Eugène Tisserand. 一八三〇―一九二五年）に師事し、フランスの行政と農業経済の知識を吸収し、本格的に殖産興業の研究を始めたのである。

さて、フランスでは普仏戦争に敗北後、第二帝政は崩壊し、第三共和政（一八七〇―一九四〇年）が誕生した。一八七六年四月には第三共和政において初となる七八年パリ万博の開催が決定された。その開催に向けた準備を統轄するフランス高等委員会が創設されると、前田は「会の計画者に知人ありければ、其の尽力により」、同委員会で働くこととなる（前田 一九三七：下九六）。パリ万博を主導したのはフランス農商務省であり、前述のティスランはこのパリ万博の農業・園芸・養魚部門の局長を務めていた。彼を通じて、前田はこの機会を得た可能性が高いと考えられる。

こうして前田は、日本公使館書記生とフランス高等委員会の事務員を兼務し、パリ万博の準備・運営に精通していくこととなる。一八七六年八月に日本の参加が正式に決定すると、前田は自らが日本参加を推進する立場に就くことを希望するようになる。同年九月に、前田は当時パリを訪問していた井上馨（一八三五―一九一五年）を次のように説得した。

> 今回の仏国博覧会は洵（まこと）に我が農工商の為めに、発展の機会を与ふるものにして、この好機を失はば果して又何（いず）れの時をか待つべき。さればこの博覧会は普通の博覧会と同一視せず須（すべか）らく日本商品の店開きとして、皆奮って之に出品すべし。かくて英吉利・仏蘭西に日本店を開きて直接貿易を開始し、横浜・長崎・神戸の商権を我が掌中に収めざれば、断じて外国貿易

の利害を享有し、且つ我が商業上の知識を進展せしむること能はず。不肖はこの九年間〔ママ〕全く其の事のみを見聞して、いささか胸中に期する所あり。これに対して書を裁して意見を郵致せんか、はた又正名自ら帰国して直接に先輩諸侯と計らんか。敢て意見を問ふ（前田 一九三七：下九七）

前田は万博を外国貿易の発展および商業上の新知識を獲得する場として重視した。またパリ万博への参加を機に、日本がヨーロッパにおいて直接貿易を開始することが輸出振興に肝要であるとする。そこで前田は「この好機を失はば果して又何れの時をか待つべき」と、自らが帰国して、日本の出品準備を進展させたいという考えにいたったと思われる。

その後、前田は、一八七六年一一月に内務省勧業寮御用掛に任じられ、翌月の一二月一八日に帰国命令を受けた。高等委員会もこれを把握し、外国局長ベルジェ（Georges Berger, 一八三四―一九一〇年）は七七年一月一五日付の文書で、前田の帰国目的が日本で出品準備を行うことにあり、日本展示場を建設する職人たちを連れて再びパリに戻る予定であると委員長クランツ（Jean Baptiste Krantz, 一八一七―九九年）に報告している。こうして前田は七年ぶりに帰国の途につき、同年三月初めに横浜に到着した。

しかし、日本のパリ万博に向けた準備は、前田が帰国したときにはまだ白紙ともいうべき停滞した状態にあった。とはいえ、大久保利通内務卿は、一八七七年一月に起こった西南戦争という非常事態への対応にあたる一方で、「直ちに前田を京都に呼びて、海外各国実業の状況、仏国大博覧会の計画等に関し、熱心に質し」、さらに前田に準備を一任した（勝田 一九一一：下五二八—五二九）。前田がフランスで得た殖産興業の知識と、貿易振興を図るように説くその熱意は、日本の出品物の選択を含め、準備を大きく前進させていくこととなった。

以上の経緯については、前述のフランス語による冊子のなかで前田は次のように記している（Maéda 1919: 9–10）。

一八七八年パリ万国博覧会

私のヨーロッパ滞在は九年〔ママ〕にも及んだが、その間私はたくさん旅行し、多くの交友関係をもった。フランスではガンベッタ氏〔Léon Gambetta, 一八三八—八二年、政治家、後の首相〕、レセップス氏〔Jules de Lesseps, 一八〇九—八七年、外交官〕、ヴィルモラン氏〔Henri de Vilmorin, 一八四三—九九年、植物学者〕、マチルド妃〔Mathilde Bonaparte, 一八二〇—一九〇四年、ナポレオン一世の姪〕、マクマオン大統領夫人、ロチルド男爵夫人、万博総裁テスラン・ド・ボール氏〔Pierre Teisseranc de Bort, 一八一六—九三年、農商務大臣〕、クランツ氏〔高等委員会委員長〕、ベルジェ氏〔高等委員会外国局長〕等々は、とりわけ私にとっては重要だった。彼らは私に助言し、手ほどきをしてくれた。私は〔日本〕事務官長を務めるという好機を得ることもでき、この万博で日本の展示場を開設することに大いに役立った。

私がこのような大きな成功を得ることができたのは、彼らの厚意また確かな支援のおかげである。

感謝の印に、私は日本から多種多様な植物をヨーロッパに持ってきた。これはまさに時宜を得たものであり、万博は我が国のさまざまな製品を知らしめる好機となった。

トロカデロ〔会場〕では、私は日本庭園を拵えた。園芸家たちは展示された品々を心ゆくまで鑑賞したり、興味関心を持つことができた。その成功は絶大だった。多くの名士もわれわれの作品に関心を寄せてくれた。

〔中略〕

万博への日本の参加に向けた計画の検討をほとんど済ませ、私は急いで帰路に就いた。日本に帰ることには薄暗い予感があった。

香港に着くと、私は藩で内戦〔西南戦争〕が勃発していたことを知った。私はこの知らせを疑い、自分の本当の気持ちが分からなくなった。

その翌週に横浜に着くと、残念ながら戦争が猛威を振るっているのを確認せざるをえなかった。

私にとって幸運だったのは、大久保〔利通〕氏、大隈〔重信〕氏、伊藤〔博文〕氏、松方〔正義〕氏らに私の計画を伝えると、彼らは私の考えを受け入れ、私が提示した計画のすべてを採用してくれたことだ。私はさまざまな困難に遭ったが、決して嫌になることはなかった。私の願いはただ一つ、私が実現させたいと思った壮大な計画を達成することだった。そもそも〔一八七八年パリ〕万博は私にとってはありふれた博覧会の一つではなかった。それは日本を知らしめる特別の機会だった。日本の製品が展示されることに加えて、われわれがどれほどの文明の段階に達しているのかを見せることができた。私たちの風俗を評価してもらうこともできたし、そうすることによって、ヨーロッパで想像されるのとは異なる、ありのままの日本の姿を示すことができた。

私が万博に再び戻ってきた際には、〔日本〕政府は、［一］農商務省の設置に向けた調査、［二］銀行（とりわけブリュッセルのベルギー国立銀行）の調査、［三］農業、馬の飼育等々の調査を目的に、多くの人物を送ってくれた。

日本の展示は高く評価された。それは当時としては啓示のようなものであり、成功は輝かしいものだった。それ以降、われわれは多くの称賛者を獲得した。これ以降、あらゆる大都市に日本の美術館ができ、われわれの芸術が進んだ段階に達しているのを鑑賞することができるようになった。

このように、前田正名は、自身がフランス留学で培った、とりわけ農業・園芸分野における知識や人物交流の経験を活かし、一八七八年パリ万博への日本の参加を日本事務官長として実現に導いた。帰国中の七七年には、農産物の振興を目的に開設された三田育種場長に就任し、パリ万博においても日本から植物を移植して庭園を設置するなど、その宣伝に力を入れた。また上述のように「ヨーロッパで想像されるのとは異なる、ありのままの日本の姿を示す」ことも試みた。前田は日本博覧会事務局編の『一八七八年万博の日本』というフランス語の本を公刊して関係者に配布しただけでなく、みずからフランスの学術雑誌に、日本の漆器、陶磁器、農業、社会について説明する論文を掲載した。そのほか、万博の会場において、忠臣蔵に似た演劇を上演させた。これは、単に日本に特有の風俗を示そうとしたものではない。「腹切りの野蛮人」といった「誤解や偏見」に基づく汚名を返上するために、宗教（神仏）・習慣・信義など「日本および日本国民の魂」を強調し、また劇中で着物・屏風・花瓶など日本の工芸品を取り入れて「日本の器物、着物、屏風等の用法」を知らしめることも目的としていた。以上の取り組みを通じ、日本から出品された陶器、生糸、織物、樹木は、グランプリを獲得するという大きな成果を得た。

また前田が当初から持っていた直接貿易の計画も実行に移し、一八七八年に三井物産会社のパリ支店の開設を支援した。こうして前田は、七八年パリ万博の経験を通じ、生涯かけて日本の殖産興業に従事することになる。七九年に大蔵省、八一年に農商務省に入省し、八八年に山梨県知事、九〇年に農商務次官に就任した。この間、『直接貿易意見一斑』（八一年）や『興業意見』（八四年）を編纂し、フランスを含むヨーロッパ各国における産業経済事情調査に基づいた殖産興業策を提起した。農商務次官辞任後は、主に在野で地方産業振興運動を指導した。また一八七八年パリ万博以降、次の八九年、一九〇〇年のパリ万博の日本参加に継続的に携わり、一九一九年（大正八年）にいたるまで複数回にわたって欧州視察でフランスを訪れるなど、日仏の産業交流を促進する主要な役割を担った。

幕末から明治前期にかけて軍事、法学、外交の分野で発展した日仏交流は、それぞれ一八八〇年代に入ると次第に衰退傾向を見せる（シムズ 二〇一〇）。軍事では、日本陸軍がフランス式からドイツ式に切り替えられていく。また法学でも、大日本帝国憲法の制定においてドイツ法の影響が顕著となる。こうした日本におけるフランスの影響力の後退はその後も継続し、改善の兆しは、外交上では一九〇七年の日仏協約の締結を待たねばならない。

しかし、そうした公的関係の衰退とは裏腹に、徳川昭武と前田正名のフランス留学とその後のフランスとの関わりを見ていくと、彼らが形成した人的ネットワークやフランスとの関係が、明治期から大正期の日仏関係および日本の産業発展に大きく寄与したことが明らかになると言えるだろう。

参照文献

史資料

勝田孫彌（一九一一）『大久保利通伝』下巻、同文館。
渋沢栄一（一九八九）『欧米紀行』（明治欧米見聞録集成第二六巻）ゆまに書房。

渋沢青淵記念財団竜門社編（一九五五）『渋沢栄一伝記資料』第一巻、渋沢栄一伝記資料刊行会。

寺本敬子（二〇〇九）『徳川昭武に宛てたレオポルド・ヴィレットの書簡――一八六七年パリ万博の出会いから日露戦争まで（*Lettres de Léopold Villette à Akitaqué Tokugawa: De l'Exposition universelle de Paris en 1867 à la Guerre russo-japonaise*）』上下巻、一橋大学社会科学古典資料センター。

日本史籍協会編（一九七〇）『川勝家文書』（日本史籍協会叢書五七）東京大学出版会。

前田正名（一九三七）「前田正名自叙伝」上・下、「前田正名『上海日記』」『社会及国家』第二五一号（一一一三頁）、第二五二号（八九―一〇三頁）、第二五三号（八八―一〇二頁）〔いずれも、長幸男・正田健一郎監修（一九七九）『明治中期産業運動資料第二集実業団運動資料』第一九巻所収〕

宮地正人監修（一九九七）『徳川昭武幕末滞欧日記』松戸市戸定歴史館。

文部省編（一九七二）『日本教育史資料』第七巻、臨川書店。

Maéda, Masana (1919) *Ma collaboration à la modernisation du Japon*. Bruxelles.

研究文献

シムズ、リチャード（二〇一〇）『幕末・明治日仏関係史――一八五四～一八九五年』（矢田部厚彦訳）ミネルヴァ書房。

祖田修（一九八七）『前田正名』吉川弘文館。

寺本敬子（二〇一五）「初期日仏交流における私信と人的ネットワーク――徳川昭武宛のフランス語書簡を中心に」『人文学フォーラム』（跡見学園女子大学）一三、五三―七三頁。

――（二〇一七）『パリ万国博覧会とジャポニスムの誕生』思文閣出版。

第一三章　労働運動指導者ベン・ターナーの『自伝』(*About My Self*)
――「変化の時代」を生きて

竹内敬子

1　ベン・ターナーとの出会い

(1) 変化の時代

この章で取り上げる『自伝』(*About My Self: 1863-1930*) の著者ベン・ターナー (Ben Turner, 一八六三―一九四二年) が生きたのは、イギリスの労働者たちが急速に歴史の表舞台に登場するようになった時代である。その背景には労働者たち、より広くは労働者階級の人々がそれ以前から長年積み重ねた努力や犠牲があった。映画『ピータールー――マンチェスターの悲劇』(二〇一八年公開) に描かれた「ピータールーの虐殺」(一八一九年) では、選挙法改革を求めて集まった民衆が命を落としたり、負傷したりした。こうした経緯を経て都市労働者の多くがようやく選挙権を獲得したのは一八六七年のことであった。この時、ベンはやっと四歳になろうという頃であった。後述するように彼はこの翌年の一八六八年の総選挙の時の記憶について『自伝』で触れているが、それは彼にとっての最初の「政治的」記憶かもしれない。彼の人生は、このように少なからぬ労働者が投票という行為で自分たちの声を政治に反映させることが出来るようになった頃にスタートした。そして、彼の人生は、労働者たちがその後も手を緩めずに継続した闘いを通じ、社会や政治の変化をもたらしていく時代の流れの中にあった。いや、彼は労働運動を通じて、また政治運動を通じて、その流れを作った重要な人物の一人として生きた。

(2) ベン・ターナー略歴【13-1】

ここでベン・ターナーについて、『オクスフォード英国人名辞典』(*Oxford Dictionary of National Biography*) も併せて参照しながら、簡単に紹介しておこう。ベンは一八六三年、ウェスト・ヨークシャーのホルムファース (Holmfirth) に隣接するオーストンリー (Austonley) で生まれた。父は毛織物工場の力織機織布工であり、労働組合の活動に関わっていた。ベンは一〇歳でハーフタイマーとして毛織物工場で働き始めた。ハーフタイマーというのは一日の半分を工場で働き、残りの半分を学校で学ぶというもので、児童の教育機会を保証するために当時の工場法で定められていた制度である。一八七七年、一家はハダスフィールド (Huddersfield) に引っ越す。ベンは一八八二年にハダスフィールド地域力織機織布工組合 (Huddersfield and Districts Power Loom Weavers' Union) に加入し、熱心な活動家となった。しかし、一八八七年、ベンは組合活動を理由に解雇されてしまう。この時、ベンはすでに結婚していて子どももあり、苦しい失業生活を送

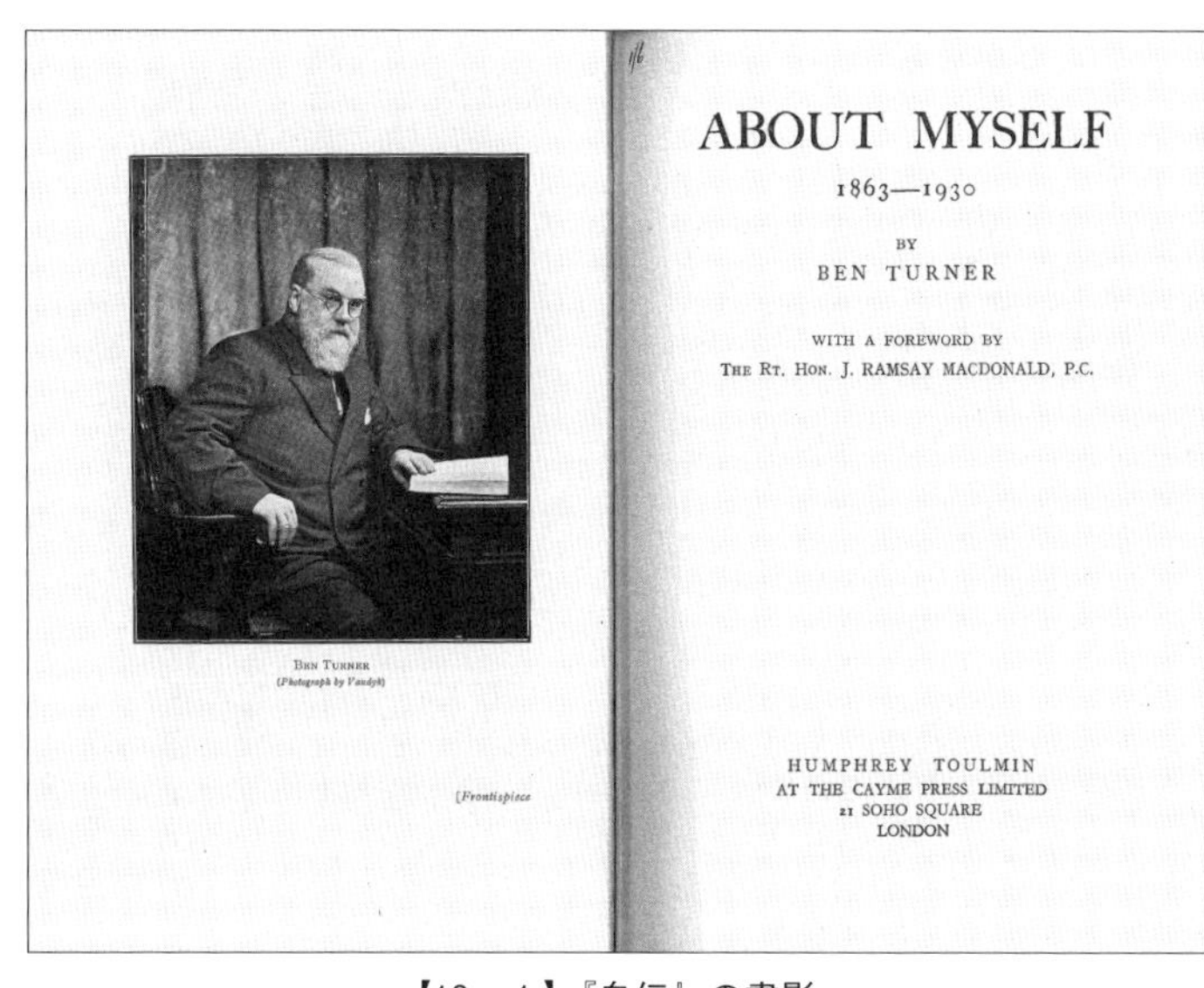

【13－1】『自伝』の書影

った。この時の苦労については『自伝』でも詳しく触れられている（『自伝』七五－八五頁）。

一八八九年、『ヨークシャー・ファクトリー・タイムズ』（*Yorkshire Factory Times*）で執筆の仕事を得て、ベンはリーズ（Leeds）に移る。翌年、彼は『ワークマン・タイムズ』（*Workman Times*）でも執筆の仕事を得た。そして、彼は労働者の運動を後押しするジャーナリストとしての仕事と、労働組合の役員の仕事を組み合わせながら、労働運動に献身し、ヨークシャーの羊毛産業の傑出した指導者となった。一九二二年から三三年には全国繊維産業労働組合（National Union of Textile Workers）の委員長を、一九二七年から二八年にかけては、イギリス労働組合のナショナル・センターである労働組合会議（ＴＵＣ）の委員長など多くの要職を務めた。ベンは労働運動にとどまらず、政治の世界でも貢献する。一九〇六年の労働党の誕生にも、深く関わった。ベンは労働党設立に重要な役割を果たした社会民主連盟（ＳＤＦ）のメンバーでもあったし、独立労働党（ＩＬＰ）の創設メンバーでもあった。また、政治家としても活躍した。地方政治では、一八九三年よりバトリー（Batley）の市議会議員を務め、一九一四―一九一五年と一九三四―一九三五年には市長にもなった。国政でも、バトリー及びモーリー（Moley）選挙区で労働党より立候補し、何度かの落選もあったが、一九二二年、一九二三年、一九二九年には当選を果たした。

ベンには詩人としての顔もある。彼は出身地であるヨークシャーをこよなく愛しており、ヨークシャーの方言で詩を多く書いた。『ヨークシャーの織機から』（*Rhymes, Versus, and Poems from a Yorkshire Loom*）という詩集も出版している。

こうしたベンの目覚ましい功績は、叙勲という形でも認められた。彼は一九一七年にＯＢＥ（大英帝国勲章・オフィサー）、一九三〇年にＣＢＥ（大英帝国勲章・コマンダー）、そして一九三一年にナイトの爵位を与えられた。

（３）ベンとの出会い

私がこのベンと出会ったのは、そして彼の『自伝』と出会ったのは、長らく続けている「イギリス工場法とジェンダー」の研究を進める中でのことだ。ずい分と前のことになるが、一八七四年工場法について調べる中で、彼の名前を知った。一八七四年工場法は繊維産業の労働条件をさらに改善しようというものであったが、同法の制定過程で女性たちは「工場法による成人女性の労働制限を定めた条項の撤廃」を求めた。読者の中には工場法は「児童や女性を過酷な労働から守る」法律と理解している人も少なくないであろう。なので、なぜ、女性が自分を守ってくれる法律に反対するのか、と疑問を持つかもしれない。その背景には、一八四四年工場法で初めて一八歳以上の成人女性の労働が制限されるようになった時、女性は男性と異なり「自由な行為者」(free agent)ではない、すなわち、自らの適正な労働条件を判断する能力がなく、また、自らの労働条件を使用者と交渉する能力がないため、という理由で、国家が彼女たちの労働に介入することが正当化された、という経緯がある。

ベンが生きた時代は、女性たちが声をあげ、その地位の向上を一つ一つ勝ち取っていった時代とも重なっている。一八七〇年代に工場法による女性の労働制限に反対した女性たちは、工場法が女性を「子ども扱い」している、という点を改めて問い直し、女性も男性同様に労働組合を結成して使用者との交渉の中で自らの労働条件を決めていくべきである、工場法による労働制限のために「好きなだけ働き、出来るだけ多くの賃金を得る」権利が奪われている、などと主張した。

そうした声をあげた女性の多くはミドルクラスの出身だったが、中には女性労働者もいた。そして、それら女性労働者の中には、彼の活躍の拠点であるヨークシャー地方の毛織物産業の女性労働者たちも含まれていたのである（竹内 二〇〇五）。

ベンは一八七〇年代にはまだ子どもだったので、同法の制定をめぐる議論に関わった訳ではないが、この女性労働者たちが結成したデューズベリー、バトリー及びヘビー・ウルン地域織布工組合は、ベンが後に加入したハダスフィールド地域力織機織布工組合と一八八三年に統合され「ハダスフィールド地域力織機織布工および羊毛労働者連合」(Huddersfield and District Power Loom Weavers and Woollen Operatives' Association) となる。ベンは、一九一七年に『繊維一般労働組合ヘビー・ウルン地域支部小史』(*A Short Account of the Rise and Progress of the Heavy Woollen District Branch of the General Union of Textile Workers*) という本を書き、その中でこの女性たちが羊毛産業の労働組合の発展に果たした役割について記した。私は、一八七〇年代のこの女性たちの動きを知るために同書を読む中でベンに興味を持つようになったのである。

(4) 女性への温かい眼差し

その理由は、ベンの筆致の中に、当時の男性労働運動指導者の多くの者には欠けている「女性へのリスペクト」や「女性への温かい眼差し」が感じられたことだ。一八七〇－八〇年代の労働組合の世界には、根強い女性蔑視が存在した。たとえば、一八八三年に議会で工場法によって釘・鎖産業における少女の雇用を禁止することが検討された時、労働組合運動リーダーでもあり、国会議員でもあったブロードハーストは、これらの産業で働く少女たちの惨めさを執拗に暴き立てた。もちろん、過酷な労働状況を知らしめる、という意図はあったであろう。しかし、そこには彼女たちを「おぞましいもの」「恥ずべきもの」として貶めるニュアンスがあった。一八八三年のＴＵＣ大会でこの問題が論じられた時にも、少女のみの雇用禁止は少女たちがこの産業で労働者として生きていく可能性を断ち切ることになるので、少女のみでなく少年の雇用もあわせて禁止すべきだ、と発言した女性出席者に対して、「馬鹿げた提案」と侮蔑を込めて一蹴した（竹内二〇一六）。それに比べるとターナーが女性について語る時の語り口は穏やかで、優しく、私はこの本を通して一八七〇年代のこの女性たちの動きを知る中でターナーという人物に興味を持ち、彼の人となりについてもっと知りたくなり、『自伝』を読んでみることにしたのである。

(5)『自伝』とその魅力

彼の『自伝』の出版は一九三〇年である。ベンによる序文の日付は一九二九年五月二九日なので、原稿を書き上げたのは六五歳の時ということになろう。前述したように彼の人生は労働運動や労働者階級の政治的な力が成長した時期と重なっている。この本に初の労働党首相であり、同書出版時に任期中であったラムゼイ・マクドナルド（一八六六―一九三七年）が「はしがき」を寄せていることは、何よりもそれを象徴すると言って良いだろう。「ストライキとロックアウト」（第九章）、「ＴＵＣへの出席」（第一三章）、「国際会議」（第一四章）、「独立労働党の設立」（第一五章）、「戦争と羊毛製品生産コントロール」（第二二章）、「アメリカ訪問」（第一七章）、「ロシア訪問」（第一八章）、「ジェネラル・ストライキ」（第二七章）など、全三一章のうちのいくつかの章題を見るだけでも、ベンの活動がいかに多岐にわたっていたか、また、ベンがこの変化をもたらす主体の一人としていかに活躍したかを示している。

『自伝』は、この変化の時代を、ベンの「目」を通して、ベンの「内側」から見せてくれる。この本は、あたかもベンの「着ぐるみ」を着てまるでそこに自分がいるような臨場感をもって「見る」というエキサイティングな経験を私にもたらしてくれた。『自伝』は、ベンの誕生と両親やその家族の説明から始まる。ベン自身の記憶に基づく記述は、彼が四、五歳の頃からとなっている。幼少期のベン、少年期のベン、青年期のベン、と各年齢のベンの「目」からヨークシャーを覗くような楽しさもある。

ベンの『自伝』の魅力は、彼が家族や生活をも大切にしている点だ。彼は、日常の「小さな出来事」や日用の「ありふれた」品々を細やかに記述している。たとえば、幼い頃、父方の祖母と過ごした時間については、こんな風に書かれている。ベンは、よく、暖炉のそばに座る祖母の「膝に頭をもたせかけ」、彼女のために物語を読んであげた。祖母は、「長いパイプをふかし」ながら「ベンの頭をなで」ながら、それに聴き入る。祖母は、当時の女性がよく被っていたモブ・キャップ（頭をすっぽりおおうキャップ）を被っていた。ベンが『自伝』を執筆した頃には、モブ・キャップはほとんど見られなくなっていたが、彼は「今でも」女性が「こざっぱりしたモブ・キャップを被っているのを見るのが好きだ」と書いている（『自伝』一九頁）。祖母との穏やかな時間、祖母の温もりへの郷愁があふれ出るような文章である。

こうしたベンの人、物、故郷ヨークシャーに対する愛情は、労働運動や政治運動の一コマを記述する際にも発揮され、そのことによって、私たちは、厳しく困難な運動をになった人々の「息づかい」や「体温」のようなものを感じることが出来るのである。先に触れた女性へのリスペクトについても、ベンのこうした細やかさと無関係ではない。日々の生活の中での母や妻の苦労、ともに闘う仲間の女性たちへの共感、傑出した女性運動家への素直な賞賛は、つまらない「男の面子」にとらわれず、真っ直ぐに物を見ることの出来る彼の資質から来ているのだと思う。

以下では、まず、ベンの『自伝』を通じて、この大きな変化の時代をベンの内側から、とりわけベンを運動に駆り立てたものに力点を置いて覗いてみたい。次にベンの女性への温かい眼差しやリスペクトについて考えてみたい。最後にコロナ禍と関連してベンが種痘の予防接種反対運動の支持者であったことに一言だけ触れたい。

2　変化の時代

(1)「青と黄色」から「青と赤へ」

前述したように、ベンのもっとも初期の記憶のひとつは、一八六七年の選挙法改革で都市労働者の多くが選挙権を獲得した翌年、新法のもとでの初めての選挙であった。この選挙の時の光景はまだ四歳だった彼の心に強烈な印象を残したようだ。彼の家族を含め、近隣の人々は選挙に沸いた。当時は、保守党と自由党の二大政党が選挙を闘った。保守党のカラーは青、自由党のカラーは黄色であった。ベンの家族は自由党を支持していて、選挙期間中、子どもたちは黄色の服を着せられた。隣の家は保守党を支持していて、子どもたちは青い服を着せられていた（『自伝』二〇頁）。親の支持政党によって青、あるいは黄色の服を着て、子どもたちが外で遊んだり、学校で勉強したりしている姿が鮮やかに目に浮かび、強く印象に残った。各家庭の政治的信条が、日々の生活を営む場で、「色」で描き出される、というのは興味深い。

『自伝』によれば、この時点では、工場労働者であった彼の父親を含め、彼の周辺ではまだ選挙権を持っていない人が多かったとのことだ。しかし、自らは未だ選挙権は得ずとも近隣の人たちの選挙への関心は非常に高かった。もちろん、労働者たちはチャーチスト運動の昔から選挙権がなくても政治に関心を持ち、熱心に粘り強く運動を重ねてきた。とは言え、選挙法改正で、自分達と同じ立場の者の多くに選挙を通じて発言する機会が与えられた後の初めての選挙であるから、彼らはそれまで以上に「熱い思い」でこの選挙に取り組んだことは想像に難くない。近隣に溢れる「青」と「黄色」は、その「熱い思い」の鮮やかな象徴と言えよう。人々が自らの政治的立場と「熱い思い」を、着衣の色、という「目に見える」形で表明し、政治や社会に主体として関わる様子や喧騒は、ベンにとっての原風景ともなったのではないか。その原風景の中に自分も黄色服を着て存在したことが、ベンのその後の社会や政治に対する時の主体性の出発点だったのではないか。

この選挙の時点では、労働者の利害を代表する政党は存在していなかった。ベンが「黄色」の服を着たのは、自由党の中の労働者の権利拡大を擁護する勢力を支持することで、自分たちの声を政治に反映させようという動きと連動している。自由党と労働者のこの協力関係は自由・労働主義（リブ＝ラブ）と呼ばれた。自由党の Liberal と労働者の Labour が結びついた言葉である。自由党の支持を得て労働運動の指導者が立候補することもあり、一八八五年の総選挙ではＴＵＣから一二名の議員が当選した。しかし、労働者たちは次第に自由党との関係を断ち「自分たちの政党」を作る方向に舵を切る。一九〇〇年に労働代表委員会が設立され、それが一九〇六年に労働党となった。このイギリス労働党成立までの過程はいささか複雑だが、それは「労働者階級の声を議会に反映させたい」という目的で結ばれた労働者たち、労働組合運動家、社会主義者たちの「長年の闘い」が実を結んだものであった。

労働党の前身となる労働代表委員会は、ベンもそのメンバーであった、ＴＵＣ、独立労働党、社会民主連盟、フェビアン協会から選ばれた委員から構成された。新しく誕生した労働党は一九〇六年の総選挙で二九名の議員を当選させた。それが一九二三年の総選挙では一九一議席を獲得、一五八議席を獲得した自由党の協力を得て、マクドナルドが初めての労働党の首相となった（今井 二〇〇八：一九―二一、及び The Labour Party-Home）。ちなみにベンのみならず、ベンの妻も、独立労働党の創設メンバーであった（『自伝』一六四頁）。

周知のように、現在、イギリスの二大政党と言えば、保守党と労働党である。二〇世紀初頭までの保守党と自由党による政治が、保守党と労働党によるものにスイッチしたのである。労働党のカラーは「赤」である。ＢＢＣ（イギリス放送協会）などで国政選挙について報道される時、保守党の「青」と労働党の「赤」で両党の勢力図が示される。残念ながら『自伝』には、その後の選挙でベンが住む町で、「色の配分」がどのように変化していったのか、の記述はない。しかし、幼いベンの鮮烈な記憶に残った「青と黄色」は、徐々に「青と黄色と赤」に、そしてそれが「青と赤」に変わっていったのだと思う。そして、ベンはその色の「塗り替え」に、身を投じ、その「塗り替え」に大きく貢献したのである。

（2）「学び」への渇望

ベンは、この変動の時代の中で、まさに身を粉にして労働運動、政治運動に献身した。彼のこの献身を支えたものは何だったのであろうか。その一つは「学ぶ」ことによって視野が開けていく面白さ、そして「学ぶ」ことを通じて主体的に考える力がついていく手応えではなかったか。そして、その「学び」を実践に結びつける中での出会いや経験が次々と開いてくれる新しい「視界」ではなかったか。

前述したようにベンは一〇歳からハーフタイマーとして毛織物工場で働き始めた。一三歳からはフルタイマーとなり、朝六時から夕方六時までの勤務となった。父の失業もあり一家はハダスフィールドに引っ越す。ベンはこの街でも毛織物工場で働いた。朝六時から夕方六時の労働は、それだけでも大変だと思うが、彼はハダスフィールドで開催されていた世俗の日曜学校に通い、読み書き、地理、歴史などの勉強を続けた。この日曜学校には時々、有名な講師が来て、アイルランド自治や年金など、さまざまな社会問題について講演をした。講師の中には労働運動や協同組合運動に大きな貢献をした思想家のジョージ・ヤコブ・ホリヨークや労働運動には消極的だと思われていた女性労働者を立ち上がらせて世間を驚かせたマッチ女工ストライキの指導者アニー・ベザントもいた(『自伝』三六―四八頁)。労働運動を支援するミドルクラスの政治家たちの後援もあったのであろうが、労働者階級の若者たちに良質で豊富な「学ぶ」機会があったことは注目に値する。

ベンによれば、生徒たちはこれらの社会問題を「どう学ぶか」を学んだ。そして、生徒たちは自分たちでディベートを組織したり、朗読の会を主催したり、社会問題を劇に仕立てたりといった主体的な行動により、「学び」を自らの血肉とし、自らの思想を形成し、そして、後に社会に働きかける様々な運動を行う自らの下地を作っていった(『自伝』四七―四九頁)。

ベンは、週二日、労働者のための教育機関であるメカニック・インスティテュートの夜学にも通った。週二日とは言え、朝六時から夜六時まで工場で過ごした後に通うのであるから、若いとは言え、肉体的にも負担はあったろう。ベンを始めとする若者たちの「学び」への意欲の強さには驚嘆すべきものがある。こうした「学ぶ」機会を喜んで享受したのは一部の「真面目な」者たちであって、おおかたは「娯楽的」なものの方を好んだのかもしれない。しかし、ベンをはじめとする「真面目な」若者たちは旺盛な「学ぶ」意欲を持ち、こうした機会の恩恵を進んで享受し、成長していった。おおむね一五歳から一九歳のこの時期を、ベンは「実に豊かな生活だった」と振り返っている（『自伝』四九頁）。

この基盤の上にベンはさまざまな実践を重ねた。ベンは、「労働組合は教育的な影響がある」と書いている。それは、労働者に「倹約の習慣」を教え、「自尊心」を教え、「正義」を教える。そして、「市民としての責任感」を向上させ、「労働と資本がより容易に、よりフェアに協力する」ことを可能にする、というのだ（『自伝』五二頁）。彼は、さまざまな活動を重ねる中で、自らが成長していく手応えを感じていたのであろう。

（3）エキサイティングな体験

ベンは、もし、労働運動や政治運動に関わりを持たず、大人しく使用者に従う労働者として生涯を終えていたら決して経験することのなかったであろう、さまざまな経験をした。経験の中で学び成長することが、さらに新しい経験をする機会をもたらす。ストライキの支援のためにヨークシャーの各地を回り、それぞれの土地を自らの目で見、直接その土地の人々と会ったこともそうであろうし、イギリス各地で開かれる大会や集会に参加し、ヨークシャー以外の土地を見ることも、そこで、他の活動家や指導者たちと会ったこともそうであろう。各地を回った時に労働運動や政治運動の「聖地巡礼」を含む観光を楽しむこともあった。そうした「楽しみ」も運動への意欲を支えたであろうし、そうした「楽しみ」を大切にする「余裕」がベンを人間味のある指導者に育てたのだと思う。

二三歳のベンが一八八六年に初めてロンドンを訪れた時のエピソードを紹介しよう。当時、失業が深刻で、中でも特にロンドンがひどかった。そこで、ロンドンの失業者の支援のためにハダスフィールドで集めた義援金を届け、失業者たちの集会に参加するために、ベンを含む数名がロンドンに赴くことになった。彼らは、ハダスフィールドを夜一一時過ぎに出発し、朝六時にユーストン駅に到着した。紅茶とラム酒で元気をつけると、集会までの時間、観光を楽しんだ。午前中はコヴェントガーデン、ロンドンブリッジやタワーブリッジのあるテムズ川ぞいのビリングズゲート、そして多くの新聞社が立ち並ぶフリート街を観光した。彼が愛読する『ナショナル・リフォーマー』や『レイノルズ』が編集されている社屋を含め、多くの新聞社を見た。そして、同じくフリート街にあり、幾多の土地問題や選挙法改革の集会が開かれたアンダートン・ホテルを見た。たまたまロンドン市長のパレードがあり、「見たこともない華やかな」光景を楽しんだ。

本来の目的であるトラファルガー・スクウェアでの失業者の集会は、始まってすぐに荒れ模様となり、騎馬警官がやってきた。彼らは、面倒に巻き込まれないようエンバンクメント方面に逃げ、その後、ベンは一緒に行った仲間とは別に一人で、男子普通選挙を求める運動で有名になったハイドパークのリフォーマー・トゥリーを見に行った。その時点で、すでに疲れ切っていたが、人気俳優ヘンリー・アービングの出演する劇を観劇し、ビールとパイで夕食を済ませ、再び夜行でハダスフィールドに帰って、そのまま出勤した（『自伝』六七―六九頁）。

車中二泊で一日中ロンドンを動き回る強行軍であったが、こうした経験も労働運動に関わっていたからこそ出来た面もあるだろう。義援金を渡すためにロンドンの活動家と会ったり、集会自体は荒れて短時間しか参加出来なかったものの失業者たちや彼らを支援するために集まった人々と時間と空間をともにしたり、政治改革の運動にとって象徴的な場所を訪ねたり、といった経験は、単なる観光では得られない感慨をベンに与えたであろう。

その後も、ベンはＴＵＣの年次大会はじめ、色々な会議や集会に出席するためにイギリス各地を訪ねた。地元の労働者と交流したり、それぞれの地域で盛んな産業の工場や仕事場を見学したり、地域ごとに特徴のある街のたたずまいや自然の様子を目にすることは、ベンに文字だけでは得られない知見を与え、新しい視界を与えたことだろう。その知見が自らの中に蓄積され、視界が徐々に広がっていき、それが実践に活かされていく手応えは、ベンにとって、とてもエキサイティングなものであったに違いない。

（4）革命後のロシアへ

このような体験はイギリス国内にとどまらなかった。ベンには労働運動の国際大会などのため海外を訪問する機会も多くあった。彼は、ベルリン、ミラノ、バーゼルなどヨーロッパの多くの都市を訪ねた。そうした際に工場見学や労働者との交流がセットされていることもしばしばあった。ベンはイタリア、ベルギー、オランダなどの工場を見学し、これらの国の労働者は「イギリスであったら許されない」ほど「ゆったり働いている」と記している（『自伝』一五六—一五七頁）。ベンが労働運動の指導者でなかったら、これだけの機会は得られなかったろう。各国の労働運動の指導者たちと交流し、各国の労働事情や労働運動の現状について知り、国際的な連帯により各国での労働者の権利のさらなる向上の道を探るのは、それなりの苦労もあったろうが、面白さややりがい、感動にも満ちていたであろう。

ベンの国際体験の中でも、ひときわ特別なものは一九一七年の革命後、資本主義国による「封鎖」のために国際的に孤立していたロシアへの訪問であろう。彼自身、この時の体験を自身の「最大の冒険」と呼んでいる。一九二〇年、労働党とＴＵＣはロシアに代表団を送った。ベンはこの代表団の一員としてロシアに渡ったのである。一九一七年の革命以来、イギリスからこうした「代表」がロシアに送られるのは初めてのことであり、代表団は大変な歓待を受けた。レニングラード（現在のサンクト・ペテルブルク）では二〇〇〇人もの人が彼らを出迎えた（『自伝』二一四—二一五頁）。

代表団はロシア各地の工場、学校、病院などを見学し、労働者の家庭を訪問した。人々の暮らしは貧しく、飢えた様子であった。しかし、彼らは代表団に、自分たちは革命政府を支える決意だと語った。病院では薬が不足していた。ベンは資本主義諸国による「封鎖」は「間違い」で、せめて赤十字などによる薬の送付は必要だと感じた。ロシア側が「封鎖」による窮状を訴えるために、あえて困難を見せたのか、社会主義による国家建設の優越性を示そうとしても実際の困難が凌駕していたのかは不明だが、ベンの目には人々の「飢えた様子」が強く印象に残った（『自伝』二一六—二一八頁）。

インターネットなどない時代である。新聞、ラジオ、TVなどのメディアも、まだまだ未発達であった。そんな状況の中で「正確な情報」を得ることは至難であった。一行は、一つ体験するごとにロシアの「実情」についての認識を上書きし、修正していった。それとて決して正確ではなかったろうし、偏りのあるものであったろう。とは言え、こうした一つ一つの体験と修正によって、ロシアはどういう国で、今、ロシアで何が起こっているか、を知り、それを伝えていくしか方法はなく、そして、ロシアに対し自らを閉ざしていたイギリスにおいて、その作業の重要な端緒を担ったのがベン達一行であった。

話を旅の初めに戻そう。一行はニューカッスルから海路でノルウェーのベルゲンへ、さらにデンマークのクリスチャニアを経てスウェーデンに入った。ちなみにこの船旅はかなりひどいもので、労働党の代表として同行していたスノードン夫人は危うく海に落ちそうになったほどだった。スウェーデンに立ち寄ったのは、スウェーデンが社会主義政権だったからで、一行はここで、「ロシアをフェアな目で見ることが出来るだろうか」、と思うぐらいの歓待を受け、首相その他、重要人物からロシアについての情報を得た。スウェーデンのロシア大使館からも革命についてのレクチャーを受けた。しかし、それらの情報と、この後ロシアで自分が目にしたことの間には

「ギャップ」があった、とベンは記している。

逆にイギリスで聞いていた話と「違う」という出来事もあった。ベンは、出発前に、ロシアで出歩けば尾行がつく、と聞いていた。が、ベンが訪問団のメンバーのうちの一人と一緒に、イギリス在住のロシア人数名から親戚に渡して欲しいと頼まれていた手紙などを届けるために何軒かの家を訪問した時、尾行もつかなかったし、運転手が家の中まで付いてくることもなかった。ある高齢の女性は、「ソヴィエト」は「古き良きペトログラード、古き良き社会、古き良き王室を破壊した」とベンたちに語った。この女性は、「子どもの福利という意味では良いこともしたけれどね」と付け加えたけれど、そうした「ソヴィエト」に対する批判的な言葉をイギリスからの来訪者が聞くことを妨げるような「妨害」はなかった(『自伝』二一一―二一七頁)。

ベンはレーニン(一八七〇―一九二四年)と二人で話すという稀有な体験もした。モスクワ到着の翌日、ベンの元へ使いの者が来て、レーニンが彼に会いたがっていると伝えた。「偉大なる」レーニンからの招聘とあって、ベンはすぐに使いの者に従ってクレムリンへ向かった。ベンはレーニンの部屋に通された。ベンの印象によれば、レーニンの部屋は、飾り気のない「ごく普通のビジネスマンのオフィス」のように見えた。また、生身のレーニンはそれまでベンが写真で見てきたような、彼に特徴的な口元の「冷笑」はなく、部屋に入ったベンの目をまっすぐ見て、少し微笑んで「こんにちは、同志ターナー」と挨拶した。そして「あなたやあなたの友人はロシアについてどう思っていますか?」とベンに尋ねた。ベンは「大病の後の人がそうであるように、ロシアはゆっくりと回復しているところなのだと思います」と答えた。すると、レーニンは「いや、むしろ、そうだね、手術から回復しているところ、と言った方が良いかな」と答えた。ベンが肩をすくめた様子からレーニンはベンの感情を読み取って、「あなたは私たちの方法に批判的なのかな?」と尋ねた。レーニンとベンの間に微妙な空気が流れたが、ベンは思い切って「正直に言えばそうです」と答えた。レーニンは、「フランス革命の方が多くの流血があった」のに「あなたたちはフランス人を同胞として称賛し、ロシア人を残酷だ、と非難するのですね」と言った。その後もレーニンとベンの間ではロシア革命が流血を伴うものであった点についての緊張を伴う会話が続いた。ちなみにベンはこの旅でトロツキー(一八七九―一九四〇年)とも会っている(『自伝』二一九―二二一頁)。

ロシア革命後の閉ざされた状況の中で、このような「生身の人間」同士の対話は、その後のロシアとイギリスの関係の着地点を模索する過程の重要な一コマだったのではないか。大きな政治の動きも、こうした一つ一つの「生身の人間」同士の関わりの積み重ねの集積なのだ。そしてその重要な一端をベンは担ったのである。

滞在中、銃声を聞くこともあり、一行の旅は決して安穏なものではなかった。帰路にも色々トラブルがあり、帰国が予定より遅れ、イギリスでは一行が「ロシア人に拘留された」という報道も流れた。大変な旅ではあったが、人々は親切で子どもたち含め無邪気に「イギリスはいつ革命をするのか」を知りたがった(『自伝』二二五―二三一頁)。ベンは労働運動や政治運動に関わっていたからこそ、このような稀有な経験をすることが出来た。他のイギリス人に先駆けて革命後のロシアを訪ね、レーニンやトロツキーなどの要人に会い、工場や病院などの施設を見学し、一般の人々とも触れ合い、その経験を帰国して人々に伝えた。こうした、経験を通して「知見」が広がり、それを使って時代を動かす「手応え」がベンのたゆみない活動の原動力になっていたのだろう。

3　女性へのリスペクト

(1) "men and women"

ベンの『自伝』を読んで、まず私が気づいたことは、彼はどんな場合でも必ず"men and women"と書くことだ。そして、彼の筆致に女性へのリスペクトが感じられることだ。ベンが活躍していた時代、労働組合運動には根強く「女嫌い（ミソジニー）」の文化が存在していて、TUCの年次大会などで、とりわけ女性の代議員と男性の代議員の間での議論となった場合などにそれが吐露されることもしばしばであった。女性の低賃金は男性労働者の低賃金をもたらし、彼らの雇用や地位を危うくするという危惧や、多くの女性は労働組合運動に無関心であることへの不信感がその背景にはあった。女性の側からすれば、多くの犠牲を払ってストライキに参加したとしても、結果としての賃上げが男性に厚く、女性に薄かったり、時には女性の賃金は据え置きだったりすることへの不満や、家事などの負担で労働組合運動に割く時間がないなどの事情もあったのであるが……。それはともかく、ベンには女性を一段下に見るようなメンタリティが感じられないのである。

その一つの大きな理由は、ベンの出身産業である毛織物産業の労働運動に果たした女性労働者たちの大きな役割であろう。前述したように毛織物産業の本格的な労働運動は、ストライキ委員の全員を女性が占める、という、非常に稀有な労働争議とその勝利が契機となって始まった。一八七五年、デューズベリーのヘビー・ウルン工場の使用者たちは、出来高賃金率の一五パーセント引き下げを提示してきた。これは男女両方を対象にしたものだったが、より強く怒りをあらわしたのは女性たちであった。女性のみのストライキ委員会が指導したこの争議への参加者は二万五〇〇〇人にものぼった。数千人規模の集会も開かれた。結局、彼女たちは賃金率引き下げを阻止するにとどまらず、ストライキ以前より引き上げることに成功した。そして、このストライキ委員会が核となって結成された労働組合が、その後のウェスト・ヨークシャー地方の毛織物産業の労働組合の発展に重要な役割を果たしたのだ（竹内 二〇〇五）。ベンは、こうしたたくましい女性指導者たちへの賞賛を惜しまない。彼女たちの何人かとは、組合の会合などで同席する機会も多かった。『自伝』では彼女たちへの直接の言及はほとんどないが、前述した『繊維一般労働組合ヘビー・ウルン地域支部小史』は彼女たちへの賞賛の言葉に満ちている。

MAYOR OF BATLEY, JANUARY 1914

MRS. TURNER, MAYORESS OF BATLEY, 1914

【13－2】1914年バトリー市長就任時のターナー夫妻

(2) 家族の支え【13－2】

しかし、彼の女性へのリスペクトは、妻、娘への感謝も関係しているかもしれない。労働運動史の表には出てこないが、労働運動の発展の裏側には家族の支えがあったと思われる。私は、ベンの『自伝』を読み、「妻の貢献」「家族の貢献」ということに気づかされた。労働運動における妻や家族が果たした役割については、一度きちんと論じられるべきであろう

ベンは一八歳で交際を始めた女性と二一歳で結婚した。妻は綿紡績工場で働いていたが、結婚を機に仕事を辞めた。彼が「世の中で最も辛い経験」と呼んだ失業の時期を経て、労働運動や政治運動に専心するようになると、その生活は多忙を極めた。一週間に一八もの集会に顔を出し、帰宅は毎日深夜で、妻とほとんど会えない、といった日が続くようなこともあった（『自伝』六二―六三頁、九四―九六頁）。夫の失業という苦境や仕事のために夫が留守がちの家庭を支える苦労

は、当時の労働者の家庭で多くの妻が経験したことかもしれない。が、ベンほどの激務をこなさねばならない夫はさほど数多くなかったであろう。

これに加え、ベンの妻の場合は、自宅が組合の支部の事務所となる、という負担もあった。一八九二年に、ベンの属する組合は、支部の制度を整えた。ベンは「ヘビー・ウルン支部」の責任者となり、その事務所が自宅に置かれることになった。家賃、水光熱費、掃除代などとして週に一シリングが支給されたものの、支部スタートに伴ってベンの妻と娘が担った「無償の労働」はとんでもない量にのぼったようだ。彼女たちは組合費集金人が集めてきた組合費を受け取り、彼らに集金人としての給与を支払った。組合員たちが訪ねて来て、職場の問題や不満を訴えるのを聞き、記録するのも彼女たちが行った。ベンは彼女たちの助けなしに支部設立期の苦労を乗り切ることはできなかった、と彼女たちへの感謝の気持ちを述べている（『自伝』九九―一〇〇頁）。

山口みどりは国教会牧師の妻や娘がいかに教会の運営に貢献したかを明らかにしているが（Yamaguchi 2014）、同じことが労働運動にも言えそうである。しかし、山口が史料とした「牧師の娘たちの日記」に相当するような「労働運動指導者たちの娘の日記」はほとんど存在しない。そして多くの男性労働運動指導者たちは妻の貢献に無自覚である。その点でベンの『自伝』は労働運動の裏側の家族の貢献を知ることの出来る数少ない貴重な史料と言える。ベンの妻や娘の「無償の労働」の貢献は、決して小さいものではなかったはずである。しかし、彼女たちの貢献は「正式」には記録されず、「正式」には評価されていない。我々は、妻や娘を大切に思い、彼女たちの貢献に感謝するベンによる記述から、労働運動の発展の陰に、男性労働運動指導者たちの、いや、多分、一般の組合員の場合についても、こうした妻や娘たちの決して小さくない貢献があった可能性を垣間見ることが出来るのである。彼女たちの活躍は、歴史から「隠された」女性の過去を探る試みが本格的に始まってかれこれ半世紀経つ今でも、いまだ、歴史から「隠された」ままである。

（3）女性参政権運動

ベンは女性参政権の強固な支持者でもあった。イギリスで女性が選挙権を獲得したのは一九一八年のことであった。ただし、この時の選挙法改革では、男性は二一歳以上の者すべてに選挙権が与えられ、普通選挙が実現したのに対し、女性には「三〇歳以上」「戸主、あるいは戸主の妻」という条件が付されていた。『自伝』が出版される二年前の一九二八年に、この不平等が解消され、二一歳以上の男女に等しく選挙権が与えられた。

女性参政権運動の歴史は長い。ベンは一貫して「男性と同じ条件」で女性にも選挙権を与えることを主張し、それを求める署名活動に積極的に協力していた。一九一八年に男性の普通選挙が実現する以前は、男性についても納税額などの条件によって選挙権が制限されていた。しかし、女性の中には男性と同等の条件を満たしている者もおり、その場合、彼女たちに選挙権を与えるべきだ、という主張があった。ベンはこの議論に与していたことになる。他方で、特に労働運動の中には、まずは男性の普通選挙の実現を優先すべきである、という意見も強かった。女性の問題を持ち出すことは、早期に男性の普通選挙権を獲得することの妨げになる、という主張が根強かった。そうした中で、ベンは「男性と同じ条件を満たしている女性が同じ権利を与えられないのはおかしい」という立場を貫いた（『自伝』二七六頁）。

労働者階級の女性たちの女性参政権運動については、ランカシャーの綿産業の女性労働者たちの間の女性参政権運動を扱ったジル・リディントンとジル・ノリスの画期的な研究（Liddington and Norris 1978）が道を拓いたものの、まだ多くは知られていない。羊毛産業における労働者階級の女性たちの女性参政権運動についても同様である。しかし、断片的ではあるが、私たちは『自伝』を通じ、羊毛産業においても、女性労働者の間に女性参政権運動があったことを垣間見ることが出来る。

ベンは、一八七〇年代にはデューズベリーおよびモーリーの羊毛産業の労働組合の中に女性の参政権を求めるサブコミティがあり、「私の家には古い新聞に掲載されたこの女性参政権サブコミティのメンバーである六名の写真がある」と記している。ベンの属する組合は、一八八四年には示威行動で掲げるための、「すべての者に平等な参政権を」と書かれた旗を作り、一八八五年には「男女同じ条件」での参政権を求める嘆願書を提出している。綿産業の労働組合が男子普通選挙を優先させたのに対し、羊毛産業の労働組合では「今」男性と同じ条件を満たしている女性に、直ちに選挙権を与えることを求めたのである（『自伝』二七六―二七七頁）。羊毛産業の労働組合における女性組合員の声に耳を傾けた結果であろう。ベンの妻も、ベン同様「男女同じ条件」での女性参政権の実現を求めていた。ベンの周辺の女性たちにはこの立場の者が多かったのかもしれない。

二〇世紀に入ると女性参政権運動の中にサフラジェットと呼ばれる「戦闘的」(ミリタント)な一派が現れた。地道で穏健な運動が実を結ばないことに剛を煮やした女性たちは「暴力」という手段を採用した。女性による暴力は世間を驚かせ、注目を集めた。映画『未来を花束にして』(二〇一五年公開)の中にも女性たちが石を投げてショーウィンドーを割るなどの衝撃的なシーンが多く描かれている。この映画からも分かるように、女性労働者がこのミリタントな運動に参加することはミドルクラスの女性たちよりも、さらに困難であった。暴力を伴う示威行動で逮捕され、勾留期間が長くなれば、女性労働者は失職することになり、彼女たちは直ちに生活に困ることになる。ミドルクラスの女性のように保釈金を用意する金銭的余裕もなかった。

リディントンたちの研究では、綿産業の女性労働者の女性参政権支持者の多くは、戦闘的なサフラジェットではなく、穏健で地に足のついたサフラジストであることを選んだ、とされている。羊毛産業ではどうだったのだろうか。ベンは、「暴力はない方が良いが、ミリタントな運動に共感する」と書いている。彼はアデラ・パンクハースト、クリスタベル・パンクハーストなどサフラジェットの指導者たちの多くと知己でもあった。ベンの妻や娘もサフラジェットであり、サフラジェットの示威行動に参加した。ヨークシャーからの仲間たちと一緒にロンドンのデモに参加し、群衆に押し倒されたこともあった。その時はヨークシャーからデモに参加した何名かの女性が逮捕された。ヨークシャーでも何度も集会や示威行動があり、そうした折には、ロンドンからの指導者や離れた地域からの参加者の多くがターナー家に宿泊した。雑魚寝のこともあった（『自伝』二七七―二七八頁）。ベンがサフラジェットを支持し、強いつながりを持っていたことは、羊毛産業の女性労働者、あるいはヨークシャーの労働者階級の女性たちとサフラジェットの関係は決して弱いものではなかったことを示唆しているのではないか。また、妻や娘を含む、彼の周囲のサフラジェットたちが犠牲の多い闘いに挑む姿を身近に見ていたことも、ベンの女性へのリスペクトを涵養したのではないか。

4　過去と現在――コロナ禍に寄せて

ベンの『自伝』を読み、「変化の時代」をベンの目を通して追体験するのは、とても楽しい作業であった。労働運動や政治運動の歴史書だけでは感じられない、過去の運動を生きた人々の体温や呼吸のようなものを感じることが出来た。特に、幼かったベンの目から見た一八六八年の選挙で近隣が「青」と「黄色」に染まった光景の描写は、私が大好きな箇所だ。

また、ベンの女性へのリスペクトの背景を考えながら読む中で、労働運動の陰に妻や娘の貢献があったらしいことや、ヨークシャーに労働者階級のサフラジェットが存在していたらしいことなど、重要であるけれど、いまだ明らかになっていない問題の存在を知ることが出来た。

なお、今回、改めて『自伝』を読み返して、以前はあまり気にとめず、読み流していた箇所が気になった。それは、ベンが反予防接種の立場であったことについての記述だ。イギリスでは一八五三年に種痘の予防接種の義務化が行われるが、これに対する反対運動が一八六〇年代後半から活発化する（西迫 二〇一九：三五四―三五六）。ベンは、一八八〇年代半ばにこの運動に加わった。娘たちにも接種させなかった。ベンは罰金を課され、しかし罰金を払うことを拒否し、警察が来て「差し押さえ」として家具などを持ち去った。差し押さえられた家具は後にオークションにかけられるので、それを仲間が買い取ってベンの家に戻す、という「いたちごっこ」が繰り広げられた。ベンが嫌ったのは「強制」ということであった。「それ（予防接種の強制）は正しかったかもしれないし、間違っていたかもしれない。しかし、その時は間違っていると思った」とベンは書いている。

後に、「強制」の部分が弱められると、ベンは娘たちにも接種させ、自分自身も再接種した。ただし、その時点でもベンは「予防接種が良いか悪いかは分からない」と書いている。そして、「私に分かるのは、強制はダメだ、ということだ」「一番大事なのは自由という問題だ」と書いている（『自伝』七〇―七四頁）。

コロナ禍の中、イギリスではロックダウンや大規模集会の禁止など、「強制」に反発する示威行動が繰り返し行われた。医療従事者へのコロナワクチン接種の「義務化」への反発も強かった。過去と現在を安易に結びつけることは慎まねばならないが、外出を控えるか否か、ワクチンの効用とワクチンの危険性の均衡点をどこと読むか、などの判断を個人に任せるべきである、という姿勢は、長い歴史の根を持っているのだと思った。そして、このように「現在」私たちが置かれている状況によって、史料の中のどこに注意が払われるのか、が異なってくる、ということも史料を読む楽しさだと思った。

参照文献

史資料

『自伝』: Turner, Ben (1930) *About My Self: 1863-1930*. London: Humphrey Toulmin.

研究文献

今井貴子（二〇〇八）「イギリスの労働組合と政治――その理念とリアリズム」『生活経済政策』一三四、一九―二九頁。

竹内敬子（二〇〇五）「イギリス工場法と女性労働者――一八七〇年代前半のウェスト・ヨークシャー地域を事例として」成蹊大学文学部国際文化学科編『国際文化研究の現在――境界・他者・アイデンティティ』柏書房、一三五―一五〇頁。

――（二〇一六）「イギリス工場法とジェンダー――一八八三年工場・仕事場法修正法案による釘・鎖産業における少女の雇用禁止の提案をめぐって」成蹊大学文学部学会編（竹内敬子・中江桂子責任編集）『ダイナミズムとしてのジェンダー――歴史から現在を見るこころみ』風間書房、一二五―一七〇頁。

西迫大裕（二〇一九）「十九世紀イギリスの反予防接種運動における自由と権利について」『法律論叢』九一、

三四九―三六三頁。

Liddington, Jill and Jill Norris (1978) *One Hand Tied behind Us: The Rise of the Women's Suffrage Movement*. London: Virago.

Yamaguchi, Midori (2014) *Daughters of the Anglican Clergy: Religion, Gender and Identity in Victorian England*. Basingstoke: Palgrave Macmillan.

ウェブサイト

Oxford Dictionary of National Biography, "Turner, Ben Sir." https://www.oxforddnb.com/display/10.1093/ref:odnb/9780198614128.001.0001/odnb-9780198614128-e-36580;jsessionid=D54E9B739F71D0A07A972CEFFD903B67（二〇二三年一月四日情報取得）

The Labour Party-Home, "Labour's History." https://labour.org.uk/about/labours-legacy/（二〇二三年一月四日情報取得）

第一四章　アメリカ合衆国議会の公聴会史料

——先住民教育改革をめぐって

中野由美子

1　史料との出会い

歴史研究を志す者は誰でも、何らかのかたちで史料との「出会い」を経験している。しかし、その詳細を書く機会はほとんどない。本稿では、いわば歴史研究の舞台裏の一部として、ある史料との出会いを振り返ってみたい。

今回取り上げる史料は、アメリカ合衆国の連邦議会（合衆国議会）の公聴会史料である。正式名称は、連邦議会上院の労働社会福祉委員会・インディアン教育に関する特別小委員会（以下、上院特別小委員会と略記）による一九六七年の第一回委員会（公聴会）の会議録（以下、出典を示す際には *Hearings* 1967 と略記）である。なお、hearing（「聴聞」）とは、「立法機関が立法活動の一部として、利害関係人の意見を広く聴取すること」を指し、「Public hearing（公聴会）の形をとる場合もある」（田中編　一九九一）。同史料は一般に公開されており、誰でも入手できる。今日では、一部はインターネット上でも閲覧することが可能である。

この史料に初めて出会った当時の筆者は、博士後期課程に在籍中の大学院生で、アメリカ社会史の文脈で一九六〇年代の先住民教育改革を研究し始めた頃だった。先住民教育史研究の第一人者であるマーガレット・スザッツ（Margaret Szasz）教授の著作を通じて、一九六〇年代の先住民教育の現場で、ある小さな学校が話題となっていたこと、さらに上述の上院特別小委員会が同校の関係者を招請していたことを知った（Szasz 1999）。先住民の学校観を知る手がかりになるのではないかと期待して、まずは会議録を入手して読み始めたのだった。

史料の紹介に先立ち、「先住民」と「インディアン」という用語（呼称）の定義を確認しておこう。本稿においては、「先住民」という用語は、ヨーロッパ人の入植以前から北米大陸に居住していた人々の子孫の自他称という民族学的な意味で用いる。それに対し、「インディアン」という用語は、国家によって承認された特定の部族（トライブ）という団体の構成員を指す法的概念として限定的に使用する。特定の「インディアン部族」名——たとえば、ナヴァホ（Navajo）（現在はディネ（Diné）と改称）やプエブロ（Pueblos）など——についても同様に、連邦政府による承認をうけた法的な地位という意味に限定して用いる。以上のように先住民に関する呼称を使い分ける主な理由は、今日では、従来使われてきた「インディアン」に代わり、「先住民」あるいは「ネイティブ・アメリカン」の方がより適切な表現であると考えられているからである。ただし、アメリカ合衆国においては、司法・行政の公的機関における正式名称として、「インディアン」あるいは特定の「インディアン部族」という用語が使われていることにも留意すべきである。本稿において、法的な意味に限定して、「インディアン（部族）」という用語を使っているのはそのためである（網野・橋川編 二〇一四：第一章、第一〇章）。なお、引用文中や正式な学校名・部局名として、「インディアン」、「〇〇部族」という語をそのまま訳出してあることもあらかじめお断りしておきたい。

以下では、まず本節において、上述の上院特別小委員会による公聴会史料の概要を紹介していきたい。続いて、同史料がもたらした新たな「出会い」として、第二節では先住民教育に携わる研究者や地元の人々との出会いについて、第三節ではオーラル・ヒストリーという新たな方法論との出会いについて述べていきたい。

一九六七年八月に採択された上院決議に基づき、上院特別小委員会による先住民教育に関する包括的な調査が行われることになった。同年一二月一四日、上院特別小委員会による第一回委員会（公聴会）が首都ワシントンで開催された。委員長のロバート・ケネディ上院議員（ニューヨーク州選出）による開会の辞と三名の上院議員による演説では、積年の連邦政府による先住民教育政策が失敗だったことを示すデータが引用されている。一例を挙げれば、全国平均と比べて約二倍の退学率と約半分の就学年数、その結果としての全国平均より七五パーセント低い平均年収と約一〇倍の失業率などである。先住民教育に関するこれらの数値を引用しつつ、ケネディ委員長は「『最初のアメリカ人』（first American：先住民のことを指す――引用者注）は、雇用、教育、平均年収、そして幸福かつ十全な市民生活という観点からみれば、最後のアメリカ人というべき状況」だと訴えたのである（*Hearings* 1967: 5）。

続いて、ロバート・ラッセル博士（Dr. Robert A. Roessel, Jr.）というある学校関係者による意見陳述が行われた。当日の委員会には、先住民教育の専門家や先住民の有識者など関係者数名が招請されていたが、その先陣を切る演説となった。ただし、猛吹雪のためラッセル博士の出席がかなわず、急遽、ケネディ委員長が原稿を代読することになったという。

ケネディ委員長の言葉を借りれば、ラッセル博士は「先住民教育の分野における卓越したリーダー」であり、当時はアリゾナ州のナヴァホ保留地内にあるラフロック実験校（Rough Rock Demonstration School）（以下、ラフロック校と略記）の主事を務めていた（*Hearings* 1967: 12）。先住民教育に特化した上院特別小委員会において、何らかの教育改革が行われていたと思われる――「実験校」という呼称から容易に推測できる――学校の関係者が招請されること自体は、何ら不思議なことではない。事実、一九六六年に約二五〇名の主に小学生を対象とした実験的カリキュラムを導入したことを皮切りに、ラフロック校は全国的に名を知られるようになっていた。ある学校関係者によれば、開校から一年半のあいだに総勢およそ一万二〇〇〇人もの視察者が訪れたという（Mizuno 1998: 152）。

しかし、ラフロック校は人口約一〇〇〇人のコミュニティ内にあり、しかも広域に散在する人家と学校を結ぶ道路は未舗装という状況だったことを知れば、以下のような疑問が起こってくる。

いわば僻地にあるラフロック校が、なぜ先住民教育改革の実験校として衆目を集めるようになったのだろうか。実際に、どのような改革が行われていたのだろうか。

第一回の委員会において、ラッセル博士は、先住民教育の現状と課題について詳細に報告している。ラッセル博士によれば、第一の問題点は学校運営の際の「ローカル・コントロールの欠如」であるとして、以下の興味深いエピソードを紹介している。

ナヴァホ保留地内で運営されている各種学校に対するナヴァホ語の呼び名は、保留地における学校のローカル・コントロールにまつわる問題点を見事に浮き彫りにしています。内務省インディアン局所管の学校は、ナヴァホ語で「首都ワシントンの学校」を意味する *Washingdoon bi oltka* と呼ばれています。ナヴァホ保留地内の公立の学校は、〔中略〕ナヴァホ語で「小さい白人の学校」を意味する *Beligaana bi oltaka* と呼ばれています。先住民教育の領域でごく最近になって導入された第三のタイプの学校が、ナヴァホ保留地のちょうど中心に位置するラフロックで運営されています。その学校に対するナヴァホ語での呼び名は大変示唆に富んでいます。なぜなら、この学校のみが、ナヴァホの学校」を意味する *Dineh bi oltka* と呼ばれているからです（*Hearings* 1967: 14）。

つまり、地元のナヴァホの人々にとっては、開校したばかりのラフロック校は唯一、「自分たちの学校」と誇りと親しみを込めて呼ぶことのできる学校だったのである。

次に、第二の問題点として、ラッセル博士は「肯定的な自己認識の欠如」を挙げている。博士によれば、従来の先住民教育は「どちらか一方」(either-or) アプローチと称すべきもので、非先住民の教師の下で教育を受け、アメリカ人のようになれば成功、ナヴァホのままでいれば失敗とみなしてきた。それとは対照的に、ラフロック校では、「両得」(both-and) アプローチと称して、「自分は何者なのか」を自問自答しながら肯定的なアイデンティティを育成するカリキュラムを擁しているという。そして、まずは先住民であることに誇りを持つことを基盤として、さらにアメリカ人であることにも誇りを持つことによって、教育に限らず人生においても賢明な選択をすることが可能になると訴えた。さらに、アリゾナ州立大学による南西部の大学数校を対象とした調査によれば、優れた成績を修めている先住民の大学生の共通点として、先住民の言語・文化を継承している家庭の出身であるという興味深い結果が得られたという。以上のように、先住民の子どもたちが先住民/非先住民の「二つの世界のはざまで自己を見失うことなく、肯定的な自己認識を保持していること」が、高等教育ひいてはその後の人生においても重要な意味をもつと主張したのである (*Hearings* 1967: 15, 16)。

ここで、先住民教育史に関して補足しておきたい。一八七〇年代以降のアメリカ合衆国では、連邦政府内務省インディアン局の主導で、先住民のみを対象とした同化教育政策が実施された。その背景には、若年層の先住民の一般社会への同化が進めば、先住民の土地をめぐる先住民と非先住民のあいだの苛烈な対立が将来的には解消するという楽観的な目論みがあった。そして二〇世紀初頭には、二五の保留地外寄宿学校（総生徒数約六〇〇〇人）に加えて、およそ八〇の保留地内寄宿学校（同約八〇〇〇人）と一四〇を超える通学学校（同約三五〇〇人）が内務省インディアン局所管の学校（総称「インディアン・スクール」）として運営されていた。学校では、先住民の言語や文化（歌踊・舞踊等）は弾圧され、主流文化――アングロサクソン・プロテスタントの文化――への同化を目標としたカリキュラムに基づく教育が行われた。とりわけ寄宿学校では、親元から子どもを引き離し、改名・断髪・制服の支給などを通じて生活様式全般の「アメリカ化」がはかられた。ただし、主に一九三〇年代以降になると、人道主義的な観点から寄宿学校制度への批判が高まる一方で予算削減の要請も加わり、寄宿学校から通学学校への転換や、公立学校への先住民の児童生徒の移籍が連邦政府の助成により奨励されるようになった（Calloway 2019: Chap.7；水野 二〇〇七：五六、七〇、八五）。

一九六〇年代になると、約一四万二〇〇〇人の先住民の就学者のうち、内務省インディアン局所管の学校には約三六パーセント、公立学校には約六〇パーセントの児童生徒が在籍していた。このような状況において、一九六六年、史上初の先住民による自主運営校としてラフロック校が開校したのである。学校の管理・運営を担う教育委員会（school board）の委員七名がすべて地元出身・在住の先住民の人々で構成されているという意味で、ローカル・コントロールを実現した初の学校となった（*Hearings* 1967: 13, 14）。

なお、上院特別小委員会は、第一回の委員会からおよそ一年半にわたり、主に西部で公聴会を開催して先住民の代表者・保護者、学校関係者などから広く意見を聴取する一方で、全米各地の先住民保留地やコミュニティを訪問し現地調査を実施している。その結果は、四〇七七ページ（全七巻）の公聴会会議録と四五〇ページ（全五巻）の報告書にまとめられている。さらに一九六九年一一月には、最終報告書（通称『ケネディ・レポート』）が提出された（以下、出典を示す際には *Hearings* 1969 と略記）。同報告書には、積年の連邦政府（内務省インディアン局）による「温情主義（パターナリズム）から脱却」すべく、先住民教育におけるローカル・コントロールを実現すること、先住民の文化・言語を含むカリキュラムを導入することが喫緊の課題であるという前提で、法的・行政的改革の具体的提言等が含まれていた（*Hearings* 1969: xiv）。上院特別小委員会による一連の意見聴取と調査結果は、先住民教育に関する具体的な法案審理を促し、さらに連邦政府による先住民教育政策の抜本的な諸改革の道標となった。

2　「魅惑の地」における人々との出会い

僻地の学校にもかかわらず、新しいカリキュラムを提唱し、何よりも先住民の人々が誇りと親しみを込めて「自分たちの学校」と呼んでいるラフロック校とはどのような学校なのだろうか。上院特別小委員会の会議録を読んで感銘を受けた筆者は、ラッセル博士宛てに、ラフロック校の歴史についてご教示を仰ぎたい旨の手紙を出した。すると、すぐにお返事をくださり、一五分程度しか時間は割けないけれど会って下さるという。指定された面会場所は、博士のご勤務先であるアリゾナ州・ナヴァホ保留地内のセイリ（Tsaile）にあるナヴァホ・コミュニティカレッジ（現ディネ・カレッジ）の事務局長室だった。ちなみに、一九六九年創立の同カレッジも、史上初の先住民自身が管理運営する高等教育機関として新たに歴史に名を留めていたのである。

当時、ニューメキシコ大学の客員研究員だった筆者は、アルバカーキから約三六〇キロメートル離れたセイリまでレンタカーを運転していった。ルームメートによれば、アルバカーキからセイリまでは「それほど遠くはない」とのことだったが、筆者にとっては四―五時間ひとりで運転し続けるのは初めての経験だった。後で知ったのだが、ルームメートは実家のあるアリゾナ州フェニックスまでの約六七〇キロメートルをたびたび車で往復していた。ともかくも、アメリカ南西部の広大さを実感しながらの移動となった。

長時間のドライブの後、ようやくコミュニティカレッジに着くと、乾燥気候の地としてはめずらしく、ぱらぱらと雨が降ってきたのを覚えている。ラッセル博士との面会は一時間半にも及び、公聴会の体験談から先住民教育の歴史と現状に至るまでご教示を賜った。また、ミズーリ州出身の博士と奥様（ナヴァホ保留地内のラウンドロックのご出身）との馴れ初めについても話してくださった。さらに、せっかくここまで来たのだからと、コミュニティカレッジから約八〇キロメートル離れた――筆者の距離感でも「それほど遠くはない」――ラフロック校を訪問する手はずまで整えてくださった。別れ際に、博士は「ナヴァホの人々のあいだでは、雨とともに遠方から来る訪問者はいい人だといわれているんですよ。」とウインクをしながら見送ってくださった。

ラフロック校に到着すると、同校の先生三名が出迎えてくださった。およそ一時間、一九六〇年代半ばの実験校としての諸改革やその後の展開についてご教示いただいた（Roessel 1977）。最後に、創世神話を含むナヴァホの歴史に関する読本やナヴァホ語／英語のバイリンガルの歴史書や絵本、ラフロック校の歴史に関する本など、一九八〇年代前後に同校のカリキュラムセンターで刊行された教材を「お土産に」と頂戴して、帰路についた【14－1】。

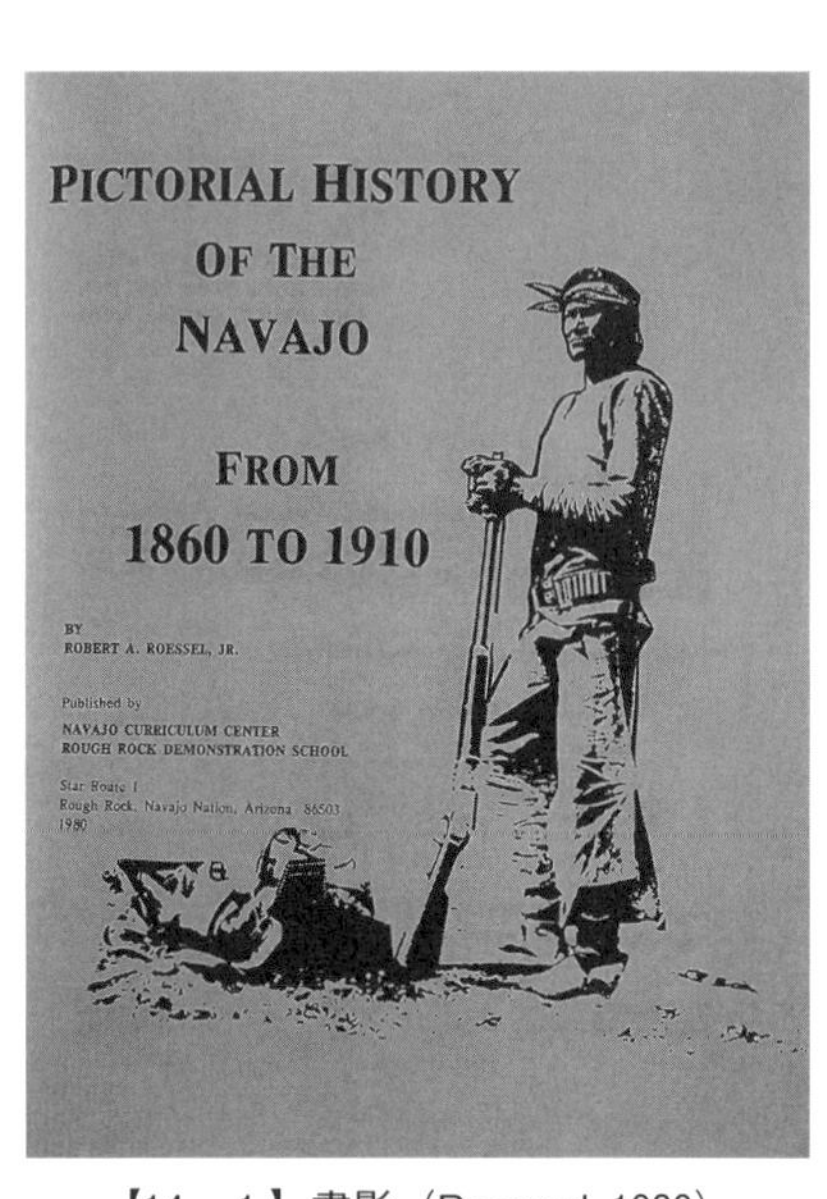

【14－1】書影（Roessel 1980）

ラフロック校訪問から数週間後、さらなる出会いに恵まれた。ニューメキシコ大学でたまたま聴講したセミナーで、講師のアニータ・ファイファー（Anita Pfeiffer）先生が、一九六〇年代にラフロック校で教員を務めていたと自己紹介されたのである。偶然に驚きながら、先日ラフロック校を訪問した旨を伝えると、一九六〇年代の同校に関する手記のコピーとともに、当時を知る関係者二名を紹介してくださった（Pfeiffer 1968: 24-31）。数日後に連絡をとってみると、お二人とも快くインタビューに応じてくださった。

蛇足ながら、ここで後日談を紹介しておこう。ニューメキシコ大学の国際交流プログラムで知り合ったホストマザーに、ラフロック校への訪問を少々得意げに語ったときのことである。彼女の柔和な笑顔が一瞬にして曇り、「自分でタイヤの交換すらできないのに、一人で行くなんて無謀すぎる！」と烈火のごとく叱られてしまった。アメリカのハイウェイには、ガラス片やら金属片やらが落ちているのでタイヤのパンクは日常茶飯事であることを――幸運なことに経験せずに済んだものの――遅ればせながら学んだ。

なおラフロック校は、実験校としての使命は終えたものの、ラフロック・コミュニティスクール（Rough Rock Community School）と改称されて今日に至っている。一九九〇年代以降の予算削減等による低迷期には、同校は他校と同様の問題――たとえば、教職員の離職率や児童生徒の退学率の増加など――にも直面した。しかし、ラフロック校の公式ホームページの言葉を借りれば、同校は一旦は衰退を経験し、「閉鎖したと報じられたこともあった」ものの、「一九六六年の創立時に掲げられた使命（ミッション）」は今日まで引き継がれている。実際のところ、同校のミッション・ステートメント（社会的使命・教育目的などの表明文）には、「多文化社会におけるグローバル市民」として貢献すべく、「自己と他者への尊敬」、「ディネの歴史、文化、言語」の尊重などが教育の基本方針として掲げられている（ラフロック校の公式ホームページ Rough Rock Community School 2021 参照）。このように、今日のラフロック校においても、一九六七年にラッセル博士が先住民教育史上画期をなす同校の特徴として挙げた二点が継承されていることが確認できる。

連邦議会の公聴会の会議録という一見地味な史料の先に、よそ者を快く受けいれてくださる研究者や地元の方々との出会いという、まさにアメリカ南西部の青く澄みきった大空のような清々しい世界が広がっている——歴史研究の醍醐味とは、このように時空を超えた「発見」と「出会い」を体験できることなのかもしれない。「魅惑の地」(Land of Enchantment) の愛称をもつニューメキシコ州やアリゾナ州での人々との出会いに魅了された経験があったからこそ、研究を続けることができたのだと思う。

3 オーラル・ヒストリーとの出会い

最後に、ある方法論との出会いについて述べたい。

一般的に、一九九〇年代以前のアメリカ先住民教育に関する歴史研究は、長らく、先住民不在の連邦政府主導の先住民教育政策史研究に限定されていたという傾向があったといわれている。ある研究者の言葉を借りれば、常に「主体としての『連邦政府』(内務省インディアン局——引用者注)に始まり、先住民は客体として」描かれてきたのである (Lomawaima 1994: xii)。その一方で、先住民の卒業生・元在籍者の大半にとっては、自らの学校経験を文書記録として残す機会はほとんどなかったのである。

こうしたなか、主に一九九〇年代から二〇〇〇年代にかけて、先住民の視点を踏まえて特定の

「インディアン・スクール」に焦点をあてたオーラル・ヒストリー（口述記録）研究が盛んになった。ちなみに、オーラル・ヒストリーとは、過去の体験の聞き取りあるいは当事者の証言をまとめた記録のことである。大学院教育を受けた先住民出身の研究者の増加に後押しされ、教育史のみならず家族史の文脈で、先住民の卒業生・元在籍者にインタビューした結果を体系的にまとめた良書が相次いで出版された。その背景には、二〇世紀半ばまでの寄宿学校を知る年配者へのインタビューは時間との競争という事情があったという（Hyer 1990: 99）。また、一九八〇年代までには大半の寄宿学校が閉校したことも、卒業生を含む学校関係者のあいだで特定の寄宿学校に関する歴史的記憶を書籍の形で残すことへの関心を高めた（Archuleta, Child, Lomawaima, eds. 2000: 19）。筆者は、先述のスザッツ教授から研究上のご助言をいただいた際に、これらのオーラル・ヒストリーの優れた研究成果と出会い、その力強い語りに引き込まれた。

ここで、オーラル・ヒストリーの研究成果の一つを紹介しよう。一八九〇年創立のサンタフェ・インディアン寄宿学校（Santa Fe Indian School）（以下、サンタフェ校と略記）に関するオーラル・ヒストリー・プロジェクトである。一九八五年、同プロジェクトは、ニューメキシコ州のプエブロ諸族による正式な後援を受けた創立一〇〇周年記念事業として始動した。その目的は、「サンタフェ・インディアン・スクールを内部者の目から見ること」であり、同校がプエブロ諸族による自主管理・運営校となってから一〇周年の節目の事業としても位置づけられた（Hyer 1990: 99）。

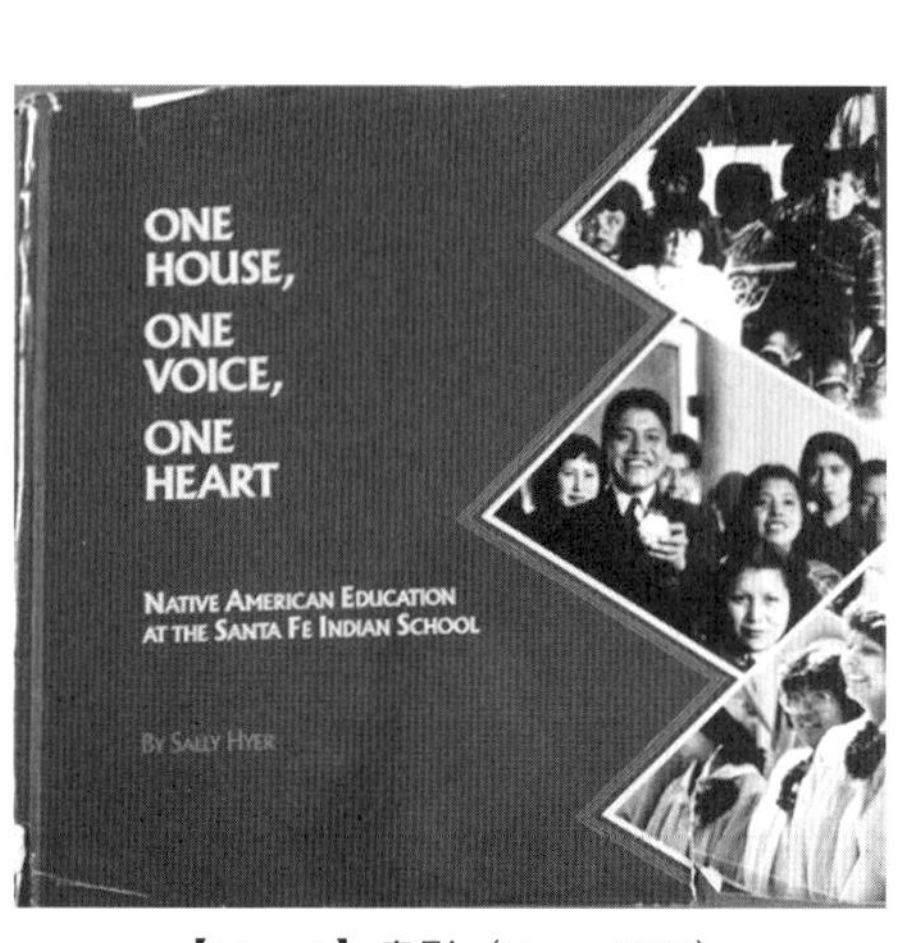

【14－2】書影（Hyer 1990）

一九九〇年には、プロジェクトの成果として『一つの校舎、一つの声、一つの心』が刊行された【14−2】。卒業生や元在籍者による回想を踏まえて、同書は、教育政策の転換のみならず先住民にとっての学校観の変遷にも着目して以下の四つの時期区分を提示している。すなわち、一八九〇−一九二九年の同化教育の拠点としての学校に対する受容と拒絶の交錯期、一九三〇−一九四五年の葛藤のなかで愛校心が芽生えた時期、一九四六−一九六二年の二世代、三世代にわたる家族の母校としての歴史が加わった時期、そして現在に至るプエブロ諸族の自主管理・運営校となった時期である。このように、一〇〇年というタイムスパンでみれば、サンタフェ校は、当初は同化教育の権化ともいうべき存在であり、地元の先住民コミュニティとは相いれない異質の教育機関だった。ところが、二〇世紀半ば頃から次第に祖父母・父母の母校としての歴史という側面が加わった。またそれゆえに、一九七七年には先住民が自主管理・運営する学校として蘇ったのだった（Hyer 1990: 69, 98, 99）。こうして、先住民自身の言葉で語られたオーラル・ヒストリー研究の興隆は、先住民の学校観の変遷を析出するという成果をもたらした。なお今日では、サンタフェ校は自らを「主権、先住民の文化、共同体を基盤とする部族運営の学校」と位置づけており、同校の管理運営を担う教育委員会は全員プエブロ諸族出身者で構成されている（サンタフェ校の公式ホームページ Santa Fe Indian School 2022 参照）。

一連の「インディアン・スクール」に関するオーラル・ヒストリー研究の成果は、全米各地での博物館における展示としても発表された。一例として、二〇〇〇年から二〇〇五年にかけてアリゾナ州フェニックスのハード博物館（Heard Museum）において開催された「我々のインディアン・スクールの記憶——寄宿学校での経験」と題された展示が挙げられる【14－3】。同博物館による複数の寄宿学校に関するオーラル・ヒストリー研究によれば、二〇世紀前半の厳格な同化教育政策下であっても、先住民の児童・生徒は常に受け身の無力な犠牲者だったのではなく、サボタージュや「隠れ家」での一時的逃避、学校と自宅における文化的「棲み分け」などの方法を駆使して、主体的に自らの言語や文化を仲間内で

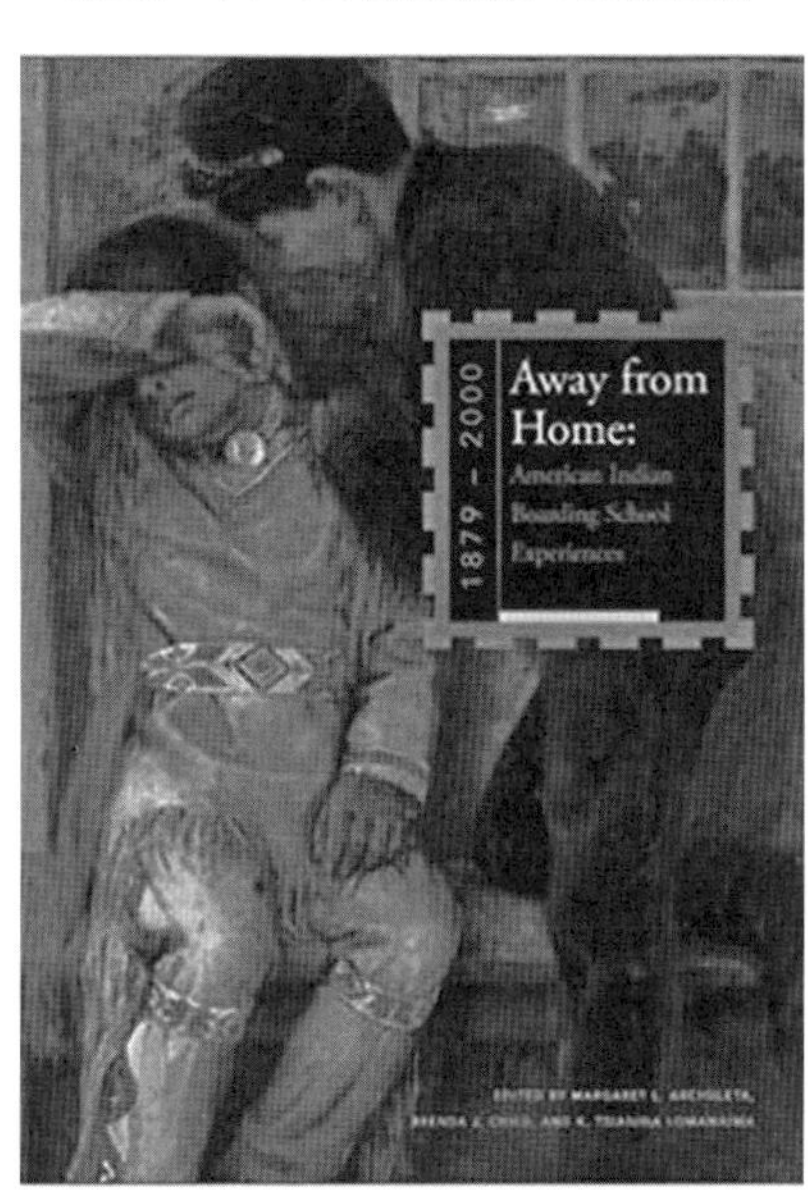

【14－3】書影（Archuleta, Child, Lomawaima, eds. 2000）

継承してきたことなどが明らかになった（Archuleta, Child, Lomawaima, eds. 2000: 48；水野 二〇〇七：第五章）。

以上のように、先住民教育史の領域では、オーラル・ヒストリーという方法論を駆使して先住民の視点から「インディアン・スクール」の歴史が語られるようになったことで、先住民不在の歴史叙述からの脱却が図られたのである。

ひとつの史料が人々との出会いをもたらし、さらに新たな研究方法へと誘う——歴史研究の面白さと奥深さは、まさにこのような「出会い」の連続のなかに見いだせるのだと思う。

謝辞　本稿の研究史の一部について、JSPS科研費20K01043の助成を受けた。

参照文献

史資料

Hearings 1967: U.S. Congress. Senate. Committee on Labor and Public Welfare. *Indian Education: Hearings before Special Subcommittee on Indian Education of the Committee on Labor and Public Welfare*. 90th Cong., 1st sess., 14 December 1967.

Hearings 1969: U.S. Congress. Senate. Committee on Labor and Public Welfare. *Indian Education: A National Tragedy—A National Challenge. 1969 Report of the Committee on Labor and Public Welfare, United States Senate, Made by Its Special Subcommittee on Indian Education*. 91st Cong., 1st sess., 3

November 1969.

研究文献

網野徹哉・橋川健竜編（二〇一四）『南北アメリカの歴史』放送大学教育振興会。
田中英夫編（一九九一）『英米法辞典』東京大学出版会。
水野由美子（二〇〇七）『〈インディアン〉と〈市民〉のはざまで――合衆国南西部における先住社会の再編過程』名古屋大学出版会。
Archuleta, Margaret L., Brenda J. Child, and K. Tsianina Lomawaima (eds.)（2000）*Away from Home: American Indian Boarding School Experiences: 1879-2000*. Phoenix: The Heard Museum.
Calloway, Colin G.（2019）*First Peoples: A Documentary Survey of American Indian History*. 6th ed. New York: Bedford/St. Martin's.
Hyer, Sally（1990）*One House, One Voice, One Heart: Native American Education at the Santa Fe Indian School*. Santa Fe: Museum of New Mexico Press.
Lomawaima, K. Tsianina（1994）*They Called It Prairie Light: The Story of Chilocco Indian School*. Lincoln and London: University of Nebraska Press.
Mizuno, Yumiko（1998）"*Diné bi Olta* or School of the Navajos: Educational Experiments at Rough Rock Demonstration School, 1966–1970." *The Japanese Journal of American Studies* 9: 143–169.
Pfeiffer, Anita（1968）"Educational Innovation." *Journal of American Indian Education* 7/3: 24–31.
Roessel, Jr., Robert A.（1977）*Navajo Education in Action: The Rough Rock Demonstration School*. Chin-

le: Navajo Curriculum Center, Rough Rock Demonstration School.
———. (1980) *Pictorial History of the Navajo: From 1860 to 1910.* Rough Rock, AZ: Navajo Curriculum Center, Rough Rock Demonstration School.
Szasz, Margaret Connell (1999) *Education and the American Indian: The Road to Self-Determination Since 1928.* 3rd ed. Albuquerque: The University of New Mexico Press.

ウェブサイト

Rough Rock Community School (2021) "Mission Statement," and "Letter from Our Board President," accessed August 12, 2022, http://www.roughrock.k12.az.us/academics.
Santa Fe Indian School (2022) "Admissions," accessed August 12, 2022, https://www.sfis.k12.nm.us/admissions.

執筆者紹介（掲載順）

有富　純也（ありとみ　じゅんや）　第一章
成蹊大学文学部教授。東京大学大学院人文社会系研究科博士課程修了。博士（文学）。専門は日本古代史。おもな業績として、『日本古代国家と支配理念』（東京大学出版会、二〇〇九年）、「乙巳の変」（佐藤信編『古代史講義――戦乱篇』ちくま新書、二〇一九年）、「日本古代のオホヤケと地域社会」（『歴史学研究』一〇二八、二〇二二年）など。

財城　真寿美（ざいき　ますみ）　第二章
成蹊大学経済学部教授。東京都立大学大学院理学研究科博士課程修了。博士（理学）。専門は歴史気候学、自然地理学、地理情報科学。おもな業績として、"Climate Variations in Tokyo since the Edo Period"（T. Kikuchi and T. Sugai eds., *Tokyo as a Global City*, Springer, 2018）,「関東東南部における気象観測記録からわかる一九世紀幕末期以降の気候の特徴」（『地学雑誌』一二七／四、二〇一八年）、"Data Rescue of Rainfall Records from the Dutch East Indies"（*Geographical Reports of Tokyo Metropolitan University* 58, 2023）など。

今田　絵里香（いまだ　えりか）　第三章
成蹊大学文学部教授。京都大学大学院人間・環境学研究科博士後期課程研究指導認定退学。博士（人間・環境学）。専門はメディア史、教育社会学、ジェンダー研究。おもな業績として、「『少女の友』『ジュニアそれいゆ』における「少女」「ジュニア」の人形」（神野由紀・辻泉・飯田豊編『趣味とジェンダー――〈手づくり〉と〈自作〉の近代』青弓社、二〇一九年）、『「少年」「少女」の誕生』（ミネルヴァ書房、二〇一九年）、『「少女」の社会史　新装版』（勁草書房、二〇二二年）など。

加藤　祐介（かとう　ゆうすけ）　第四章
北海学園大学法学部専任講師。一橋大学大学院社会学研究科博士後期課程修了。博士（社会学）。専門は日本近現代史。おもな業績として、「昭和戦時期の皇室財政――制度と実態」（吉田裕編『戦争と軍隊の政治社会史』大月書店、二〇二一年）、「大正後期における御料地処分政策の体系化」（佐藤健太郎・荻山正浩編『公正の遍歴――近代日本の地域と国家』吉田書店、二〇二二年）など。

鈴木　智行（すずき　ともゆき）　第五章
成蹊大学文学部助教。東京大学大学院人文社会系研究科博士課程修了。博士（文学）。専門は日本近現代史、都市史、経済史。おもな業績として、「受益者負担の成立過程――都市計画法制定過程再考」（『歴史と経済』二四六、二〇二〇年）、「「一丁倫敦」の経営史――三菱の丸の内地区における初期不動産経営の実態」（『三菱史料館論集』二一、二〇二〇年）、「戦間期大都市郊外における都市インフラ整備過程と都市計画法」（『史学雑誌』一三〇／一一、二〇二一年）など。

樋口　真魚（ひぐち　まお）　第六章
成蹊大学文学部専任講師。東京大学大学院人文社会系研究科博士課程修了。博士（文学）。専門は日本近現代史、日本政治外交史。おもな業績として、「戦間期日本外交と国際秩序――ヴェルサイユ体制・ワシントン体制への対応を中心に」（『歴史と地理』七一二、二〇一八年）、『国際連盟と日本外交――集団安全保障の「再発見」』（東京大学出版会、二〇二一年）、「国際連盟脱退」（筒井清忠編『昭和史研究の最前線――大衆・軍部・マスコミ、戦争への道』朝日新聞出版、二〇二二年）など。

小武海　櫻子（こむかい　さくらこ）　第七章
成蹊大学文学部助教。学習院大学大学院人文科学研究科博士課程修了。博士（史学）。専門は中国近代史、中国民間宗教史。おもな業績として、「近代東南アジアにおける「先天大道」の伝播――同善社と南洋聖教会」（武内房司編『中国近代の民衆宗教と東南アジア』（研文出版、二〇二一年）、「表象としての近代中国の民衆宗教――宣教師からみた〝救世団体〟」（『学習院大学文学部研究年報』六七、二〇二一年）、「近代中国民衆宗教の書籍ネットワーク考――重慶合川会善堂慈善会刊本目録」（『人文』一九、二〇二一年）など。

久保　茉莉子（くぼ　まりこ）　第八章
埼玉大学教養学部・大学院人文社会科学研究科准教授。東京大学大学院人文社会系研究科博士課程修了。博士（文学）。専門は中国近現代史、中国法制史。おもな業績として、『中国の近代的刑事裁判――刑事司法改革からみる中国近代法史』（東京大学出版会、二〇二〇年）、"Modern Chinese Law from the Perspective of Japanese Legal Academics: A Discussion on Criminal Justice" (*Chinese Studies in History* 55/4, 2022),「戦時中国の法学界――日中戦争期における『法学雑誌』と『中華法学雑誌』の分析を中心に」『東洋史研究』八一／四、二〇二三年）など。

佐々木　紳（ささき　しん）　はしがき、第九章　＊責任編集者
成蹊大学文学部教授。東京大学大学院人文社会系研究科博士課程修了。博士（文学）。専門はトルコ近現代史。おもな業績として、『オスマン憲政への道』（東京大学出版会、二〇一四年）、カーター・V・フィンドリー『テュルクの歴史――古代から近現代まで』（訳書、明石書店、二〇一七年）、アフメト・シェフィク・ミドハト『ミドハト・パシャ自伝――近代オスマン帝国改革実録』（訳書、東京大学出版会、二〇二三年）など。

小松　久男（こまつ　ひさお）　第一〇章
公益財団法人東洋文庫研究員、東京大学名誉教授。東京大学大学院人文科学研究科博士課程中退。修士（文学）。専門は中央アジア近現代史。おもな業績として、『革命の中央アジア――あるジャディードの肖像』（東京大学出版会、一九九六年）、『イブラヒム、日本への旅――ロシア、オスマン帝国、日本』（刀水書房、二〇〇八年）、『近代中央アジアの群像――革命の世代の軌跡』（山川出版社、二〇一八年）など。

松浦　義弘（まつうら　よしひろ）　第一一章
成蹊大学名誉教授。東京大学大学院人文科学研究科博士課程満期退学。博士（社会学）。専門はフランス近代史（フランス革命史）、史学史。おもな業績として、『フランス革命の社会史』（山川出版社、一九九七年）、『フランス革命とパリの民衆――「世論」から「革命政府」を問い直す』（山川出版社、二〇一五年）、『東アジアから見たフランス革命』（共編著、風間書房、二〇二一年）など。

寺本　敬子（てらもと　のりこ）　第一二章
成蹊大学文学部准教授。一橋大学大学院社会学研究科博士後期課程修了。博士（社会学）。フランス・パリ第一大学（パンテオン・ソルボンヌ）歴史学科博士後期課程修了。博士（史学）。専門はフランス近代史、日仏交流史。おもな業績として、『パリ万国博覧会とジャポニスムの誕生』（思文閣出版、二〇一七年）、「アルフレッド＝モーリス・ピカール――一八八九年パリ万博と「革命」」（髙橋暁生編『〈フランス革命〉を生きる』刀水書房、二〇一九年）、「フランスと一九二八年国際博覧会条約」（佐野真由子編『万博学――万国博覧会という、世界を把握する方法』思文閣出版、二〇二〇年）など。

竹内　敬子（たけうち　けいこ）　第一三章
成蹊大学文学部特別任用教授。マンチェスター大学大学院人文・歴史・文化研究科博士課程修了。Ph.D（歴史学）。専門はイギリス工場法史、イギリス女性労働史、イギリスジェンダー史。おもな業績として、「労働と文化――『平凡な日常』とアイデンティティ」（井野瀬久美惠編『イギリス文化史』昭和堂、二〇一〇年）、「イギリス一八〇二年工場法とジェンダー」（『成蹊大学文学部紀要』五〇、二〇一五年）、「イギリス工場法とジェンダー――一八八三年工場・仕事場法修正法案による釘・鎖産業における少女の雇用禁止の提案をめぐって」（成蹊大学文学部学会編、竹内敬子・中江桂子責任編集『ダイナミズムとしてのジェンダー――歴史から現在を見るこころみ』成蹊大学人文叢書一二、風間書房、二〇一六年）など。

中野　由美子（なかの　ゆみこ）　第一四章
成蹊大学文学部教授。一橋大学大学院社会学研究科博士後期課程修了。博士（社会学）。専門はアメリカ社会史、先住民史。おもな業績として、『〈インディアン〉と〈市民〉のはざまで――合衆国南西部における先住社会の再編過程』（名古屋大学出版会、二〇〇七年）、「第一〇章　アメリカ合衆国国民像の変容――一八八〇年代～一九二〇年代」「第一一章　一九六〇年代以降のアメリカ合衆国――多文化社会の挑戦」（網野徹哉・橋川健竜編『南北アメリカの歴史』放送大学教育振興会、二〇一四年）、「交錯する市民権概念と先住民政策――一九二四年市民権法の歴史的意義」（遠藤泰生編『近代アメリカの公共圏と市民――デモクラシーの政治文化史』東京大学出版会、二〇一七年）など。

成蹊大学人文叢書20

歴史の蹊（こみち）、史料の杜（もり）
―史資料体験が開く日本史・世界史の扉―

二〇二三年三月三一日　初版第一刷発行

編　者　成蹊大学文学部学会
責任編集　佐々木　紳
発行者　風間敬子
発行所　株式会社　風間書房
101-0051　東京都千代田区神田神保町一―三四
電　話　〇三―三二九一―五七二九
FAX　〇三―三二九一―五七五七
振　替　〇〇一一〇―五―一八五三

印刷・製本　太平印刷社

NDC 分類：200
ISBN 978-4-7599-2468-8　Printed in Japan